D1209976

Bioética:

el estado de la cuestión

PRUDENTI
DILIGENTIQUE
ANIMO

FUNDACION
DE CIENCIAS
DE LA SALUD

Bioética:
el estado de la cuestión

Lydia Feito, Diego Gracia,
Miguel Sánchez

(editores)

TRIACASTELA

Madrid, 2011

COLECCIÓN HUMANIDADES MÉDICAS, NÚM. 32

Bioética: el estado de la cuestión
1.ª edición, Madrid, Triacastela, 2011

Ilustración de cubierta: *Las once medicinas de la Antigüedad y de la Edad Media, de Esculapio a Alberto Magno.* Libro de Giohanne Cademosto sobre la composición de las hierbas. Lodi, primera mitad del siglo XIV. Biblioteca Nacional. París.

© De la introducción y los artículos: Los autores

© De la edición:

Editorial Triacastela
Guzmán el Bueno 27, 1.º dcha.
28015 Madrid
Tlf./Fax: 915 441 266
editorial@triacastela.com
www.triacastela.com

En coedición con:
Fundación de Ciencias de la Salud
Severo Ochoa, 2. Parque Tecnológico de Madrid
28760 Tres Cantos - Madrid
Tlf.: 913530150 / Fax: 913505420
www.fcs.es

ISBN: 978-84-95840-64-6

Deposito legal: M. 37.424-2011

Impresión: Gráficas Efca, S.A.

Sumario

Índice de autores

Francisco José de ABAJO
- Unidad de Farmacología Clínica.
  Hospital Univ. Príncipe de Asturias.
  Departamento de Farmacología.
  Facultad de Medicina.
  Universidad de Alcalá.

Juan Pablo BECA I.
- Centro de Bioética. Facultad de Medicina Clínica Alemana.
  Universidad del Desarrollo. Chile

Francesc BORRELL i CARRIÓ
- Profesor titular de Medicina Familiar y Comunitaria. Departamento de Ciencias Clínicas.
  Universidad de Barcelona.
  EAP Gavarra. ICS.

Jesús CONILL
- Catedrático de Filosofía Moral y Política.
  Facultad de Filosofía y Ciencias de la Educación.
  Universidad de Valencia.

Adela CORTINA
- Catedrática de Ética y Filosofía Política.
  Universidad de Valencia.

Tomás DOMINGO MORATALLA
- Profesor de Ética y Filosofía Política.
  Facultad de Filosofía.
  Universidad Complutense de Madrid.

James F. DRANE
- Russell B. Roth Professor of Biomedical Ethics (emérito).
  Edimboro University of Pennsylvania.
  Director del J.F. Drane Bioethics Institute. EEUU.

Lydia FEITO GRANDE
- Profesora de Bioética y Humanidades Médicas. Facultad de Medicina.
  Universidad Complutense de Madrid

Joseph J. FINS
- E. William Davis, Jr., M.D. Professor of Medical Ethics.
  Division of Medical Ethics.
  Weill Cornell Medical College,
  Nueva York. EEUU

Diego GRACIA
• Catedrático de Historia de la Medicina. Profesor de Bioética.
Facultad de Medicina.
Universidad Complutense de Madrid.
Presidente del patronato de la Fundación de Ciencias de la Salud.

Henk ten HAVE
• Center for Healthcare Ethics.
Duquesne University.
Pittsburgh. EEUU.

Javier JÚDEZ
• Jefe de Área de Investigación, Innovación y Desarrollo.
Fundación para la Formación en Investigación Sanitarias de la Región de Murcia.
Hospital Reina Sofía. Murcia

José LÁZARO
• Profesor de Humanidades Médicas.
Universidad Autónoma de Madrid.

Abel Jaime NOVOA
• Médico de Familia en el C. S. Alguazas (Murcia).

Carlos POSE
• Profesor de Ética.
Instituto Teológico Compostelano.
Universidad Pontificia de Salamanca.

Pablo RODRÍGUEZ DEL POZO
• Associate Professor. Division of Medical Ethics.
Weill Cornell Medical College in Qatar.

Miguel Ángel SÁNCHEZ GONZÁLEZ
• Profesor titular de Historia de la Medicina y Bioética.
Facultad de Medicina.
Universidad Complutense de Madrid.

Introducción

LYDIA FEITO

Una de las tareas más hermosas e interesantes que puede llevar a cabo una persona es transmitir a otros pensamientos y reflexiones con el objetivo de formar, informar, ayudar a pensar, abrir horizontes, generar reacciones, motivar para la acción y, en última instancia, transformar el mundo. Tal es la labor que los autores de esta obra se han planteado y en la que han empeñado su mejor saber y su mejor hacer.

El proyecto de elaborar un libro que recogiera el estado actual de la bioética, su presente (dónde estamos y desde dónde veníamos) y su futuro (hacia dónde queremos ir o atisbamos que iremos llegando), surgió con motivo de la jubilación del doctor Diego Gracia, maestro de muchos de nosotros, colaborador y amigo de todos los que aquí firman. Su magisterio y enseñanzas, su sabiduría y su buen hacer, han sido inspiración para varias generaciones de personas que han encontrado con él un espacio de reflexión ponderada, prudente, compleja y siempre atenta a los matices, donde se ha dado cabida a todos, aunque no todos hayan querido entenderlo así, y donde se busca la prudencia, el rigor y la sabiduría, en la convicción de que solo vale la tarea bien hecha, de que es preciso ser responsable de lo que se hace, y de que, al menos, conviene observar como imperativo moral lo que ya dijera Julián Marías y que gusta Diego Gracia de repetir: «por mí que no quede».

Sin duda, reconocer su labor y, con él, realizar esta revisión del estado actual de la bioética, suponía un reto apasionante. Para ello contamos con los mejores colaboradores: personas de diversos países, con diferentes formaciones y especializaciones, todas ellas profesionales de reconocido prestigio, dedicadas de uno u otro modo a la bioética, que han querido aportar un granito de su conocimiento e ideas, en este volumen colectivo. Quede aquí constancia de nuestro agradecimiento por su colaboración desinteresada, entusiasta y rigurosa, en la que han puesto lo mejor de sí mismos. Por supuesto, habrían sido muchos más los que habrían podido participar en esta obra, y lamentablemente algunos que inicialmente quisieron colaborar en el proyecto no han podido realizarlo finalmente.

El objetivo que se persigue no es lograr un libro final, definitivo, o concluido, sino aportar unos materiales que sirven a dos propósitos diferentes pero complementarios: por una parte, ofrecer unos materiales que puedan servir para la formación en bioética; por otra, exponer algunas reflexiones sobre el mundo de la bioética, su presente y su futuro, que puedan permitir hacerse una idea cabal del estado de la cuestión, y también abrir debate y suscitar ulteriores desarrollos.

No en vano, el segundo motivo coadyuvante de este proyecto es la celebración del vigésimo aniversario de la Fundación de Ciencias de la Salud. Esta institución, de la que Diego Gracia es actualmente presidente de su patronato, es una fundación sin ánimo de lucro, cuyo objetivo es realizar tareas que permitan poner en comunicación a los distintos actores del sistema sanitario entre sí y con la sociedad. Para ello se presta especial atención a los aspectos humanísticos, desde la interdisciplinariedad, colaborando con otras muchas instituciones y siguiendo un lema, que es la inspiración que anima su labor: *prudenti, diligentique, animo*.

En el ámbito de la bioética, la Fundación de Ciencias de la Salud ha realizado una importante labor, desde su Instituto de Bioética: con publicaciones importantes, con la celebración de Ateneos de Bioética donde se analizan temas de enorme relevancia, con la formación en bioética (a través de un programa de entrenamiento de formación de formadores, y otras muchas actividades formativas), etc. Nada mejor para conmemorar su existencia y permanencia a lo largo de los años que un libro en el que se recoja el estado actual del tema de la bioética, y que sirva para abrir nuevos horizontes.

Las dos partes del libro persiguen objetivos específicos diferentes, y por ello tienen diverso tratamiento y extensión:

La primera parte del libro, dedicada a la metodología, tiene un claro espíritu didáctico, queriendo servir como material para la formación en bioética. No es posible aportar nuevos conocimientos, investigar, aplicar o innovar sin un método correcto. Las aproximaciones que carecen de este rigor metodológico están abocadas al fracaso, y por ello es necesario enfatizar la necesidad de conocer los métodos más importantes utilizados en bioética, sus posibilidades y sus límites, sus ventajas según los temas a tratar o los objetivos a lograr. Consideramos que esta obra puede aportar algo novedoso e importante en este sentido, dado que no existe demasiada bibliografía en castellano sobre estas cuestiones.

La segunda parte expone los rasgos esenciales de la bioética actual, algunos de los elementos que han jugado un papel determinante como posibilitadores de la situación presente y las claves del desarrollo futuro. Este panorama abarca cuestiones variadas y múltiples, que cada autor ha enfocado desde su peculiar visión. En cada una de ellas se percibe cómo la bioética es un complejo mundo interrelacionado y lleno de matices y perspectivas diferentes, que exigen un cuidadoso análisis, una pormenorizada búsqueda de datos, y un debate serio y cuidadoso.

Precisamente el énfasis en la deliberación, como método específico y canónico para realizar ese diálogo y debate necesarios, es una de las apuestas de esta obra. El texto de Diego Gracia, el más extenso del libro, se dedica profusamente a analizar esta aproximación, pero también es transversal a muchas de las aportaciones que aquí pueden encontrarse. Lo interesante de la deliberación es que, además de un método riguroso que permite ponderar los elementos en juego, en un exquisito ejercicio de matización y prudencia, desde la comprensión de la racionalidad práctica al modo aristotélico, es también una actitud, un modo de ser y actuar. La actitud deliberativa es respetuosa y plural, abierta a diferentes opciones y siempre atenta a evaluar los pros y contras de cada posición, sin menoscabo de ninguna. Supone la convicción en que el pensamiento no es único sino múltiple, que la verdad es un objetivo pero no es objetiva, y que son las personas quienes, mediante sus razones y justificaciones, construyen un espacio común de valores donde todos aprendemos al escuchar y tratar de comprender a quien piensa diferente.

Es este objetivo el que pretende este libro: el diálogo para seguir pensando. Si se ha logrado, será el lector —que en su lectura y crítica estará ya abriendo espacios de reflexión— quien tenga que decidirlo.

En la labor de coordinación de esta obra han participado también Miguel Sánchez y Diego Gracia, y la edición ha sido posible gracias a la Fundación de Ciencias de la Salud, representada por Clara Francés y Carlos Scarpellini, y por supuesto, la editorial Triacastela. A todos ellos es preciso agradecerles su tarea.

I

La cuestión del método en bioética

1

Métodos de investigación cuantitativa en bioética

Francisco José de ABAJO

1. Introducción

La bioética puede ser definida como el proceso de contrastación de los hechos biológicos con los valores humanos, a fin de alcanzar juicios prudentes sobre las distintas situaciones y de esta forma mejorar la toma de decisiones, incrementando su corrección y calidad.[1] En el campo particular de la bioética clínica nos interesaría mejorar la corrección y calidad de las decisiones sanitarias.

Es conocido que los hechos biológicos son variables: varían entre distintos individuos y, dentro de un mismo individuo, varían a lo largo de la vida en función de una multitud de situaciones que son, también, cambiantes. Esta variabilidad dificulta enormemente el estudio de los hechos biológicos y, sobre todo, de sus interrelaciones. La introducción de los métodos empíricos cuantitativos, cuya esencia es el razonamiento probabilístico, ha permitido, no obstante, alcanzar aproximaciones razonables a una realidad esquiva y hoy día no concebi-

[1] Gracia, D. (1995): «El qué y el porqué de la bioética», *Cuadernos del Programa Regional de Bioética, 1:* 37-53.

mos otro modo de avanzar en las ciencias biomédicas que no sea este.[2] Por otra parte, hemos acabado humildemente por reconocer que la incertidumbre es una parte sustancial de todo conocimiento científico y que una verdad científica lo es en tanto que puede ser sometida a refutación.[3]

De acuerdo con esto, si la estimación que las personas hacemos de los valores fuera también variable, cabría proponer para la investigación en bioética la misma aproximación que para la investigación en las ciencias de la vida. Dicho con otras palabras, si hoy día se acepta la necesidad de la investigación empírica en las ciencias de la vida para mejorar nuestra comprensión de los hechos biológicos, parecería lógico pensar que, de igual modo, debería haber una investigación empírica en bioética para mejorar nuestra comprensión de los valores humanos en relación con los hechos biológicos. Por otra parte, es conocido que la aplicación práctica de las normas éticas requiere la puesta en marcha de una serie de procedimientos (v. gr. la hoja de información que se proporciona al sujeto de investigación, dentro del proceso de consentimiento informado), los cuales, por su naturaleza, pueden ser susceptibles de evaluación empírica.[4,5]

El estudio empírico de los valores, no obstante, ha recibido poca atención por parte de los investigadores bioéticos, como demuestra el análisis bibliográfico llevado a cabo por Borry y colaboradores[6] en el que se destacaba que solo el 11% de los artículos publicados en las principales revistas de bioética se correspondía con estudios empíricos. El interés, a pesar de todo, se ha incrementado en los últimos años: del 5% en 1990 se había pasado al 15% en 2003. La investigación cuantitativa predominaba sobre la cualitativa y, en aquella, los métodos de corte transversal (o tipo encuesta) eran mayoría, con muy escasa presencia de estudios observacionales controlados (9%) y nula de estudios experimentales. Este retrato de la investigación empírica en bioética es práctica-

[2] Rosser Matthews, J. (2007): *La búsqueda de la certeza. La cuantificación en medicina,* Madrid, Triacastela.

[3] Popper, K. (1967): *Conjeturas y refutaciones. El desarrollo del conocimiento científico,* Barcelona, Paidós Básica.

[4] Gracia, D. (1991): *Procedimientos de decisión en ética clínica,* Madrid, Eudema Universidad.

[5] Aunque se puede aceptar la existencia de principios o valores universales y absolutos, y en este sentido invariables, estos lo serán en tanto que formales, sin un contenido concreto (nos dicen el *qué,* pero no el *cómo).* La aplicación de los mismos a situaciones particulares requerirá tener en cuenta variables como las preferencias individuales o el contexto histórico, social y cultural, variables que formarían parte lo que aquí llamamos «estimación de los valores» [1,4].

[6] Borry, P.; Shotsmans, P. y Dierickx, K. (2006): «Empirical research in bioethical journals. A quantitative analysis», *Journal of Medical Ethics, 32:* 240-5.

mente el inverso a la situación de la investigación en ciencias de la salud donde predominan los estudios controlados y experimentales, lo cual probablemente indica que los valores son más esquivos a aproximaciones cuantitativas que los hechos, pero tal vez también que los investigadores bioéticos tienen una cierta prevención respecto a los métodos de investigación cuantitativa, especialmente a aquellos que tratan de ir más allá de la descripción de una situación.

El objetivo del presente trabajo es doble: por un lado trata de indicar qué aspectos de la bioética pueden ser susceptibles de una aproximación empírica de tipo cuantitativo y, por otro lado, trata de describir sucintamente los métodos de investigación cuantitativa de que actualmente disponemos y que no son otros que los que brinda el método epidemiológico, reconocido hoy día como la lógica de la medicina moderna.[7]

2. EL PAPEL DE LA INVESTIGACIÓN EMPÍRICA EN BIOÉTICA

En un reciente artículo, Alexander A. Kon[8] planteaba cuál podría ser el papel de la investigación empírica en bioética y proponía cuatro niveles o áreas. Utilizaba el término «nivel» porque consideraba que la investigación tendría que proceder de forma secuencial desde el primero hasta el cuarto.

El primer nivel lo describe como «The Lay of the Land», lo que podríamos traducir como «el estado de la cuestión», y en él se encuadrarían los estudios orientados a describir las opiniones, creencias o preferencias de las diferentes personas o grupos sociales sobre las cuestiones relevantes de la bioética. Es con seguridad el área más fecunda de investigación empírica en bioética. Puede tener un objetivo descriptivo (v. gr. cómo se distribuye tal actitud o preferencia entre la población) o explicativo (v. gr. qué factores están asociados o explican una determinada situación).

El segundo nivel sería el de «Ideal versus Reality» y en él se encontrarían los estudios que tratarían de identificar y evaluar las diferencias existentes entre los postulados de la ética normativa y la práctica clínica o la realidad social. En este segundo nivel, los estudios suelen partir de una hipótesis (v. gr. «existe coherencia entre la práctica y las normas») que se trataría de refutar o validar con la experiencia.

El tercer nivel lo designa como «Improving Care» y estaría integrado por los estudios cuyo objetivo sería el de encontrar soluciones a los problemas

---

[7] Jenicek, M. (1996): *Epidemiología: la lógica de la medicina moderna,* Barcelona, Masson.

[8] Kon, A. A. (2009): «The role of empirical research in bioethics», *American Journal of Bioethics, 9(6-7): 59-65.*

identificados en los estadios anteriores y aplicarlas para mejorar con ello la calidad de la asistencia. Se puede entender que este sería el objetivo final de todo trabajo bioético, pero lo que se convierte aquí en objeto de estudio es la comprobación de que efectivamente se ha conseguido. Suelen ser, por tanto, estudios de intervención que tendrán normalmente un carácter experimental, siendo el ensayo clínico aleatorizado (individual o por conglomerados) la mejor herramienta a emplear (la expresión «investigación de resultados» se aplica con alguna frecuencia para definir también este área de investigación). Si la intervención se aplica fuera de un contexto investigador, cabría analizar su efecto posteriormente mediante un estudio observacional «antes-después», aunque la validez sería inferior.

Finalmente, con la evidencia suministrada por los estudios anteriores se alcanzaría el cuarto nivel cuyo objetivo sería el de cambiar la visión que tenemos de las normas éticas o de cambiar las propias normas («Changing Ethical Norms»). En este nivel ya no interviene la investigación empírica, sino que se utilizarían los resultados obtenidos de las investigaciones realizadas en niveles anteriores. Sin duda alguna es el nivel más controvertido, porque es en él donde se pasaría del *es* proporcionado por la investigación empírica al *debe* de la ética normativa.[9,10,11,12,13]

Aunque el programa que propone Kon es ciertamente ambicioso y si se quiere, en algunos aspectos, discutible, ha tenido la gran virtud de avivar el debate sobre el lugar que debe ocupar la investigación empírica en bioética y, como mínimo, constituye un marco de análisis útil.

En su propuesta Kon no entra a enjuiciar en qué situaciones sería más deseable una aproximación cualitativa o una aproximación cuantitativa, lo cual es una forma inteligente de evitar una confrontación estéril y de advertir que una misma cuestión puede ser abordada desde ambas visiones, o lo que es lo mismo, que ambos tipos de métodos son complementarios.

[9] Kon, A. A. (2009): «It is settled: the "is" can (and should) inform the "ought"!», *American Journal of Bioethics, 9(6-7):* W4-6.

[10] Borry, P.; Schotsmans, P. y Dierickx, K. (2005): «The birth of the empirical turn in bioethics», *Bioethics, 19(1):* 49-71.

[11] Hoffmaster, B. y Hooker, C. (2009): «How experience confronts ethics», *Bioethics, 23(4):* 214-25.

[12] De Vries, R y Gordijn B. (2009): «Empirical ethics and its alleged metha-ethical fallacies», *Bioethics, 23 (4):* 193-201.

[13] Parker, M. (2009): «Two concepts of empirical ethics», *Bioethics, 23(4):* 202-13.

3. EL PARADIGMA CUANTITATIVO

Como se ha enunciado anteriormente, los fenómenos en la naturaleza son complejos y normalmente no obedecen a modelos deterministas monocausales.[14] Tampoco cabe reducir el mundo de los valores a categorías absolutas y universales.[1,4] En estas situaciones donde la variabilidad es la norma, el paradigma cuantitativo (o estadístico) afirma que el estudio de los fenómenos, y el de las relaciones que tienen con los factores que puedan influir en su aparición, es posible hacerlo utilizando modelos probabilísticos que den cabida a dicha variabilidad.[15] Veamos sucintamente cómo lo hace.

Se comienza por seleccionar una muestra representativa de la población diana y en ella se mide o *se cuantifica* la distribución de las diferentes categorías o valores de la variable objeto de estudio (variable de resultado). Pero el resultado en la muestra tiene poco interés porque las muestras son irrepetibles: la muestra no es más que el medio por el cual podemos llegar a saber lo que está ocurriendo en la población de la que parte y que es normalmente inaccesible. Para ello se utiliza una de las grandes conquistas del pensamiento cuantitativo: la *inferencia estadística* que nos permitirá decir, a partir de los datos de la muestra, en qué intervalo de valores y con qué grado de probabilidad («intervalo de confianza») se encuentra el valor del parámetro que se está estudiando en la población (a esto se llama *estimación* del parámetro poblacional). En los estudios llamados descriptivos (v. gr. primer nivel de Kon) el trabajo terminaría aquí, pero con frecuencia se quiere ir más allá y analizar si la variable de resultado cambia en presencia de otras variables (variables explicativas). Se buscarán, por tanto, *asociaciones* de unas variables con otras, bien sea una a una (análisis bivariantes) o tratando de identificar la contribución de múltiples variables explicativas en la variación que experimenta la variable de resultado (análisis multivariantes, modelos de regresión múltiple predictivos).[15]

Con frecuencia, lo que se desea es llegar a identificar si la asociación de una variable de resultado con una variable explicativa es de tipo «causal» (estudios etiológicos). Para ello, será necesario *comparar* la probabilidad del resultado en presencia de las diferentes categorías de una determinada variable explicativa. El caso más sencillo sería el de una variable explicativa dicotómica, por ejemplo una intervención educativa, que toma dos valores dis-

---

[14] Rothman, K. y Greenland, S. (1998): «Causation and causal inference», en: Rothman, K. y Greenland, S. (eds.): *Modern Epidemiology,* 2.ª ed., Filadelfia, Lippincott-Raven.

[15] Carrasco, J. L. (1990): *El razonamiento estadístico en las ciencias de la vida,* Madrid, Editorial Ciencia 3.

Figura 1.1. Dinámica de la confusión

La existencia del factor C (factor de confusión), relacionado simultáneamente con el factor A y con el fenómeno B, hace que se observe empíricamente una relación temporal, pero no causal, entre el factor A y el fenómeno B. Las variaciones en este esquema simple son múltiples en función del tipo de relación (positiva o negativa), y de su intensidad, del factor C con el factor A y con el fenómeno B

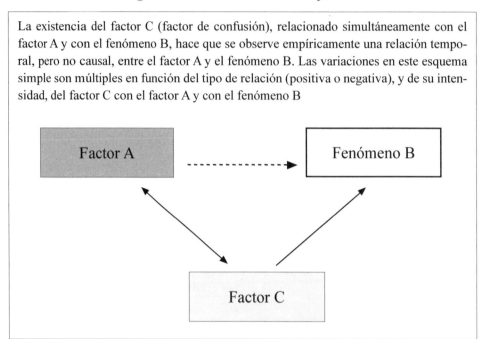

cretos: 0, no intervención; 1, intervención. Se conformarán, en consecuencia, dos grupos de sujetos: unos «no expuestos» a la intervención, que actuarán como grupo control o de referencia, y otros «expuestos». La distribución de los pacientes a uno u otro grupo tiene que buscar las mejores condiciones de comparación para evitar que un grupo tenga diferencias con el otro en características que influyan en el resultado. Cuanto mejor sea la comparabilidad, mayor validez (interna) tendrá el estudio. La falta de comparabilidad es debida a la presencia de errores sistemáticos que se pueden introducir por la forma como se han seleccionado a los pacientes (sesgos de selección), por la forma como se ha obtenido la información (sesgos de información), o por la presencia de factores de confusión (variables que se asocian simultáneamente con las variables explicativas y las de resultado y nos hacen ver asociaciones espurias, ocultar asociaciones verdaderas o cambiarlas de intensidad) (figura 1.1). Para minimizar los errores sistemáticos se utilizan diversas técnicas, tanto en la fase de diseño (asignación aleatoria, restricción, apareamiento), como en la de análisis (análisis estratificado, modelos de regresión).[14] La asignación aleatoria de la exposición de interés es el método que consigue las mejores condiciones de comparabilidad, de ahí la fortaleza metodológica del ensayo clínico aleatorizado.

El método cuantitativo permite, por tanto, medir y controlar dos fuentes de variabilidad: 1) la variabilidad estadística, el tributo que hay que pagar por trabajar con muestras en vez de hacerlo con poblaciones, y que incide en la *precisión* de la estimación (el intervalo de confianza); y 2) la variabilidad del parámetro condicionada por las variables explicativas (incluyendo los factores de confusión) y que inciden en la *validez* del estudio. Validez y precisión son, pues, las dos dimensiones clave de cualquier estudio empírico cuantitativo.

4. TIPOS DE ESTUDIOS CUANTITATIVOS

Existen dos tipos generales de estudios cuantitativos: los estudios experimentales y los estudios observacionales.[14] La característica fundamental que los diferencia es la intervención del investigador en la asignación del factor de estudio (o exposición de interés). En los primeros, el investigador interviene activamente creando situaciones artificiales que espontáneamente no ocurrirían, de ahí el calificativo de experimental. En los segundos, el investigador no interviene, y su actuación consiste en observar y medir las variables de interés en una situación espontánea o natural que él no ha condicionado o alterado. Dentro de estos dos grandes tipos cabe realizar subclasificaciones en función de diversas características (tabla 1.1): el objetivo del estudio (probar o generar hipótesis), la unidad de análisis (individuos o grupos de individuos), la existencia de un grupo control (analíticos o descriptivos), la evaluación en el tiempo (longitudinal o transversal) o la direccionalidad (de la causa al efecto, del efecto a la causa, o sin direccionalidad).

4.1. Estudios observacionales

Los estudios observacionales pueden clasificarse en controlados o no controlados, en función de que presenten o no un grupo de referencia. A los primeros se les llama también analíticos y a los segundos descriptivos. Los primeros son necesarios cuando se quieren establecer asociaciones causa-efecto entre dos variables, los segundos, en cambio son útiles para generar hipótesis o conocer la distribución de una característica o la tendencia de una opinión. Cuando la unidad de análisis es el individuo los tres tipos de estudios básicos son los estudios de cohorte, los estudios de casos y controles (ambos analíticos) y los estudios de corte transversal (analítico o descriptivo). La diferencia entre ellos estriba en la forma como se selecciona a los sujetos (figura 1.2).

En un *estudio de cohorte* los sujetos se seleccionan por el factor cuyo efecto desea medirse (sujetos con el factor y sin el factor de interés), en tanto que en

Tabla 1.1. Tipos básicos de estudios cuantitativos

Grado de intervención	Objetivo	Unidad de análisis	Control	Tipo de estudio	Aplicación (nivel de Kon)
Experimental	Probar hipótesis[1]	Individuos	Controlado	Ensayo clínico aleatorizado	Tercero
		Grupos de individuos[2]	Controlado	Ensayo clínico aleatorizado por conglomerados	Tercero
		Poblaciones	Controlado	Ensayo de intervención comunitaria	Tercero
Observacional	Probar hipótesis	Individuos	Controlado	Estudio de cohorte	Segundo o tercero
		Individuos	Controlado	Estudio de casos y controles	Segundo o tercero
	Describir variables, Generar hipótesis de asociación	Individuos	No controlado	Estudio de corte transversal[3]	Primero o segundo
	Generar hipótesis de asociación	Individuos	No controlado	Series de casos o series de expuestos	Primero
	Generar hipótesis de asociación	Grupos o poblaciones	Controlado o no controlado	Estudio ecológico	Primero

[1] La hipótesis puede consistir en probar la eficacia, la efectividad o la seguridad de una intervención o identificar un factor de riesgo.

[2] En la evaluación de un programa educativo de salud, por ejemplo, los grupos podrían ser los centros de salud o las clases de un colegio.

[3] Los estudios de corte transversal también pueden ser controlados y utilizarlos para probar hipótesis cuando la exposición es un rasgo invariable en el tiempo (vgr. un marcador genético).

un *estudio de casos y controles* los pacientes se seleccionan por la presencia (casos) o no (controles) del presumible efecto (sea una enfermedad o una determinada característica o resultado del sujeto). En ambos se analiza la asociación entre el factor de interés y su posible efecto teniendo en cuenta el tiempo, es decir, asumiendo que la causa precede al efecto y, por tanto, estudiándolos a lo largo de un periodo de tiempo (por eso se dice que son estudios longitudinales). Con frecuencia los controles se emparejan con los casos por ciertas variables que pueden actuar como factores de confusión (edad, sexo, lugar etc.). Los estudios de casos y controles pueden hacerse también *anidados* dentro de estudios de cohorte o ensayos clínicos (mejorando con frecuencia la eficiencia del estudio).

Ejemplo de estudio de cohorte: Se desea conocer si las creencias religiosas influyen en la inscripción en el registro de voluntades anticipadas. A los asistentes a una serie de conferencias sobre ética realizadas en diferentes ámbitos de la comunidad, se les solicita participar en el estudio, para lo cual se recogen datos personales (incluyendo sus creencias religiosas). Al cabo de un año se les entrevista para conocer si, posteriormente a las conferencias, se han inscrito en el registro de voluntades anticipadas. Se dividen las personas en función de sus creencias religiosas y se compara la proporción de personas registradas entre los distintos grupos: v. gr. católicos, otras religiones y agnósticos/ateos. El estudio recoge información de otras muchas variables por las cuales habrá que ajustar el resultado que se obtenga si resultan ser confusoras.

Ejemplo de estudio de casos y controles: Se desean conocer los factores que pueden predecir la decisión de la familia de no aceptar la donación de órganos. Las familias que no han aceptado la donación son los casos, y las familias que han aceptado la donación son los controles. Se recogen dos controles por cada caso emparejados por comunidad autónoma, grupo de edad del fallecido (niño, adolescente, adulto, anciano) y hospital. A través de cuestionarios estructurados anónimos, se recogen datos sobre características personales, sociales, etc. de la familia, así como del sujeto que ha fallecido, y se identifican los factores asociados positiva o negativamente con la no aceptación mediante un modelo de regresión logística predictivo. También se podría haber realizado con una hipótesis de partida que se desea poner a prueba.

Los estudios longitudinales pueden ser prospectivos o retrospectivos en función del momento en el que intervenga el investigador en relación con la apari-

Figura 1.2. Estructura de los estudios cuantitativos básicos

En un *estudio de cohorte* se conforman dos grupos en función de que estén expuestos (P_1) o no (P_0) al factor de estudio y se les sigue en el tiempo para conocer si desarrollan o no el acontecimiento de interés. Al final del estudio se contabilizan los sujetos que presentan el resultado de interés (x). En un *estudio de casos y controles* los sujetos con el resultado de interés (casos) se comparan con sujetos que no lo presentan y en ambos grupos se mide la proporción de sujetos expuestos al factor objeto de estudio y se comparan (ajustando por posibles variables confusoras). En un *estudio de corte transversal* lo sujetos se seleccionan en un determinado tiempo y se describen las características de dichos sujetos (y se analizan asociaciones).

Estudio de cohorte

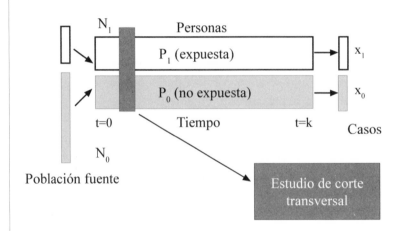

Estudio de casos y controles

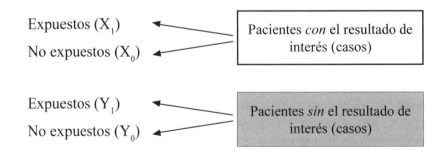

ción del acontecimiento de interés. Si su entrada en escena precede al acontecimiento será prospectivo, si es posterior será retrospectivo. En estos últimos se suelen utilizar registros en papel o informáticos, mientras que en los primeros lo habitual es utilizar la entrevista personal como fuente principal de información.

En un *estudio de corte transversal (o encuesta)* todas las variables se analizan en un mismo instante temporal, de tal manera que permite conocer cómo se distribuyen las variables entre los individuos en ese momento puntual (su prevalencia). No permite, por tanto, conocer la secuencia temporal de unas respecto a otras, por eso no suelen ser útiles para la investigación de asociaciones causales, a menos que el factor no varíe en el tiempo (por ejemplo, una característica genética). Cuando el objetivo del estudio es descriptivo y no se realiza en toda la población sino en una muestra, es necesario que dicha muestra sea representativa de la población para poder realizar una inferencia estadística correcta. Obsérvese que en estos casos la validez del estudio no depende de la *comparabilidad* como en los estudios analíticos, sino de la *representatividad*. Para asegurar la representatividad de la muestra, el método de selección de la misma tiene que ser probabilístico, entendiendo por tal «aquel en el que cada elemento de la población tiene una probabilidad conocida y no nula de ser seleccionado». Se pueden utilizar diferentes tipos de muestreo (muestreo aleatorio simple, muestreo aleatorio sistemático, muestreo aleatorio estratificado y muestreo aleatorio por conglomerados).[16] La elección de un muestreo no probabilístico o de conveniencia no permitirá realizar ni interpretar con rigor los errores de muestreo, aunque en ocasiones no quede más remedio que elegir dicho tipo de muestreo.

Ejemplo de estudio de corte transversal (o encuesta): Se quiere conocer el grado de comprensión de las hojas de información del consentimiento informado de pacientes incluidos en un ensayo clínico. Para ello, se incluyen en el estudio todos los pacientes del ensayo (con independencia del grupo al que han sido asignados) y se realiza una entrevista. En una segunda etapa se podría pretender conocer si la comprensión (variable de resultado) está asociada con variables como el nivel cultural, el nivel socioeconómico, la edad y el sexo. Si el número de sujetos es grande se podría realizar un muestreo aleatorio simple. En el caso de que participaran muchos hospitales se podrían estratificar los hospitales en función del número de sujetos que recluten y a partir de ahí realizar un muestreo aleatorio por cada estrato.

[16] Silva, L. C. (1993): *Muestreo para la investigación en ciencias de la salud,* Madrid, Ediciones Díaz de Santos.

Cuando la unidad de análisis es el grupo poblacional (por ejemplo diferentes países, ciudades, distritos, etc.), y se quieren establecer correlaciones o asociaciones entre dos variables, el estudio se denomina *ecológico*. Es un tipo de estudio interesante cuando las variables son de naturaleza social más que individual.

> Ejemplo de estudio ecológico: Se desea conocer si el capital social de una comunidad (una variable definida como el conjunto de características de una organización social tales como la participación cívica, normas de reciprocidad, confianza mutua y solidaridad) se relaciona con la mortalidad en diferentes estados o regiones de un país. Cada región, provincia o estado sería la unidad de análisis. El capital social es una variable que se recoge a partir de encuestas sociológicas en algunos países (ver Kawachi et al.[17] en los Estados Unidos para un ejemplo).

4.2. Estudios experimentales

El prototipo de estudio experimental es el *ensayo clínico aleatorizado* en el que las intervenciones se asignan a los individuos que participan en la investigación de forma aleatoria. La asignación aleatoria es la técnica más eficaz conocida para luchar contra los sesgos de selección y, sobre todo, contra los factores de confusión: siempre que el número de sujetos participantes sea suficientemente grande, la asignación aleatoria de las intervenciones tiende a producir grupos de comparación homogéneos, asegurando una gran validez interna. La posibilidad de intervenir permite, a su vez, introducir otro tipo de técnicas como las de enmascaramiento que redundan en una mayor validez (impidiendo que se incorporen sesgos de observación o de información a lo largo del ensayo por la subjetividad de los participantes o de los investigadores). La aleatorización es la gran fortaleza de los ensayos clínicos aleatorizados y la razón por la cual se han impuesto como herramienta fundamental para evaluar la eficacia de las intervenciones en medicina. Pero el ensayo clínico aleatorizado presenta dos inconvenientes técnicos: 1) si la muestra que se requiere es muy grande puede ser poco eficiente hacer un ensayo clínico aleatorizado, y 2) la validez externa de los ensayos clínicos aleatorizados, es decir, la posibilidad de extrapolar los resultados del ensayo a la práctica clínica habitual, puede ser baja: el hecho mismo de la intervención impide observar el efecto de las intervenciones en la condiciones habituales. A esto hay que aña-

---

[17] Kawachi, I.; Kennedy, B. P.; Loechner, K. et al. (1997): «Social capital, income inequality, and mortality», *American Journal of Public Health, 87:* 1491-8.

dir que, en ocasiones, la asignación aleatoria de determinadas intervenciones puede no considerarse ética («no todo lo técnicamente correcto es éticamente aceptable»).

Cuando la unidad de análisis es un conjunto de individuos que comparte una característica en común (por ejemplo una escuela o un centro de salud), el estudio experimental se denomina ensayo clínico por conglomerados, o, si el conjunto de individuos son poblaciones más grandes, ensayo de intervención comunitaria.[14]

Ejemplo de ensayo clínico aleatorizado. Se ha observado una tendencia a que la extensión de las hojas de información que se dan a los pacientes (HIP) para que decidan su participación en los ensayos clínicos sea cada vez mayor. En un estudio descriptivo previo se ha señalado que la extensión de las HIP se asocia con una menor comprensión, especialmente en sujetos mayores de 60 años. Se plantea la hipótesis de que una menor extensión mejore la comprensión, la retención de la información y la satisfacción de los sujetos. Para probarla, se utiliza un ensayo clínico en el que se va a evaluar la eficacia de un nuevo antidepresivo en pacientes mayores de 60 años comparado con un antidepresivo autorizado. Sobre este ensayo, se superpone otro en el cual los pacientes se aleatorizan a recibir una HIP estándar de 12 páginas y una HIP abreviada de dos páginas. Ambas han sido aceptadas por el Comité de Ética de Investigación. Al cabo de cuatro semanas se evalúa si el grado de comprensión, retención de la información y satisfacción del paciente es mejor en un grupo que en otro.

Ejemplo de ensayo clínico aleatorizado por conglomerados: Se quiere analizar si la formación en bioética de los enfermeros de atención primaria repercute en una mayor satisfacción por parte de los pacientes que reciben su cuidado. Para ello, se cuenta con 30 centros de salud que se dividen aleatoriamente para que los profesionales de enfermería reciban o no un taller de bioética de una semana de duración. Al cabo de seis meses se realiza una encuesta de satisfacción entre los pacientes atendidos por los profesionales y se compara si hay diferencias o no entre los centros de salud cuyos profesionales han recibido el taller y los que no. El tiempo de seis meses se ha escogido para evitar la influencia inmediata del curso y valorar si el efecto del curso es duradero.

5. Conclusiones

La introducción de los métodos cuantitativos, y con ellos el razonamiento probabilístico y la estadística inferencial, permitió que la medicina clínica se hiciera científica. Hoy día ya no es posible concebir un avance en medicina si no ha pasado por el tamiz del método epidemiológico. Con él no ha desaparecido la incertidumbre, desde luego, pero ha permitido incorporarla en el proceso de toma de decisiones («alcanzar decisiones racionales en condiciones de incertidumbre»). No hay razón aparente para que en bioética no se produzca una evolución similar. Los métodos cuantitativos, no obstante, pueden convivir e interrelacionarse con métodos cualitativos, los cuales pueden ser especialmente apropiados cuando la naturaleza del fenómeno que se estudia no permita una fácil cuantificación. Ambos métodos deben servir para informar la ética normativa y dotar a las decisiones sanitarias de una mayor calidad.

2

Consultores en ética clínica y sus funciones

Juan Pablo BECA I.

Los comités asistenciales de ética, también llamados comités de ética clínica para diferenciarlos de los comités de ética de la investigación, se han desarrollado en grados y formas diversas en todos los países a partir de los años 70. Sus definiciones son necesariamente amplias en atención a que sus funciones también lo son.[1] Entre sus roles destacan los de análisis y consejería ante casos clínicos que presentan problemas morales para su resolución, un rol normativo y una función educativa para los miembros de los hospitales en que se desempeñan. La experiencia de estas cuatro décadas ha mostrado que los comités asistenciales de ética son muy desiguales en su labor, que el número de casos clínicos que analizan es muy limitado y que, por otra parte, los más agudos o urgentes no los pueden asumir. La labor de asesoría normativa o de propuestas de guías clínicas de los comités, así como su contribución a mejorar la calidad de la asistencia sanitaria, ha caracterizado la labor de algunos comités sobre su función consultora en ética

---

[1] UNESCO (2005): *Guía N.º 1. Creación de Comités de Ética,* París. [Accesible en http://unesdoc.unesco.org/images/0013/001393/139309s.pdf].

clínica. Otros comités han centrado más su labor en la organización de programas y actividades de formación para los profesionales de sus instituciones.

La consultoría ético-clínica se ha definido como la labor de consultores que
contribuyen a identificar y analizar los problemas éticos presentes en casos particulares para facilitar la resolución de conflictos de valores y formular recomendaciones para las decisiones respectivas, reduciendo así la inseguridad de
profesionales, pacientes y familiares. Los problemas ético-clínicos son cotidianos, varían en los diferentes servicios o especialidades clínicas y la experiencia
muestra que los médicos los resuelven generalmente de manera intuitiva, por
criterios propios, consultando entre ellos o en visitas clínicas, pero sin fundamentar de forma clara y explícita las decisiones tomadas. Los casos que se presentan a los comités de ética son los más extremos o conflictivos y su número,
aunque muy variable, es muy escaso. Se ha comunicado que el promedio de
casos presentados a los comités de ética en Estados Unidos es de tres al año,[2] y
en otros países su número, aunque puede ser mayor, no ha sido comunicado for-
malmente. En España el número de casos analizados por los comités es igualmente bajo,[3] y se ha llegado a señalar que difícilmente se justificaría su existencia para esta única función.[4] Hay muchas razones que explican el bajo número
de casos que se presentan a los comités: dificultad para responder a consultas urgentes, demora entre la solicitud y la factibilidad de reunión del comité, tiempo
que implica preparar la presentación del caso, recelo de los médicos clínicos por
temor a ser enjuiciados, desconocimiento del beneficio de las recomendaciones
que surgen del análisis ético-clínico, algunas experiencias previas negativas de
los médicos con algún comité, y la percepción de las presentaciones al comité
como un trámite que interfiere en las decisiones.[5] Esto explica que se formulen
frecuentemente preguntas informales o *consultas de pasillo* a algunos miembros
de comités, consultas que no se responden a través de un análisis sistematizado
y que no quedan registradas en la historia clínica ni en actas para su posible estudio posterior. Es principalmente por esta razón que desde la década de los 90
se han desarrollado sistemas de consultoría ético-clínica que buscan responder a

[2] Fox, E.; Meyers, S. y Perlman, R. A. (2007): «Consultation in United States Hospitals: A
National survey», *American Journal of Bioethics, 7:* 13-25.

[3] Ribas-Ribas, S. (2006): «Estudio observacional sobre los comités de ética asistencial en Cataluña: el estudio CEA-CAT (1). Estructura y Funcionamiento», *Medicina Clínica, 126:* 60-6.

[4] Hernando, P. y Couceiro, A. (2010): «Los Comités de Ética para la Asistencia Sanitaria y
los Consultores de Ética», en: Reyes, M. de los y Sánchez, M. (eds.): *Bioética y Pediatría.
Proyectos de Vida Plena,* Madrid, Ergon.

[5] Aulisio, M. P.; Moore, J.; Blanchard, M. et al. (2009): «Clinical ethics consultation and ethics
integration in an urban public hospital», *Cambridge Quarterly of Healthcare Ethics, 18:* 371-83.

una necesidad asistencial y a una demanda de médicos o pacientes. Sin embargo, así como hay críticos de los comités de ética también los hay de las consultorías, especialmente cuando se consideran como alternativas opuestas.

Las consultorías ético-clínicas se desarrollaron primero en EEUU y más recientemente en otros países como Chile.[6] Su objetivo es responder a las consultas mediante la identificación y el análisis de los problemas éticos presentes en casos particulares que generan dudas en la toma de decisiones. Junto a lo anterior la consultoría facilita la resolución de conflictos, reduce la angustia o *estrés moral* de los profesionales, apoya a enfermos y a sus familiares, y constituye una instancia educativa a través del diálogo y de las recomendaciones que se formulan. De esta manera se contribuye a mejorar la calidad de la atención de los enfermos y se cumple con exigencias de agencias acreditadoras de hospitales como la Joint Commission on Acreditation of Hospitals de EEUU o con las Normas de Acreditación de Hospitales en España.

1. QUIÉN PUEDE SER CONSULTOR Y CUÁL ES SU MÉTODO DE TRABAJO

Es evidente que no puede actualmente plantearse una profesión o especialidad en consultoría, pero tampoco puede ejercer este rol cualquier profesional interesado o cualquier miembro de comités asistenciales de ética. En EEUU la mayoría de los consultores en ética clínica no son médicos sino otros profesionales, como trabajadores sociales, enfermeras, filósofos o capellanes, que se capacitan en técnicas de comunicación y, para comprender diagnósticos, en pronósticos y alternativas de tratamiento. Los médicos de UCI consideran que los consultores en ética clínica deben tener experiencia y conocimientos en bioética más que en derecho o religión, pero que necesitan tener entrenamiento médico previo.[7] En cambio en nuestro medio los clínicos solo aceptan como consultores a médicos que además de tener experiencia clínica estén debidamente capacitados en bioética. Pero más allá de qué profesión o especialidad tienen los consultores, ellos deben tener algunas cualidades personales y competencias que han sido explicitadas por la Society for Health and Human Values y la Society for Bioethics Consultation.[8] Entre estas condiciones se mencionan

---

[6] Beca, J. P.; Koppmann, A.; Chávez, P. et al. (2010): «Análisis de una experiencia de consultoría ético-clínica en cuidado intensivo», *Revista Médica de Chile, 138:* 815-20.

[7] Chwang, E.; Landy, D. C. y Sharp R. (2007): «Views regarding the training of ethics consultants: a survey of physicians caring for patients in ICU», *Journal of Medical Ethics, 33:* 320-4.

[8] Aulisio, M. P.; Arnold, R. M. y Youngner, S. J. (2000): «Health care Ethics consultation: Nature, Goals and Competencies», *Annals of Internal Medicine, 133:* 59-69.

la capacidad para comprender y distinguir los problemas éticos, emocionales y legales, la capacidad para entender y asumir las incertidumbres de cada caso, aptitudes de comunicación y para lograr consensos morales, conocimientos de bioética, comprensión de las situaciones clínicas, capacidades para asesorar a los implicados en los diferentes casos, y conocimiento de la institución con sus políticas y recursos. A lo anterior se agregan como requisitos algunas condiciones personales señaladas como virtudes de compasión, tolerancia, paciencia y empatía. Si bien estas características pueden ser vistas como muy subjetivas y difícilmente alcanzables o exigibles, ellas describen un perfil que es el que, en la medida en que se logre, otorgará a los consultores la necesaria autoridad y prudencia para poder asumir su labor. Consecuentemente la selección y la debida capacitación de consultores en ética clínica son temas particularmente complicados.

La forma de trabajo del consultor es necesariamente variable de un lugar a otro y posiblemente también entre uno u otro consultor, pues cada uno tiene finalmente un estilo personal. Sin embargo, en general, el consultor individual coordina su labor con el Comité de Ética al cual reporta su trabajo y al que presenta los casos más complejos en la medida en que no sean urgentes. Las consultas éticas pueden ser solicitadas por médicos del *staff*, por otros profesionales, y por familiares o pacientes, con la debida información o participación del médico tratante. Las consultas son en lo formal asumidas como interconsultas que, idealmente, se realizan sin cobro directo a los pacientes. Después de conocer los antecedentes clínicos con sus indicaciones y el pronóstico probable en cuanto a *sobrevida* y a calidad de vida, el consultor se reúne con los pacientes o sus familiares. En estas reuniones se conocen las expresiones de voluntad previa y los valores, creencias y expectativas en relación a la enfermedad y su posible desenlace, junto a otros elementos de contexto como pueden ser las relaciones familiares, inquietudes espirituales y problemas legales o económicos que influyen en sus decisiones. Con esta información, y solo después de haberla completado lo más posible, el consultor la analiza con los familiares y los profesionales para concluir en recomendaciones que, con sus fundamentos, deja por escrito en la historia clínica del paciente. El consultor visita al paciente en los días posteriores y continúa su seguimiento en los casos que lo requieren. El método es por lo tanto eminentemente práctico, particularizado y casuístico, integrando elementos de bioética de principios y de ética del cuidado, en base a un razonamiento moral particularmente sensible al contexto. La deliberación se realiza con los familiares y con los clínicos, pero no es multidisciplinaria ni se puede realizar en forma tan sistematizada como en un comité. Las recomendaciones y sus fundamentos se archivan y registran en bases de datos que permiten su presentación al comité asistencial de ética y su posterior revisión para el debido análisis de la experiencia o su evaluación. Sin embargo, más que un método único y generalizado la consultoría ético-clínica se desarrolla en la práctica como un proceso de comunicación con profesionales, enfermos y familiares, con el objetivo de ayudarles a conocer los diferentes fundamentos éticos que pueden apoyar las decisiones que deben tomar en situaciones de conflicto y en contextos particulares. Por eso se ha descrito como un arte que se debe ejercer con la mayor consideración de las diferentes opiniones para recomendar respetando principios éticos, valores y voluntades, sin reglas fijas pero con máxima prudencia.[9]

2. CONSULTORES O COMITÉS

La consultoría individual tiene, en relación a los comités, algunas ventajas y limitaciones que es importante comprender.[10,11] Su principal ventaja es la eficiencia y rapidez que ofrece, más aun si se cuenta con varios consultores que puedan establecer sistemas de turnos. De esta manera aumenta no solo el número de consultas sino la cercanía con los médicos y otros profesionales tratantes, lo cual se traduce en una función educativa y de apoyo que ha sido destacada por los profesionales cuando se ha evaluado. Por otra parte, los consultores participan en visitas clínicas o realizan visitas ético-clínicas con médicos de *staff* y residentes, oportunidades que permiten conocer mejor los casos y advertir problemas éticos que muchas veces pasan inadvertidos para los tratantes. Las entrevistas de los consultores con pacientes y/o sus familiares permiten conocer no solo sus valores, dudas y expectativas, sino también otros hechos de contexto social, familiar, económico o espiritual que pueden ser determinantes en las recomendaciones y decisiones. El registro de la consultoría en la historia clínica del paciente, bien se formalice como una interconsulta o en alguna hoja aparte, facilita que las recomendaciones sean conocidas por todo el equipo profesional tratante. Así, la consultoría individual se transforma en la práctica en un apoyo no solo para quien presenta el caso, como ocurre frecuentemente en los comités, sino directamente para los enfermos, familiares y para todo el equipo tratante. El consultor llega a ser

[9] Howe, E. G. (2009): «Beyond the State of the Art in Ethics Consultation», *Journal of Clinical Ethics, 20:* 203-11.

[10] Beca, J. P. (2008): «Comités de ética o consultores de ética clínica», *Bioètica&Debat, 54:* 1-5.

[11] Couceiro, A. (2008): «Comités de ética o consultores de ética: ¿qué es lo mejor para las instituciones sanitarias?», *Bioètica&Debat, 54:* 10-5.

así muchas veces un miembro más del grupo profesional que trata al paciente y, en parte, por esta razón son muchos los médicos que prefieren las consultorías individuales.[12]

Sin embargo, junto a las ventajas mencionadas las consultorías éticas individuales tienen limitaciones que es necesario considerar para superarlas de la mejor manera posible. La mayor de ellas es la falta de deliberación multidisciplinaria que es una de las fortalezas mayores de los comités. Como consecuencia de lo anterior es fácil que se genere un predominio excesivo de la perspectiva personal del consultor en base no solo a su experiencia y formación, sino también a sus inevitables sesgos. También es posible que el consultor sea erróneamente considerado por el equipo de salud como una especie de *experto* que define las conductas correctas o incorrectas, o que los médicos de alguna manera busquen disminuir su responsabilidad personal en las decisiones de casos con problemas morales, descansando en la opinión del consultor. En otra perspectiva, en la medida en que existan y funcionen sistemas de consultoría individual o realizada por dos o tres consultores, es posible que los comités asistenciales de ética sean menos requeridos por ser percibidos como instancias demasiado complicadas y formales, burocráticas, distantes de la realidad y de la cotidianeidad de la práctica clínica. Si bien este es un riesgo o limitación, también puede contribuir a una mejor determinación del rol del comité en un nivel diferente, mediante la revisión retrospectiva de casos más complejos y de aquellos que plantean problemas que afectan al sistema general de trabajo de la institución, que los lleve a propuestas normativas para el mejoramiento de la calidad de la atención de los enfermos. Esta ha sido señalada como una función no siempre cumplida por los comités.[13] La definición de un rol más general que particular de los comités asistenciales de ética debería favorecer asimismo la creación de más programas educativos en temas de bioética para sus instituciones.

Comités de ética clínica y consultorías no deberían por lo tanto plantearse como opciones contrapuestas, sino más bien como partes de un modelo de comités y consultores que trabajan de manera complementaria apoyando y estimulando a los profesionales a reconocer problemas éticos, y seleccionando los casos que deberían ser analizados por los comités en pleno. Es importante insistir en que el responsable de abordar y resolver los problemas éticos es el *staff* clínico, decidiendo de manera compartida con pacientes o familiares, con la ayuda y apoyo de comités y consultores.

[12] Slowter, A. (2009): «Ethics Case Consultation in Primary Care: Contextual Challenges for Clinical Ethicists», *Cambridge Quarterly of Healthcare Ethics, 18:* 397-405.

[13] Agich, G. J. (2009): «Why Quality Is Addressed So Rarely in Clinical Ethics Consultation», *Cambridge Quarterly of Healthcare Ethics, 18:* 339-46.

3. Funciones de la consultoría ético-clínica

En base a lo ya descrito es posible describir diversas funciones que la consultoría ético-clínica cumple o puede cumplir en los hospitales o centros asistenciales. Ellas son muy amplias y necesariamente variarán de acuerdo al tipo y tamaño de cada institución, de los pacientes que atienden, y del número, preparación previa y profesión de los consultores. Lo principal es el análisis de los problemas que se plantean en los «casos que les son consultados, formulando recomendaciones que ayuden en las decisiones; pero de alguna manera los consultores también se comprometen ocasionalmente con el cuidado de los enfermos, lo cual varía según el tipo de problemas, de las situaciones particulares de los pacientes o del vínculo que se genere con sus familiares. Una vez establecida una relación de confianza y después de conocer los contextos de vida del enfermo, el consultor frecuentemente sigue el caso durante su evolución, dando apoyo, respondiendo a sus inquietudes y reasegurando a los familiares en las decisiones que ellos han tomado. El consultor pasa a ser así parte del equipo tratante, contribuyendo a un enfoque más interdisciplinario del cuidado y a que los enfermos sean considerados más como *nuestros* y menos como *mi* paciente.[14] Se cumple así una función de apoyo global al enfermo y a sus familiares, en aspectos emocionales y espirituales difíciles de precisar y de evaluar pero que han sido frecuentemente destacados y valorados por ellos. Los consultores otorgan al mismo tiempo un claro apoyo a los profesionales de los servicios, no solo frente a la incertidumbre o a las dudas en sus decisiones, sino también ante la angustia que algunas situaciones les generan. De manera más bien indirecta la consultoría ético-clínica, con la presencia habitual de los consultores en las unidades clínicas, se constituye en una instancia de educación en terreno, o contribuyendo a que la problemática ética sea progresivamente considerada un aspecto más de la práctica médica y no como algo complementario o distante. De hecho, después de algún tiempo se han visto cambios en la mentalidad de estos servicios y muchos problemas son resueltos adecuadamente sin la necesidad de consultas éticas formales. Finalmente, la consultoría ético-clínica también puede evitar o solucionar desencuentros entre los profesionales y los familiares, en la medida en que contribuye a que ellos puedan comprender y asumir resultados diferentes a sus expectativas iniciales. De esta manera, sin que esta sea una función de los consultores, ellos también contribuyen indirectamente a la defensa de los médicos y de las instituciones ante posibles litigios.

---

[14] De Renzo, E. G. y Schwartz, J. (2010): «Buildins Esprit de Corps: Leaning to better Navigate between "My" Patient to "Our" Patient», *Journal of Clinical Ethics, 21:* 232-7.

4. EXPERIENCIA Y EVALUACIÓN DE LA CONSULTORÍA ÉTICO-CLÍNICA

Así como la labor de los comités de ética asistencial ha sido poco evaluada,[15,16] las publicaciones sobre consultoría ética más bien describen su labor y pocas muestran una evaluación, dejando claro que no hay propuestas metodológicas uniformes para hacerlo.[6,17,18] La experiencia del autor de este capítulo, como consultor ético-clínico durante tres años en una unidad de pacientes críticos, revela que el tipo de problemas consultados fueron variados y múltiples, aún cuando casi siempre el motivo de la consulta haya sido solo uno de ellos. Los más frecuentes fueron dudas concretas relacionadas con la limitación del esfuerzo terapéutico y problemas de proporcionalidad o futilidad de tratamiento. Con menor frecuencia el problema principal fue cómo favorecer una muerte tranquila, la falta de anticipación de conductas, el desconocimiento de la voluntad del paciente, o la discrepancia de opiniones entre el equipo tratante y los familiares del enfermo. En otros casos el problema principal fue definir la subrogación del enfermo, o un tema de justicia por el uso desproporcionado de recursos públicos. Otros problemas éticos, presentes con menor frecuencia, incluyeron inseguridad familiar, falta de orientaciones por la no existencia de un médico tratante o de cabecera, y el rechazo de tratamiento por parte del enfermo. Uno de los problemas más críticos, por la angustia e inseguridad que habitualmente se genera, ha sido la decisión de retirar la asistencia ventilatoria.[19] Las edades de los pacientes para quienes se solicitaron consultorías éticas variaron en el tiempo porque inicialmente se circunscribió a adultos y más adelante se incluyó pediatría y neonatología. Entre los adultos el 65% tenía más de 65 años, y de ellos 2/3 tenía más de 80 años de edad. El número de consultas solicitadas se ha mantenido entre 40 y 50 casos anuales, en circunstancias que en esta institución los casos presentados al comité de ética han sido históricamente 4-5 anuales. El mayor número se explica por la cercanía que sienten los clínicos con la consultoría y por la presencia ocasional del consultor en las visi-

---

[15] Hernando, P. (1999): «Evaluation of healthcare committees: the experience of an HEC in Spain», *HEC Forum, 11:* 263-76.

[16] Williamson, L.; McLean, S. y Connell, J. (2007): «Clinical Ethics Committees in the United Kingdom: towards evaluation», *Medical Law International, 8(3):* 221-38.

[17] Dudzinski, D. M. (2003): «The practice of a clinical ethics consultant», *Public Affairs Quarterly, 17:* 121-39.

[18] Chen, Y. Y. y Chen, Y. C. (2008): «Evaluating ethics consultation: randomized controlled trial is not the right tool», *Journal of Medical Ethics, 34:* 594-7.

[19] Beca, J. P.; Montes, J. M. y Abarca, J. (2010): «Diez mitos sobre el retiro de la ventilación mecánica en enfermos terminales», *Revista Médica de Chile, 138:* 639-44.

tas clínicas de la unidad de pacientes críticos. La coordinación de la consultoría individual con el comité se realiza a través de la información regular al comité, la presentación de los casos más complejos y la discusión posterior de algunos de ellos. De esta manera el comité participa indirectamente de la consultoría individual y el consultor recibe el necesario apoyo y la visión multidisciplinar del comité.

La evaluación realizada mediante una encuesta a los médicos de la unidad de pacientes críticos mostró que la consultoría es considerada mayoritariamente como un beneficio para los enfermos, muy útil para la toma de decisiones complejas, una ayuda para mejorar su percepción de los problemas éticos presentes en los casos clínicos y como un apoyo importante para la familia y para los profesionales.[6]

5. A MODO DE CONCLUSIÓN

Como conclusión de este capítulo puede sostenerse que la consultoría ético-clínica individual constituye una forma efectiva de asesoría en las decisiones clínicas, un apoyo a médicos y otros profesionales, junto a un apoyo global a pacientes y familiares. Cumple también un rol de formación o educación para los profesionales de las unidades clínicas acercando la bioética al lado de la cama del enfermo. La consultoría ética debe entenderse como un complemento de los comités asistenciales de ética que aportan una deliberación ética multidisciplinar de los casos más complejos, junto a un rol de análisis y formulación de propuestas normativas y educativas institucionales. Cabe insistir en que un sistema de consultoría ética individual dependerá finalmente de las características de cada institución y de las cualidades personales de cada consultor, de manera que no es posible proponer recomendaciones generalizables.

.

3

Toma de decisiones compartida: el caso de las decisiones silentes y el privilegio terapéutico

Francesc BORRELL i CARRIÓ

La participación del paciente en la toma de decisiones emerge con fuerza en esta primera década del siglo XXI como un desarrollo concreto del modelo centrado en el paciente (MCP). El MCP a su vez nace a partir de las aportaciones seminales de Engel (modelo biopsicosocial) y McWhinnie (quien usa por primera vez el término MCP), aportaciones que dieron lugar respectivamente a la escuela de Rochester (Ronald M. Epstein, Timothy Quill) y de Ontario (Moira Steward). Estos dos importantes grupos de investigadores han sido decisivos a la hora de definir conceptos como *práctica clínica reflexiva, práctica clínica centrada en el paciente, decisiones al final de la vida, e instrumentos de medida para la valoración de las entrevistas clínicas.*[1]

[1] Pueden consultarse algunos trabajos del grupo de Rochester en: Universidad de Rochester. Center for Communication and Disparities Research. Accesible en http://www.urmc. rochester.edu/fammed/research/pubs.cfm#Epstein.

Tabla 3.1
Las seis tareas clave de una entrevista centrada en el paciente

1. Construcción de una relación de ayuda.

2. Intercambio de información.

3. Percartarse de nuestra respuesta a las emociones.

4. Gestión de la incertidumbre.

5. Toma de decisiones compartida.

6. Potenciación del auto-cuidado del paciente.

Se han identificado seis tareas clave a realizar por parte del clínico que opera en este MCP,[2] y que resumimos en la tabla 3.1.

Importantes instituciones apoyan el enfoque centrado en el paciente, y nuestra Ley General de Sanidad —como también los códigos deontológicos de los Colegios de Médicos y de la Organización Médica Colegial— exigen una información veraz y compartida. Nuestra Ley 41/2002 de Autonomía del Paciente[3] en su artículo 2, punto 3, destaca «… el derecho del paciente a decidir libremente después de recibir la información adecuada entre las opciones clínicas disponibles», y añade el deber del profesional de respetar «las decisiones de los pacientes adoptadas libre y voluntariamente por estos».

Para ayudar en la toma de decisiones compartida (TDC) surgen iniciativas institucionales que se ofrecen gratuitamente por Internet (tabla 3.2), iniciativas con el común denominador de influir sobre la comunicación asistencial y proporcionar buena información sobre situaciones clínicas complejas. En otro lugar hemos analizado de manera pormenorizada el desarrollo del modelo centrado en el paciente y las dificultades y técnicas de comunicación pertinentes.[4] Uno de los aspectos que analizábamos allí era las dificultades prácticas de los médicos para aplicar el modelo. Los médicos coinciden en que es más sencillo y claro el enfoque centrado en el paciente en la fase de escucha y anamnesis que en la fase de toma de decisiones. En esta fase de TDC se requiere un alto nivel de entre-

[2] Epstein R. M. y Street, R. L. Jr. (2008): *Patient-centered care for the 21st century: Physicians' roles, health systems and patients' preferences,* Filadelfia, American Board of Internal Medicine Foundation.

[3] BOE 274, de 15 de noviembre de 2002, pp. 40126-32.

[4] Borrell, F. (2011): *Práctica clínica centrada en el paciente,* Madrid, Triacastela.

Tabla 3.2
Recursos en la red para una toma compartida de decisiones

Picker Institute Europe
http://www.pickereurope.org/

Ottawa Hospital Research Institute
http://decisionaid.ohri.ca/about.html

International Patient Decision Aid Standards (IPDAS)
(Annette O'Connor in Canada, and Glyn Elwyn, UK).
http://ipdas.ohri.ca/

Forum Clinic: programa interactivo para pacientes
http://www.forumclinic.org/

namiento en técnicas de comunicación, pues consume tiempo y aparecen retos tanto de tipo ético como de tipo técnico nada fáciles. En otro trabajo hemos pormenorizado estos retos,[5] retos que sintetizamos en la tabla 3.3.

La tabla 3.3 expone tan solo una parte de los problemas que emergen con la TDC, suficiente en todo caso para dar una idea de su complejidad. En el presente trabajo nos proponemos examinar un aspecto sobre el que existen posiciones enfrentadas: las llamadas decisiones silentes y el privilegio terapéutico.

1. DECISIONES SILENTES

1.1. El por qué

Los médicos —y otros profesionales clínicos— tomamos muchas decisiones que no mostramos a los pacientes. En ocasiones solicitamos al paciente su opinión en lo que pudiera parecer una TDC, cuando en realidad es un mero trámite para confirmar nuestras propias opciones. Otras veces ofrecemos un escenario de partida para la TDC que en sí mismo supone una decisión previa silente (por ejemplo, ofreciendo una opción quirúrgica sin profundizar en las opciones conservadoras). Resulta muy difícil que la opción visualizada por el médico como

---

[5] Borrell, F. (2010): «Comunicación y salud. Toma de decisiones en una práctica clínica centrada en el paciente», en: Ciclo de Conferencias «Medicinas y Humanidades», Real Academia Nacional de Medicina, Madrid, 14 de octubre.

Tabla 3.3
Toma de decisiones compartidas: situaciones clínicas y retos

Situación clínica	Estrategia	Reto moral	Principio en discusión
Rutinarias Ejemplo: intervención hernia inguinal.	Aproximarnos a la preferencia	Ineficiencia	Justicia
Cambios estilos de vida Ejemplo: cesación tabáquicia.	Persuadir para que el paciente se «auto-ordene»	Manipular al paciente	Autonomía
Riesgo Ejemplo: infarto agudo de miocardio.	Respetar preferencia previa, (Voluntades Anticipadas)	«Interpretar» o, por el contrario, activar ansiedad. Decisiones silentes	Maleficencia
Incertidumbre Ejemplo: prostactetomia *versus* braquiterapia.	Provocar su reflexión	No abandonar. Privilegio terapéutico	Maleficencia

óptima no influya en la presentación del escenario y la información que ofrece. La pregunta que entonces surge es: ¿acaso debiéramos ser más exhaustivos en la información a proporcionar a los pacientes, tal como parecen indicarnos los códigos deontológicos y las leyes?

No parece que esta opción sea viable. Brody,[6] por ejemplo, entiende que es inevitable e incluso positivo que de manera espontánea censuremos determinados contenidos de información, a fin de evitar confundir a los pacientes. Imaginemos que vamos a darle a un paciente un medicamento que, entre sus efectos secundarios, puede producir una colitis necrótica. Sin embargo este efecto secundario es muy raro, y el medicamento muy útil al paciente. ¿Debemos comunicárselo? Si aplicáramos la norma extrema de «decírselo todo al paciente»

[6] Brody, H. (2007): «Transparency and self-censorship in shared decision-making», *American Journal of Bioethics, 7(7):* 44-6.

puede que dijéramos: «Le propongo tomar este medicamento porque se ha demostrado muy útil en esta enfermedad, aunque muy raramente produce una inflamación intestinal que puede resultar en muerte. Sin embargo, esto se lo cito casi de manera anecdótica, porque deberíamos tratar a 500.000 pacientes en su situación clínica para que se diera esta circunstancia. ¿Le parece que le demos este medicamento?».

Brody comenta esta situación diciendo: «este enfoque es muy parecido a decir: "No pienses en un rinoceronte". Posiblemente el paciente va a interpretar este esfuerzo del médico como una señal de que este efecto secundario es realmente muy importante, y que el médico debe haber pensado mucho en él. En otras palabras, el mensaje transmitido por el giro que ha tomado la conversación, es precisamente el contrario del que el médico pretendía. Por ello el médico puede legítimamente autocensurarse».[6] Tenemos por consiguiente que lograr diálogos significativos,[7, 8] pero es lícito censurar aquella información que introduce confusión o que aparta al paciente del camino fundamental, concluye Brody. Por nuestra parte vamos a quedarnos con una idea: *un exceso de información puede ser iatrogénica.*

Whitney y McCullough[9] nos proponen otro escenario de decisión silente muy frecuente. ¿Debemos informar a una mujer con cefalea de su diagnóstico diferencial y todas las posibilidades exploratorias a nuestro alcance? Imaginemos que ensayamos una explicación del tipo: «He examinado su caso con mucha atención; no tiene usted síntomas de alerta que nos hagan pensar en un tumor, y la exploración neurológica es normal, su fondo de ojo no revela datos que hagan pensar en diagnósticos graves, como pudieran ser enfermedades que elevan la presión del líquido céfalo-raquídeo, ni enfermedades como la esclerosis múltiple, etc.». Lo mas probable es que el paciente se asustara, «algo ocurre para que el médico me esté proporcionando una información tan exhaustiva», se diría.

McCullough no se limita a justificar las decisiones silentes por el componente de evitar la iatrogenia derivada de una información excesiva, sino que también las defiende desde la perspectiva de la eficiencia. Por un lado, aquellas pruebas o tratamientos con escaso impacto sobre el proceso de enfermedad del paciente deben obviarse. Por otro lado, según este autor, una información exhaustiva conlleva un tiempo del que los Sistemas Nacionales de Salud no disponen ni dispondrán. Todo eso es cierto, nos tememos, pero el problema

[7] Katz, J. (1984): *The silent world of doctor and patient,* Nueva York, Fee Press.

[8] Brody, H. (1989): «Transparency: Informed consent in primary care», *Hastings Center Report, 19(5):* 5-9.

[9] Whitney, S. N. y McCullough, L. B.(2007): «Physicians' silent decisions: Because patient autonomy does not always come first», *American Journal of Bioethics, 7(7):* 33-8.

de este planteamiento es que quien decide lo que entra o no en la TDC, y los presupuestos desde los que participará el paciente, es el médico. Se mantiene la asimetría de la relación y de momento no se vislumbra una propuesta que atempere las fobias y filias del profesional.

1.2. Límites a la decisión silente

De todo lo que venimos diciendo parece razonable concluir que las decisiones silentes no solo existen sino que son necesarias e incluso inevitables. Imaginemos que un tribunal de profesionales expertos en clínica, bioética y comunicación analiza las decisiones silentes que efectuamos en un dia de trabajo. Un porcentaje de dichas decisiones las encontrará plenamente justificadas no solo a la luz de los principios éticos, sino de la viabilidad de los Sistemas Nacionales de Salud. Los economistas de la salud han enfatizado que esta viabilidad del SNS no es meramente un argumento pragmático, sino que encierra mayor enjundia. El tiempo es dinero y el uso del dinero llama a los principios de justicia y beneficencia.

Sin embargo, otro porcentaje de estas decisiones silentes será como mínimo dudoso, sobre todo si tenemos en cuenta no solo un criterio de eficiencia, sino de equidad. Diego Gracia nos recuerda que en el campo de las decisiones privadas el concepto rawlsiano de dar más a quien menos tiene puede primar sobre el mero cálculo de eficiencia económica.[10] En el campo de la comunicación Pendleton ya se había percatado de que tenemos propensión a dar menos a quien menos tiene, por ejemplo, a quien menos nivel cultural tiene.[11] ¿Podría ocurrir que justificáramos indebidamente la parquedad informativa de un médico, sobre todo cuando este médico percibe que la comunicación con el paciente va a costarle un esfuerzo extra?

Finalmente, un porcentaje de estas decisiones silentes será interpretado por este hipotético tribunal como claramente abusivo, y convendríamos que el paciente hubiera tenido que tener la oportunidad de conocer más o mejor información. Este sería el caso de una paciente con cáncer terminal a la que no se le ofrece la posibilidad de una radioterapia paliativa que puede aumentar su calidad de vida con el razonamiento de que «es muy mayor y no quiero molestarla con procedimientos complicados». ¿Hasta qué punto es una molestia para la paciente o es una molestia para el propio facultativo? ¿Hasta qué punto

---

[10] Gracia, D. (1998): «Profesión médica, investigación y justicia sanitaria», en: *Ética y vida. Estudios de Bioética,* vol. 4, Bogotá, El Buho, pp. 184-6.

[11] Pendleton, D.; Schofield, T.; Tate, P et al. (1984): *The consultation: an approach to learning and teaching,* Oxford, Oxford University Press.

no existe por debajo de este argumento beneficente, «no molestar al paciente», otro argumento de tipo económico, «esta inversión de recursos públicos (la radioterapia) no está justificada para un paciente de edad tan avanzada o de un perfil cognitivo bajo»?

La pereza del médico no es, por consiguiente, el único factor en juego, aunque también interviene. El profesional puede haber construido sus propias teorías sobre lo que «merece un esfuerzo terapéutico —o una inversión en recursos— o no lo merece». De manera más habitual estas teorías son colectivas, afectan a todo un servicio asistencial, y han sido construidas con escasa deliberación (o simplemente como el razonamiento del responsable de dicha unidad). Otras veces las razones que guían al facultativo son de índole contextual y emocional, por ejemplo, tener miedo a la reacción emocional del paciente, a la de los familiares, o incluso a la de otros miembros del equipo que hubieran tenido que proporcionar esta información y que pueden quedar en evidencia, o incluso como mentirosos si él toma la iniciativa. En ocasiones ocurre también que el profesional demora la información pensando que no es el mejor momento para darla, sin encontrar —y tal vez no buscar de manera suficiente— el momento idóneo para hacerlo. O puede tener dudas de si es él la persona que debe asumir esta tarea. El abanico de posibilidades es amplio y lo más importante: *suele pasar desapercibido para el mismo protagonista.*

Los pacientes han reaccionado a esta situación promoviendo asociaciones de autoayuda y ofreciendo fuentes paralelas de información. Algunas instituciones han promovido iniciativas de «pacientes expertos» que explican a los propios profesionales los focos de interés que estos no debieran olvidar en su diálogo con determinados perfiles de pacientes crónicos. En la tabla 3.2 el lector interesado encontrará portales en los que se ofrece información contrastada para su uso en diferentes contextos clínicos, además de orientación al paciente sobre las preguntas que debe formular a su médico. Finalmente, las ofertas en cursos de comunicación dirigidos a los profesionales son una realidad en los países desarrollados, y buena parte de la oferta formativa versa sobre estas cuestiones: malas noticias, decisiones al final de la vida, habilidades para la participación y negociación con el paciente, etc. Si analizamos en conjunto estas iniciativas —muy diversas y dignas de elogio— observaremos que distan de formular un consenso coherente sobre cada tema o escenario clínico.

Las instituciones y profesionales tampoco se han quedado con los brazos cruzados. Varias son las estrategias que se han puesto en marcha para forzar consensos, entre ellas la planificación avanzada de cuidados, las voluntades anticipadas y el consentimiento informado. Las tres suponen un avance considerable, aunque no exento de sombras. En el caso del Consentimiento Informado (CI), para citar la más conocida, ha supuesto un enorme esfuerzo definir para cada procedimiento el perfil de riesgos generales y específicos que deben ser comunicados al paciente. El resultado ha sido un punto desalentador: hemos caído en el mismo paradigma de los prospectos de medicamentos, una exhaustividad que en ocasiones produce el efecto contrario al deseado. El paciente no solo no está mejor informado, si no que está innecesariamente espantado, salvo que opte por ignorar dicha información. Esto es precisamente lo que ocurre con los prospectos de medicinas: «no me los leo porque sino no me tomaría nada». Por ello se ha enfatizado la fase de diálogo que debe existir previa a la firma —¡tantas veces mecánica!— de un impreso de CI.[12] En esta fase de diálogo nuevamente estamos a merced del buen tino del profesional. No hay manera de obviar las decisiones silentes.

2. EL PRIVILEGIO TERAPÉUTICO

Se ha definido el privilegio terapéutico como «aquella situación en la que el médico oculta información al paciente o no le pide su consentimiento para una actuación diagnóstica o terapéutica porque estima que ello produciría al enfermo un daño psicológico grave».[13] La definición no incluye (tal vez por sobreentendida) esconder el pronóstico al paciente, tal vez la situación más habitual. La Ley de Autonomía del Paciente (41/2002) alude a una «necesidad terapéutica» y la define así: «Se entenderá por necesidad terapéutica la facultad del médico para actuar profesionalmente sin informar antes al paciente, cuando por razones objetivas el conocimiento de su propia situación pueda perjudicar su salud de manera grave. Llegado este caso, el médico dejará constancia razonada de las circunstancias en la historia clínica y comunicará su decisión a las personas vinculadas al paciente por razones familiares o de hecho».

Los artículos 4, 5 y 9 de la Ley de Autonomía del Paciente señalan la urgencia vital, la incapacidad del paciente, el riesgo para la Salud Pública, el imperativo legal o judicial, y la «necesidad terapéutica», como motivos suficientes para no solicitar el CI. Jonsen[14] alude al «consentimiento tácito» en las situaciones urgentes, así como la posibilidad de que otros familiares o representantes del paciente puedan participar en la TDC. Todas estas precisiones se refieren a la facultad de actuar sin informar. Un buen ejemplo sería un paciente ingresado en UCI en estado de coma al que se le practica entre otros análisis el

---

[12] Comité Bioética de Cataluña (2002): *Guía del Consentimiento Informado,* Barcelona, Generalitat de Catalunya. [Accesible en www.gencat.cat/salut/depsalut/pdf/escconsentiment.pdf].

[13] Gracia, D. y Judez, J. (eds). (2004): *Ética en la práctica clínica,* Madrid, Triacastela, p. 350.

[14] Jonsen, A. R.; Siegler, M. y Winslade, W. (2005): *Ética clínica,* Barcelona, Ariel, p. 153.

Tabla 3.4
Razones para no informar de manera veraz a un paciente

1. Para que el paciente pueda comprender su situación clínica, tanto en términos factuales como emocionales.

2. Para evitar la toma de decisiones en un momento de incapacidad relativa originada por la ansiedad o un estrés abrumador.

3. Para evitar daños físicos o psicológicos, por ejemplo, para prevenir problemas psicológicos graves.

4. Para conservar la esperanza,

5. Para mantener la autonomía a largo plazo del paciente.

*Richard et al.[16] (traducción del autor)

VIH sin lógicamente pedirle el consentimiento. En este caso pedir el consentimiento a la familia iría en detrimento de la propia intimidad del paciente (pues la familia podría exigir conocer el resultado de dicha prueba).

Ahora bien el concepto de privilegio terapéutico también tiene otra traducción que es mas común: no tanto dejar de informar, *como informar de manera incompleta o sencillamente mentir*. Acude a nuestro recuerdo el caso del paciente oncológico al que no se le informa de «toda la verdad» para no perjudicar su estado de ánimo. He aquí la llamada *mentira piadosa*. ¿Será entonces el privilegio terapéutico una puerta falsa por la que se nos vuelve a colar el paternalismo médico[15] en un momento en que entendemos la comunicación no como un acto puntual, sino como un proceso progresivo, adaptativo y flexible? Tal vez el legislador percibiera algo de eso cuando alude a «razones objetivas» para hacer uso del privilegio terapéutico, así como a que quede «constancia razonada» en el historial médico.

Para algunos expertos en bioética no cabe de ninguna manera el privilegio terapéutico si aplicamos debidamente el *tempo* y las habilidades de comunicación. Por el contrario, Richard propone cinco situaciones en las que el médico estaría facultado para mentir o proferir medias verdades (ver tabla 3.4).[16]

Este autor está firmemente persuadido de que en efecto hay situaciones en las que es necesario mentir, pero para proceder a emitir una mentira, por pia-

[15] Kon, A. A. (2007): «Silent decisions or veiled paternalism? Physicians are not experts in judging character», *American Journal of Bioethics, 7(7)*: 40-2.

[16] Richard, C.; Lajeunesse, Y. y Lussier, M. T. (2010): «Therapeutic privilege: between the ethics of lying and the practice of truth», *Journal of Medical Ethics, 36:* 353-7.

Tabla 3.5. Proceso de reflexión antes de ejercer el privilegio terapéutico de no ser completamente veraces con el paciente

1. ¿Incrementaremos el sufrimiento del paciente no diciéndole la verdad o le prevenimos de sufrir más?

2. ¿Los beneficios de una transmisión *parcial* o *alterada* de la información superan los perjuicios de conocer toda la *verdad*?

3. ¿Existe otro curso de acción mas respetuoso con el derecho del paciente a recibir toda la información?

4. ¿Tiene usted alguna idea sobre la importancia que el paciente puede dar al hecho de que se le oculte información?

5. ¿Estaría usted dispuesto a defender su decisión públicamente?

En caso de responder afirmativamente a las preguntas anteriores su decisión de no presentar al paciente los datos exactos de su situación clínica está justificada.

* Richard et al.[16] (traducción del autor)

dosa que la creamos, Richard propone cinco preguntas que deben contestarse afirmativamente y que resumimos en la tabla 3.5.

El esquema resulta interesante pero no considera los aspectos que emergen en el proceso mismo de informar y dialogar con el paciente. En primer lugar porque mentir es diferente que proferir medias verdades o respuestas ambivalentes. Por ejemplo:

Paciente: ¿Doctor, me voy a curar?
Opción mentira. *Médico:* Por supuesto que sí.
Respuesta ambivalente. *Médico:* Hacemos todo lo que podemos.

En segundo lugar, un diálogo se compone de palabras pero también de mucha comunicación no verbal, y esta puede ser más significativa que la primera. En ocasiones es suficiente una mirada, un golpe en la espalda, un cabeceo para cambiar completamente el significado de lo hablado. Incluso en ocasiones un exceso de palabras puede dañar la relación. Ello es así porque tenemos una manera emocional y otra cognitiva de contactar con la realidad. Por ejemplo:

Paciente: Creo que mi situación empeora cada día que pasa...
Médico: (Asiente sin decir nada, y toca el hombro del paciente en señal de apoyo).

Paciente: No puedo dejar de pensar en la muerte.

Médico: Disfruta de estos días, de estas semanas que vienen, dejemos a la muerte en paz y vive la ilusión de tus nietos.

Una lectura descontextualizada nos diría que el médico no dice toda la verdad y abona posiciones negadoras de la realidad. Sin embargo, un análisis más contextual revelaría un tratamiento de la ilusión y la esperanza sumamente respetuoso con los ritmos de asimilación del paciente de su realidad. Por ello en el cuidado del paciente terminal la excepción constituye la regla, o dicho de otra manera, la regla es reflexionar creativamente sobre cada relación, cada situación y cada proceso.[17]

No debiéramos asimilar el término de privilegio terapéutico a los escenarios oncológicos. Blease,[18] por ejemplo, se interroga sobre si debemos informar al paciente de que le estamos recetando un placebo, o debemos aplicar el principio de privilegio terapéutico. Analiza de manera pormenorizada el caso del paciente depresivo: los efectos biológicos de los antidepresivos al uso parecen distinguirse poco de los placebos, y las psicoterapias cognitivas se basan hasta cierto punto en el engaño, en crear unas expectativas mas positivas de lo que en verdad es plausible esperar («placebo definitivo», según Kirsch).[19] No podemos extendernos en este importante tema, pero apuntemos que hace tiempo introducimos el término de «seudo-placebo justificado» para tratar de conciliar el beneficio pragmático del placebo con el rigor científico.[20] En el caso del consentimiento informado (CI) las situaciones suelen ser más previsibles. Aún así el nivel cultural del paciente, condiciones específicas de su realidad, o la pertenencia a minorías pueden introducir excepciones. Jonsen y cols. comentan el caso de un indio navajo al que se le informa de los riesgos generales de una intervención quirúrgica, y el paciente rechaza la intervención porque no es capaz de entender el significado de algo «poco probable o francamente raro» cuando aparece la palabra «muerte».[21] Fácilmente podemos derivar de

[17] Comité Bioética de Cataluña (2010): *Recomendaciones a los profesionales sanitarios para la atención a los enfermos al final de la vida,* Barcelona, Generalitat de Catalunya. [Accesible en: http://www.gencat.cat/salut/depsalut/html/ca/dir2852/cbcfividaes.pdf].

[18] Blease, C. (2010): «Deception as treatment: the case of depression», *Journal of Medical Ethics, 37:* 13-6.

[19] Kirsch, I. (2009): *The Emperor's New Drugs: Exploding the Antidepressant Myth,* Londres, The Bodley Head.

[20] Borrell, F. (2004): «Efecto placebo, pensamiento magico y medicina científica», *JANO, 66(1523):* 2118.

[21] Jonsen, A. R.; Siegler, M. y Winslade, W. (2005): *Ética clínica,* Barcelona, Ariel, p. 118.

este caso concreto el principio general de «no informar a los indios navajos de las probabilidades de fallecer», a fin de adaptarnos a su contexto cultural. Sin embargo, este principio estaría guiado por una consideración arquetípica poco conveniente en un mundo donde los indios navajos también son médicos, arquitectos y usuarios de Internet. Por ello Diego Gracia prefiere la expresión «excepción terapéutica» a la de «privilegio terapéutico», precisamente para situar en un primer plano la excepción —¡y no los estereotipos de raza o cultura entre otros!— como base del razonamiento moral.[22]

Empero la situación más enojosa es el rechazo por parte del paciente de un tratamiento eficaz. Mulnix expone el caso de un chico de 18 años con un proceso oncológico (linfoma) que rechaza sin argumentos las analíticas de control y, por consiguiente, proseguir con el tratamiento.[23] Cuando la negativa está bien articulada en torno a valores o creencias (pensemos en los Testigos de Jehová) experimentamos cierto alivio. Los servicios sanitarios debemos realizar un mayor esfuerzo para adaptarnos a las minorías que profesan creencias previsibles (como resulta ser el rechazo a transfusiones) tal como se discute en profundidad en un documento del Comité de Bioética de Catalunya.[24] En el caso del menor la situación continúa siendo confusa. La Ley de Autonomía del Paciente y la legislación relativa a la madurez del menor mal se compadecen con la sentencia del Tribunal Constitucional de 2002 en la que se afirma que no cabe rechazo a las órdenes de tratamiento en el caso de riesgo vital de un menor, aunque dicho menor sea maduro y le apoyen sus padres. Un auténtico alegato al privilegio terapéutico que sin embargo no tiene desarrollo específico en nuestra legislación, como apostilla Cantero.[25]

Pero regresemos a lo que sería una negativa enigmática del paciente,[26] una negativa que no sabe o no quiere explicar, y ante la que nos quedamos atónitos. Broggi ha enfatizado la tarea delicada y difícil de aflorar los valores ocultos del

[22] Gracia, D. (1997): «¿Privilegio terapéutico o excepcion terapéutica?», en: Sarabia, J.; Reyes, M. de los (eds.): *La bioética en la encrucijada*, Madrid, Asociación de Bioética Fundamental y Clínica, pp. 111-5.

[23] Mulnix, J. W. (2008): «Case one: Patient autonomy and the freedom to act against one's self-interest», *Annals of Clinical and Laboratory Science, 21(2):* 114-5.

[24] Comité Bioética de Cataluña (2010): *Recomendaciones del Comité de Bioética de Catalunya ante el rechazo de los enfermos al tratamiento,* Generalitat de Catalunya, Barcelona. [Accesible en: http://www.gencat.cat/salut/depsalut/html/es/dir89/cbrechazotr.pdf].

[25] Cantero, J. (2010): «Capacidad legal del menor y rechazo del tratamiento», en: Reyes, M. de los y Sánchez, M. (eds.): *Bioética y Pediatría,* Madrid, Ergon, pp. 387-8.

[26] Jonsen, A. R.; Siegler, M. y Winslade, W. (2005): *Ética clínica,* Barcelona, Ariel, p. 135.

paciente.[27] Valores de los que en una negativa enigmática sospechamos su existencia, pero valores ocultos —como nos advierte Broggi— que pueden agazaparse tras un cabeceo de duda, o un «sí» que es más bien un «no» (conformidad aparente).

¿Cómo actuar ante una negativa desprovista de razones de un paciente competente con el que hemos dialogado hasta la extenuación? La tentación de tildar dicha negativa de irracional es notable, sobre todo si es un menor. En tales circunstancias, apostilla Jonsen, «el facultativo se ve en la tesitura de tener que elegir entre dos situaciones malas: respetar una negativa que tal vez no refleje las auténticas preferencias del paciente», como sería la incapacidad o la muerte, «o desoír la negativa con la esperanza de que posteriormente el paciente reconozca el beneficio».[28] Jonsen admite con claridad que en ocasiones el facultativo tendrá que optar por actuar en contra de la preferencia expresada por el paciente. Observe el lector que en este caso estaríamos hablando, más que de «privilegio terapéutico», de «imposición terapéutica», pues el paciente ha fijado una posición. De aquí el miedo que experimenta el médico cuando duda entre hacer uso del privilegio terapéutico o mostrar las cartas al paciente. Una vez mostradas, si el paciente le niega el permiso, solo le cabe declarar al paciente incompetente. Estamos en el peor de los escenarios, poco frecuente pero visible en algunas altas voluntarias.

Las altas voluntarias de los hospitales suelen indicar un conflicto grave de preferencias, tal vez una falta de diálogo, y posiblemente unos límites a la paciencia del médico, del paciente, de los equipos y de las instituciones. Algunas altas voluntarias se originan como afirmación del paciente de su derecho a rechazar un tratamiento que el equipo médico trata de imponerle. Berger las ha analizado desde este prisma,[29] encontrando que el perfil de paciente que solicita alta voluntaria en contra del consejo médico es el de una persona con escasa red social, largas estancias, drogadicto y con pobres resultados en términos de salud. Esta conjunción de circunstancias lleva a una débil relación terapéutica con su médico de familia. Para decirlo en breve: gente de trato difícil. Ello no obsta para que los médicos vivan las altas voluntarias con sensaciones ambivalentes de fracaso, y se pregunten por sus deberes con estas personas, sobre todo cuando saben que con esa alta ponen en riesgo no solo su salud, sino a veces la de otros familiares o vecinos (pensemos en un paciente psicótico y agresivo).

[27] Broggi, M. A. (2003): «Gestión de los valores ocultos en la relación clínica», *Medicina Clínica, 121:* 705-9.

[28] Jonsen et al., 2005. *Op. cit.* nota 26, p. 137.

[29] Berger, J. T. (2008): «Discharge against medical advice: ethical considerations and professional obligations», *Journal of Hospital Medicine, 3(5):* 403-8.

Si adoptamos ahora la perspectiva del paciente puede que el alta voluntaria aparezca como último recurso ante una agresión a su dignidad (véase la película *Whose Life Anyway?*).[30] Negar un alta voluntaria sería el acto de autoridad más extremo, solo justificable ante una incompetencia manifiesta del paciente y posiblemente requerida siempre de refrendo judicial.

Recapitulemos: la diferencia entre hacer uso de una necesidad terapéutica —o, más general, un privilegio terapéutico— y una imposición terapéutica sería la oposición explícita del paciente a una medida que se le propone o de la que tiene noticia. Desde nuestro punto de vista esta oposición desactivaría automáticamente la posibilidad de ejercer dicho privilegio. Pero llegados a este punto parecería que el privilegio terapéutico se asentara en el engaño, en una estrategia maquiavélica para ocultar decisiones al paciente. No es así. Cuando se produce en la clínica diaria es porque de manera indirecta el paciente o la familia (o ambos) están dando permiso —o incluso animan— para que se ejerza dicho privilegio. Desde nuestro punto de vista el privilegio no autoriza a la mentira, solo a la media verdad o a la ambigüedad, y siempre dentro de una estrategia en que sería posible reconducir el diálogo hacia la información veraz. Muy atentos, incluso, a cualquier indicación del paciente en este sentido.

¿Qué diferencia podemos establecer entre decisión silente y privilegio terapéutico? La decisión silente ahorra al paciente una información no por las consecuencias emocionales de dicha información, sino por las consecuencias cognitivas: se trata de una información que exige un nivel cultural alto, y que no fortalece la autonomía del paciente, sino que la debilita.

Finalmente, advirtamos sobre un uso inadecuado de la expresión «privilegio terapéutico» cuando se refiere a acciones tales como romper la confidencialidad en aras de proteger a la comunidad. Por ejemplo, un médico que notifica a las autoridades la presencia de un paciente BK(+) que rechaza ser tratado, no ejerce en sentido estricto el privilegio terapéutico. En este caso y similares se establece un conflicto entre el derecho de confidencialidad y la protección a terceros.

3. A MANERA DE CONCLUSIÓN

Existe una relación bidireccional entre bioética y comunicación humana: la bioética nos fuerza a nuevos retos en comunicación, pero el conocimiento de la realidad, de los procesos reales de comunicación, de los factores restrictivos que actúan en el proceso de comunicación, y de los valores que afloran —a ve-

---

[30] *Whose Life Is It Anyway?* (1981). Guión: Reginald Rose. Dirigida por John Badham. Protagonizada por Richard Dreyfuss, John Cassavetes y Christine Lahti.

ces inesperados, a veces sorprendentes— tienen que repercutir necesariamente sobre el razonamiento bioético. Estamos en el campo de la ética empírica y hermenéutica. Guy Widdershoven[31] afirma que «las consecuencias de los datos empíricos para la teoría ética y las consecuencias de la teoría ética sobre los datos empíricos no son determinadas por el especialista en ética, sino que se establecen en un diálogo en el que el experto en ética actúa como un facilitador, estimulando la interacción y la reflexión entre los protagonistas del acto clínico».

Desde nuestro punto de vista el médico atesora una experiencia clínica fruto de muchos años de observación del ser humano, se adapta a su comunidad y percibe tipologías humanas y necesidades humanas que van más allá del conocimiento formal establecido por las disciplinas académicas. En nuestra práctica clínica constatamos hasta qué punto sería una enorme ingenuidad entender literalmente lo que nos dice el paciente. En ocasiones el paciente nos dice «sí» pensando «no», y puede usar cualquiera de estos dos adverbios sin saber lo que él mismo piensa. Las personas nos hacemos en la interacción social. Hemos de superar, por consiguiente, una visión de la autonomía del sujeto de tipo solipsista por otra visión dialógica.[32] Comprender los límites de la autonomía no es negarla. Entre el autoritarismo paternal y la autonomía absoluta, nos recuerda Torralba, hay que poner el énfasis en la relación amigable; añadiríamos: la amistad médica, la relación de «projimidad» (como diría Laín),[33] y la «amistad pedagógica»,[34,35] una relación, en suma, presidida por la buena intención hacia el otro. En este contexto intervenir sin consentimiento explícito del paciente atenta contra su autonomía, pero en ocasiones no hacerlo atenta contra su dignidad.[32] No olvidemos que el médico no es notario de valores, creencias y expectativas de sus pacientes, como afirma cierta versión *naïve* y trasnochada del modelo centrado en el paciente, sino que interpreta, interactúa, influye y se deja influir en dicha relación asistencial.

Una visión de este tipo aleja el peligro de abandono del paciente con la coartada de que «el paciente es autónomo y ya sabrá lo que hace», una situación que ha sido definida certeramente como «abandonar al paciente a sus propios

[31] Widdershoven, G.; Abma, T.; Molewijk, B. (2009): «Empirical ethics as dialogical practice», *Bioethics, 23(4):* 236-48.

[32] Torralba, F. (2000): «The limits of the autonomy principle. Philosophical considerations», en: Rendtorff, J. D. y Kemp, P.: *Basical Ethics Principles in European Bioethics and Biolaw,* vol. 2, Barcelona, Institut Borja de Bioètica, pp. 217-36.

[33] Laín Entralgo, P. (1964): *La relación médico enfermo,* Madrid, Revista de Occidente.

[34] Gracia, D. (2007): *Fundamentos de Bioética,* Madrid, Triacastela, pp. 599-602.

[35] Gracia, D. (2010): *Voluntad de comprensión. La aventura intelectual de Pedro Laín Entralgo,* Madrid, Triacastela, 464-7.

derechos».[36] La bioética, o mejor aún, los expertos en bioética, extremando el discurso de la autonomía, podrían sin quererlo actuar como coartada para dicho abandono. En cambio, el modelo centrado en el paciente que defendemos nos autoriza en ocasiones a mostrar nuestros propios valores e interactuar con los valores del paciente sin un miedo insalvable a restringir su libertad. *Mostrarnos auténticos en la relación forma parte de la libertad de nuestros pacientes.* Ahora bien, para que esta relación basada en la amistad médica no se desequilibre hacia el paternalismo, debemos ser muy conscientes de nuestros rasgos de carácter. Si partimos de un carácter más bien autoritario, puede que dialoguemos con el paciente de una manera sutilmente manipuladora, *y que encontremos muchas oportunidades para las decisiones silentes y los privilegios terapéuticos.* Por desgracia la buena voluntad no es suficiente garantía para que ello no ocurra. *Hay límites a la auto-observación.* Estos límites son más manifiestos cuando la relación asistencial pone en duda nuestro prestigio profesional o el paciente impugna lo que a todas luces parece la mejor opción terapéutica. *El miedo y la impaciencia pueden maquillar estrategias paternalistas —o francamente manipuladoras— como legítimas, y experimentarlas en el acto clínico como idóneas.* Una actividad clínica reflexiva exige, por tanto, *un balance entre un criterio clínico bien formado (independencia de criterio), un saber lo que hacer (asertividad), y la suficiente humildad para buscar vías intermedias idóneas para cada paciente* (deliberación interna del clínico que puede convertirse en un diálogo significativo con el paciente o con colegas). Y junto a todo ello la posibilidad de dialogar con pares para detectar en qué punto nos separamos de cierta sensibilidad colectiva, víctimas de esta limitación en la capacidad de auto-observarnos.

Desde luego no es tarea fácil, porque *exige habilidades contrapuestas:* rectificar sin pereza, aceptar maneras extrañas de reaccionar y pensar de los pacientes, y no tener prisa por llegar a la meta que nos hemos propuesto… Flexibilidad sin perder en seguridad. Pensamiento intuitivo sin perder en pensamiento basado en criterios. Gestión del tiempo sin perder la paciencia. Capacidad de auto-observarnos con humildad para someternos al juicio de nuestros pares. Ecuaciones difíciles pero posibles. A mayor competencia en comunicación el médico supera unos retos morales para afrontar otros mas sutiles. *Nunca la ética precisó tanto de una educación sentimental del clínico.*

Agradecimientos. A Marc Antoni Broggi por su atenta lectura y las aportaciones que hemos incorporado al texto.

[36] Ruiz Moral, R. y Loayssa Lara, J. R. (2010) «La participación del paciente en la toma de decisiones: debilidades, dilemas y desafíos», *JANO, 1765:* 22.

4

Bioética en perspectiva hermenéutica: hacia un método hermenéutico-deliberativo

Tomás DOMINGO MORATALLA

En este trabajo quisiera ofrecer algunas pistas para lo que podría ser, como señalo en el título, una bioética en perspectiva hermenéutica. El encuentro entre bioética y hermenéutica no lo cifro en una aportación o contribución de la segunda a la primera, tras la cual, cada una siguiera su marcha. Por eso hablo de «perspectiva»: el calificativo «hermenéutica» supone, ante todo, una perspectiva, una orientación. Por otro lado, no entiendo este encuentro como algo que ya se haya producido y me esté limitando a levantar acta. La tesis de fondo que defiendo, y que quizás pueda sorprender y extrañar tanto a bioeticistas como a hermeneutas, es que el presente y sobre todo el futuro de la bioética pasa de alguna manera por la hermenéutica, por la perspectiva-orientación hermenéutica.

Este trabajo es continuación y desarrollo del que ya elaboré hace unos años a propósito de la aportación de Paul Ricoeur a la bioética.[1] En este momento quisiera continuar y profundizar este trabajo primigenio poniendo de relieve

---

[1] Domingo Moratalla, T. (2007): «Bioética y hermenéutica. La aportación de Paul Ricoeur a la bioética», *Veritas, 2(17):* 281-312. [Disponible en http://www.fondsricoeur.fr/photo/bioetica.pdf].

sobre todo la dimensión metódica.[2] También me muevo en prolongación, diálogo y desarrollo de las propuestas de encuentro entre bioética y hermenéutica que han desarrollado Jesús Conill[3] y, sobre todo, Diego Gracia.[4] Pienso que la hermenéutica, en sus grandes representantes Hans-Georg Gadamer y sobre todo Paul Ricoeur, ofrece recursos valiosos para potenciar, más si cabe, el método deliberativo en bioética que en los últimos años viene proponiendo Diego Gracia. Y, a su vez, esta propuesta puede contribuir a una mejor interpretación de la propia hermenéutica.

1. De la hermenéutica a la bioética: la deliberación

A muchos les sorprende la aproximación que propongo de la hermenéutica de Ricoeur a la bioética. Tal sorpresa se diluiría si comprobasen el gran interés que por la ética médica mostró el filósofo francés en sus últimos escritos.[5] Además, hay un hecho que no por coyuntural deja de llamar la atención e incitar a la reflexión. Sin ningún ánimo de exhaustividad, y solo apelando a la fuerza de la anécdota y el ejemplo, podríamos examinar la composición de alguno de los comités de bioética/ética nacionales de nuestro entorno europeo y comprobaríamos, de nuevo con la sorpresa de algunos, la presencia entre sus miembros

---

[2] Este trabajo es exploratorio y busca, sobre todo, abrir líneas de desarrollo futuro, profundizando y ampliando el encuentro entre hermenéutica y bioética en clave deliberativa y narrativa.

[3] Cfr. la aportación de J. Conill al IV Congreso Nacional de la Asociación de Bioética Fundamental y Clínica, Conill, J.: «La actualidad de la ética narrativa y hermenéutica: la hermenéutica», en: VV. AA. (2002): *La bioética, diálogo verdadero,* Madrid, Asociación de Bioética Fundamental y Clínica, pp. 37-52; así como Conill, J. (2006): *Ética hermenéutica,* Madrid, Tecnos.

[4] Gracia, D.: «Aportación a la medicina y a la bioética de la ética narrativa y hermenéutica», en: VV. AA. (2002): *La bioética, diálogo verdadero,* Madrid, Asociación de Bioética Fundamental y Clínica, 175-202. [Recogido posteriormente en Gracia, D. (2004): «Éticas narrativa y hermenéutica», en: *Como arqueros al blanco,* Madrid, Triacastela, pp. 197-224].

[5] Sobre todo a partir de la publicación de su obra *Sí mismo como otro* (1990, París, Seuil; 1996, Madrid, Siglo XXI) donde en su «pequeña ética» introducía lo que me he atrevido a llamar una «pequeña bioética». Prueba de su interés por la bioética es la cantidad de trabajos y notas que dedicó al tema, muchos de los cuales no se han publicado y figuran en Archives-Fonds Ricoeur recogidos en dos archivadores bajo la denominación «Éthique médicale». Agradezco a Catherine Goldenstein, encargada de los Archivos del Fonds Ricoeur, que pusiera a mi disposición este conjunto de materiales. Importantes trabajos publicados sobre bioética son los recogidos en *Lo justo 2* (2009, Madrid, Trotta) como «Los tres niveles de juicio médico» (pp. 183-195) o «La toma de decisiones en el acto médico y en el acto judicial» (pp. 196-203).

de conocedores y estudiosos de Gadamer y Ricoeur.[6] Esto, como es obvio, e intentando ir más allá de la anécdota, nos lleva a una doble pregunta. La primera: ¿qué hay en estos filósofos-hermeneutas que los haga afines a la bioética? Y la segunda, más importante: ¿qué hay en la bioética que atraiga a la filosofía hermenéutica? El abanico de posibles respuestas a estas dos preguntas me atrevería a resumirlo con una palabra: «deliberación».

La hermenéutica es la filosofía de la interpretación. «Hermenéutica» designa el método de interpretación de textos, y podemos extenderla a la acción, a la historia, a la vida; y también, en un segundo momento, a la reflexión filosófica de aquello que acontece en la labor de interpretación. Se puede preguntar, no sin pertinencia, ¿qué tiene que ver, pues, la hermenéutica con la deliberación? Veámoslo brevemente.

1.1. H. G. Gadamer: la tarea hermenéutica y la ética de Aristóteles

La tarea hermenéutica puede ser bien interpretada, como señala H. G. Gadamer, desde la ética de Aristóteles. El problema de la hermenéutica es cómo un sentido, en principio idéntico, se capta de forma diferente en función de la situación histórica. Podemos pensar, por ejemplo, en la Biblia; un mismo libro, la Biblia, es interpretado de forma distinta en cada momento histórico. No es casualidad que el gran desarrollo de la filosofía hermenéutica haya corrido parejo a la exégesis de los textos religiosos. Preguntas por el sentido *verdadero* de la Escritura o por el contenido alegórico o metafórico del mensaje bíblico, por ejemplo, no han dejado de alimentar la tradición hermenéutica. Dejando de lado la cuestión histórica, y centrándonos en el lado lógico, podemos decir que el problema hermenéutico, el problema de la comprensión, consiste «en un caso particular de aplicación de algo en general (el mensaje idéntico) a una situación concreta y particular».[7] Es la cuestión de la aplicación, la cual presenta analogías con la intención mayor de la investigación de Aristóteles en su ética: determinar el papel de la razón en todo comportamiento ético.

Aristóteles, sigo aquí de cerca la interpretación gadameriana, señalará que el ser ético es muy distinto del ser natural; el campo del *ethos* es diferente al campo de la *physis*. La regularidad y estabilidad de la naturaleza es muy dis-

---

[6] Así sucede en el Comité portugués con la presencia Michel Renaud, en el Comité italiano con Antonio da Re, en el Comité belga con M. Dupuis; el Comité francés estuvo presidido por Didier Sicard, actualmente presidente honorífico, amigo íntimo de P. Ricoeur.

[7] Cfr. «El problema hermenéutico y la ética de Aristóteles», p. 81, en Gadamer, H. G. (1993): *El problema de la conciencia histórica,* Madrid, Tecnos. [Traducción e introducción de A. Domingo Moratalla].

tinta del carácter cambiante de lo humano. No se trata, a la manera platónica, de aplicar mecánicamente un bien general que conocemos teóricamente a la situación particular. La tarea ética, en perspectiva aristotélica, es «medir una situación concreta a la luz de exigencias éticas más generales».[8] No es suficiente el conocimiento general. La tarea ética, en la interpretación hermenéutica de Gadamer, tiene una *precisión* muy particular:

> no es cuestión de querer alcanzar en el campo de la ética una precisión de un grado tan elevado como en matemáticas; para las situaciones humanas donde se encuentra esto sería incluso faltar a su fin. Se trata de ordenar los elementos de un problema ético según sus líneas de fuerza más significativas y proporcionar así por el diseño general de los contornos, un tipo de apoyo a la conciencia ética.[9]

El saber ético es caracterizado por Aristóteles como *phrónesis* a diferencia del saber propio de la *episteme*, representado por las matemáticas como ideal y paradigma de ciencia. Ciencia quiere decir aquí conocimiento de lo inmutable, de lo necesario, y de lo que todo el mundo está en condiciones de aprender. El conocimiento ético es distinto: trata del ser humano como agente, y no apunta solo a «constatar lo que es». De cierta forma hay un gran parentesco entre el saber ético y el saber técnico en la medida en que ambos no son saberes abstractos y tienen que ver con la actividad humana, con aquello «que puede ser de otra manera». Esto, por supuesto, no quiere decir que el saber ético sea igual que el saber técnico.[10]

La función de la decisión ética, nos recuerda Gadamer comentando a Aristóteles, consiste en encontrar, en una situación concreta, aquello que es justo.[11] Precisamente esto nos lleva al análisis aristotélico de la *phrónesis*. Nos recuerda Gadamer: «No se puede decir de una manera general y abstracta qué acciones son justas y cuáles no lo son: no hay acciones justas «en sí», independientemente de la situación que las reclama».[12]

Al igual que en la hermenéutica —en cuanto teoría de la interpretación de textos—, donde el sentido no existe en sí, sino que dependerá de la situación que lo reclama, en el campo de la acción no existe el Bien, sino lo bueno aquí

---

[8] Ibídem, p. 83.

[9] Ibídem, p. 83.

[10] Ibídem, p. 86 y siguientes.

[11] Ibídem, p. 87.

[12] Ibídem, p. 88.

y ahora. Ética y hermenéutica se las tienen que ver con un mismo estilo de saber: *saber de aplicación*. Alguien puede pensar perspicazmente que el saber de aplicación bien puede pensarse como el que tiene lugar en el campo del derecho, otro terreno en el que la tradición hermenéutica se ha constituido, donde puede considerarse que existen ciertas leyes o códigos válidos para todo el mundo y que lo único que hacemos es aplicar una ley a un caso. Tampoco en este caso, argumenta Gadamer, nos las tenemos que ver con una aplicación mecánica, objetivista o puramente técnica. La ley, en su aplicación, necesita de su ajuste a la situación, de su continua «rectificación». Una ley, nos recuerda el filósofo alemán parafraseando a Aristóteles, es siempre general y no puede tener en cuenta toda la complejidad de todos los posibles casos singulares. Y dice: «Una ley es insuficiente, no en razón de un defecto intrínseco, sino porque el mundo como campo de nuestras acciones es siempre imperfecto por relación al orden ideal representado por las leyes».[13] El derecho codificado necesita —siempre— de la deliberación para su aplicación. Y lo que vale para el derecho:

> es en principio válido para el conjunto de los conceptos de que dispone el hombre para determinar lo que debería ser. Estos conceptos no están fijados en el firmamento como las estrellas: lo que son, no lo son más que en una situación concreta en la que nos encontramos.[14]

1.2. P. Ricoeur: a la gloria de la *phrónesis*[15]

La hermenéutica de Ricoeur se sitúa en la estela de la hermenéutica de Heidegger y de Gadamer, pero se caracterizará por tener más en cuenta el momento metodológico. La hermenéutica de Gadamer parecía optar por la verdad frente al método; su obra magna daba la impresión que debería haberse titulado *Verdad o método,* en lugar de *Verdad y método.* Ricoeur será muy consciente del necesario rodeo —vía larga— que hay que dar por el momento epistemológico o explicativo. Esto será muy importante a la hora de pasar al campo de la ética y, más aún, al campo de la bioética, donde no es suficiente —aunque sea funda-

---

[13] Ibídem, p. 89.

[14] Ibídem, p. 91.

[15] Este es el expresivo título en el que Ricoeur hace balance de las aportaciones de la ética aristotélica (en concreto el libro VI de la *Ética a Nicómaco)* a la filosofía moral contemporánea. Ricoeur, P. (1997): «À la gloire de la phronèsis *(Éthique à Nicomaque,* Livre VI)» en: Chateau, J. Y. (ed.): *La vérité pratique,* París, Vrin, pp. 13-22.

mental— una nueva orientación o cambio de actitud: es necesario también un planteamiento metodológico «riguroso». Quizás podríamos decir que la aportación de Ricoeur a la ética hermenéutica es dotar a la nueva sensibilidad ética reivindicada por Gadamer (cuestión «tacto») de finura analítica.

El saber ético para Ricoeur responde a un tipo propio de racionalidad que no puede ser la simple extrapolación de la razón objetivista moderna, o de una razón válida para el mundo de la naturaleza. La lección aristotélica está bien aprendida bajo la enseñanza de los maestros Heidegger y Gadamer. Pero que la razón práctica no sea un saber técnico ni instrumental no quiere decir que carezca de rigor.[16] Para este planteamiento ético no sirve el modelo deductivo en el que partiríamos de unos axiomas o principios que aplicaríamos a los casos concretos. Tampoco serviría el modelo inductivo, situacionista. Es preciso un nuevo planteamiento que no sea ni puramente principialista ni puramente casuista; entre uno y otro, con uno y con otro, se encuentra el modelo hermenéutico. Este modelo evitaría tanto el deductivismo principialista como el casuismo. La propuesta de Ricoeur por tanto no es la simple aplicación de unos principios generales a un caso concreto, ni tampoco la generalización de prácticas consideradas adecuadas, sino un proceso *creativo* de conocimiento. Es un modo de conocimiento práctico que reivindica el análisis aristotélico de la *phrónesis,* y es más próximo al juicio reflexivo que al juicio determinante (distinción kantiana que Ricoeur no dejará de aplicar en su propuesta metodológica). Ese modo de conocimiento práctico es el que viene dado en la deliberación.

La recuperación de la deliberación como método propio de la ética y de la bioética pasa en la propuesta de Ricoeur, al igual que en la de Gadamer (y este tras los pasos de Heidegger), por una recuperación de Aristóteles, como he señalado anteriormente. «A la gloria de la phrónesis» es el título de un trabajo de Ricoeur donde valora la aportación aristotélica. La vuelta a Aristóteles para Ricoeur adopta diferentes matices y sentidos. En primer lugar, y desde un punto de vista *negativo,* volver a Aristóteles es rechazar, o alejarse, simultáneamente tanto del formalismo kantiano como del empirismo anglosajón; la tradición hermenéutica ha interpretado este rechazo como resistencia a la «colonización de las ciencias humanas por la matematización de la naturaleza». Es lo que Gadamer llama «objetivismo» o «verificacionismo».[17] Y en segundo lugar, y de una forma más *positiva,* la recuperación de Aristóteles y su elogio de la *phrónesis* tiene, a ojos de Ricoeur, tres grandes implicaciones que él aplicará a su

---

[16] Sobre la racionalidad de la acción el trabajo clave de Ricoeur es «La razón práctica» en: Ricoeur, P. (2001): *Del texto a la acción,* Buenos Aires, FCE, pp. 219-39; en él nos alerta de los peligros, no solo conceptuales sino también ético-políticos, de «la ciencia de la praxis».

[17] Ricoeur, 1997. *Op. cit.* nota 15, p. 21.

propio planteamiento ético (y que la bioética hermenéutica no puede desatender): 1) la relación de la inteligencia práctica con las situaciones singulares; 2) la reivindicación de una manera de argumentar «no demostrativa», cercana a una lógica de lo probable, y que a través de conceptos *flexibles* desarrolla un pensamiento discursivo que busca la acción que conviene, aquí y ahora; y 3) el recuerdo de que la reflexión ética se inscribe en una práctica previa, en una cultura viva, y así frente a la insistencia en la pretensión universalizante (por ejemplo, teoría de la justicia de Rawls o ética discursiva de Habermas y Apel) no olvidar el peso de las «evaluaciones fuertes» (C. Taylor) ya presentes cuando nos ponemos a deliberar.[18]

En esta perspectiva que acabo de mostrar la gran propuesta ética de la hermenéutica es la deliberación como modo de conocimiento en el contexto del ejercicio de la sabiduría práctica en la búsqueda de «la acción que conviene». Lo que en Gadamer aparece sugerido en los últimos trabajos de Ricoeur aparece desarrollado. Prescindiendo en estos momentos de una presentación más general de la ética de Ricoeur, e incluso de su bioética, me interesa ahora incidir sobre la dimensión metodológica de esta ética hermenéutica, y en concreto lo que puede ser el desarrollo de un método (hermenéutico) para la bioética.

Dos cosas me interesa señalar. La primera: esta reivindicación metodológica no deja de realizarse contra una forma de pensamiento ético que, apelando a la *verdad* frente al *método,* se olvida de que la deliberación moral es un procedimiento riguroso que exige una serie de pasos, una práctica y, por tanto, también un aprendizaje. Y una segunda consideración: esta metodología hermenéutica aplicada a la bioética puede, como indicaba anteriormente, confluir con la metodología de la deliberación en bioética propuesta por Diego Gracia.

2. HACIA UNA PROPUESTA HERMENÉUTICA DE METODOLOGÍA EN BIOÉTICA

2.1. Interpretar y argumentar

Ricoeur, además de analizar los diferentes niveles que entran en juego en las consideraciones de ética médica y bioética al hilo de la articulación de los

---

[18] Así, en función de estas implicaciones ricoeurianas de la aportación aristotélica, la bioética hermenéutica trabajaría en tres frentes: 1) atender a lo singular, por ejemplo desde los elementos narrativos (bioética narrativa); 2) desarrollar una metodología «deliberativa» (bioética deliberativa), y 3) incorporar la dimensión política y cultural (bioética global). Narración, deliberación y cultura serían, pues, las claves de esta propuesta bioética.

diferentes momentos de la experiencia moral y su análisis, ha desarrollado un análisis del proceso de toma de decisiones en bioética.[19] Va a establecer una comparación entre la toma de decisiones en ética médica y en el campo jurídico. Tanto en lo judicial como en lo médico, en el acto médico y en el acto judicial, se trata de pasar de un saber constituido, con normas y un cuerpo de conocimientos, a la toma de una decisión en una situación concreta. En los dos casos nos encontramos con una afirmación, un juicio, una decisión: la prescripción, en el caso médico, y la sentencia, en el judicial. También en los dos ámbitos lo que está en juego es situar un caso, una situación, bajo una norma, o bien aplicar una norma a un caso, es decir, entre la norma y el caso, en un constante ir y venir. Este espacio de ida y vuelta es el que instaura el juicio.

En el análisis de Ricoeur el «corazón» de la ética médica —el corazón de la bioética—, es el «pacto de cuidados», con sus luces y sombras; pacto basado en la confianza entre una persona que sufre, pide, y exige a otra que sabe que domina una técnica, que le ayude. El pacto de atención, de cuidados, se sella, por decirlo de esta manera, con la prescripción médica que une a ambas partes. El pacto de cuidados, basado en la confianza, vive en la fragilidad, por lo cual necesita de la protección del nivel deontológico, tampoco exento de fragilidad. El código deontológico tiene por función primordial asegurar y estabilizar dicho pacto.[20] Sobre este pacto de cuidados y esas normas *protectoras* del pacto versará la toma de decisiones. El pacto de cuidados es frágil en sí mismo y también por el contexto en el que se inscribe, pues si bien obedece prioritariamente a un objetivo terapéutico, se entrecruza con los requerimientos procedentes del interés científico y de conocimiento que también tiene la medicina, cuyo móvil ya no es el cuidado y la solicitud sino el saber, y con la dimensión social y política de la salud que ya no tiene como principal objetivo el caso particular y concreto. Es decir, la toma de decisiones, el proceso de deliberación en ética médica (bioética), es complejo y tiene lugar en situaciones de incertidumbre.

Uno de los grandes méritos de la propuesta metodológica de Ricoeur es pensar en un método complejo, que sea capaz de dar cuenta de las diferentes caras de los problemas planteados. En los problemas morales hay que tener en

[19] Cfr. los artículos «Los tres niveles del juicio médico» y «La toma de decisiones en el acto médico y en el acto judicial». *Op. cit.* nota 5.

[20] Para Ricoeur, tanto en su bioética como en ética, el momento deontológico ha de ser tenido en cuenta pero no es lo más importante. Sobre este punto es muy esclarecedor el prefacio que escribió al código deontológico de los médicos franceses, cfr. Ricoeur, P. (1996): *Code de déontologie médicale,* París, Seuil, pp. 9-25. [Introducción y comentarios de Louis René].

cuenta la totalidad de las perspectivas (al menos el mayor número). Uno de los grandes enemigos de esta propuesta metodológica es por ello la simplificación o el reduccionismo. Sería más fácil atender a una única perspectiva (ya sea la médico-técnica, ya sea la jurídica, ya sea la valorativa), pero estaríamos desarticulando el problema moral. Precisamente todo el objetivo de la propuesta de Ricoeur es articular una teoría ética que dé cuenta de la complejidad de la vida moral humana y, paralelamente, articular un método que responda con la máxima honestidad posible a los problemas que en ella surgen.

El método de Ricoeur es, por tanto, un método de articulación. Su gran contribución en ética (en ética médica) es hacer ver la necesidad de contar con diferentes niveles —nivel reflexivo, nivel deontológico y nivel prudencial— y con diferentes proyectos —epistémico, terapéutico y sociopolítico—, sin olvidar ninguno. La toma de decisiones no obedece solo a un movimiento determinante, por llamarlo así: conocemos la regla y la aplicamos. Hemos de tener en cuenta la textura misma del caso, que puede pedir una regla u otra, o, incluso, innovación normativa.[21] En este tratamiento del caso singular en busca de una regla (lo que Kant llamaba «juicio reflexivo») el elemento narrativo es fundamental. La aplicación (deliberación) —y la consiguiente—, toma de decisiones, que se lleva a cabo en bioética no es por tanto un simple proceso deductivo, ni inductivo; es un proceso complejo, abierto, flexible y crítico entre lo general y lo particular. En palabras suyas:

Ahora bien, esta operación [la toma de decisiones] está muy lejos de ser mecánica, lineal y automática. Los silogismos prácticos están entremezclados en el trabajo de la imaginación, que juega sobre variaciones de sentido de la regla o del caso. Se trata de un mixto de argumentación y de interpretación, el primer vocablo designa el lado lógico del proceso, deducción o inducción, el segundo vocablo, pone el acento sobre la inventiva, la originalidad, la creatividad. Este mixto merece ser llamado aplicación: aplicar una regla a un caso, o encontrar una regla para un caso, es en los dos casos, producir sentido.[22]

Vemos como es preciso interpretar el caso de forma narrativa buscando la conveniencia, adecuación o *justeza* entre lo singular y lo universal. Es necesario interpretar adecuadamente el saber disponible de la misma manera que también lo es describir de una forma apropiada el caso. La toma de decisiones

---

[21] Y llega a decir en *Sí mismo como otro (op. cit.* nota 5, p. 294): «La sabiduría práctica consiste en inventar conductas que satisfagan lo más posible la excepción traicionando lo menos posible la regla».

[22] Ricoeur, *Lo justo 2 (op. cit.* nota 5, p. 201). ¡No se puede decir más con menos palabras!

se encuentra «en el cruce entre un trabajo de argumentación y de un trabajo de interpretación».[23] Argumentación e interpretación son procesos mentales que subrayan el carácter no automático de la deliberación. La deliberación, como mixto de argumentación e interpretación, desemboca en la toma de decisiones, el momento del juicio. Sobre la peculiaridad de este momento nos recuerda Ricoeur tres cosas importantes:[24]

- La decisión irrumpe como un acontecimiento, corta un proceso lógico que en principio podría ser ininterrumpido; es decir, es necesario decidir. Toda decisión corta con el proceso deliberativo, con sus dudas, con sus vacilaciones. El médico, por reducirnos al «corazón de la ética médica», tiene que decidir, no le queda más remedio, y lo tiene que hacer en un tiempo limitado. ¡No tenemos todo el tiempo del mundo!

- La decisión es un acontecimiento, un acto, irreductible al proceso deliberativo mismo al que dicha decisión pone fin. Hay un punto de vista subjetivo que se pone de manifiesto en la decisión; supone, por consiguiente, reservar un lugar para la convicción («íntima convicción», dice Ricoeur) que, de alguna manera, trasciende todo saber aplicado (y, no obstante, no lo hace superfluo).

- La deliberación como método, como técnica en el proceso de toma de decisiones, no es ejercida, o no debe serlo, de forma solitaria; es el lugar para los comités, equipos médicos, familiares, etc.

Podemos resumir la propuesta de Ricoeur sobre la deliberación como método con el esquema de la figura 2.1.

2.2. En la estela de Ricoeur: a la búsqueda de un método en ética clínica

Lo que acabo de resumir son las reflexiones metodológicas que encontramos en algunos textos últimos de la filosofía de Ricoeur. No desarrolló una propuesta metodológica concreta que pudiera aplicarse efectivamente a la resolución de problemas de bioética.[25] La tarea corresponde a aquellos que tenemos

---

[23] Ibídem, p. 201.

[24] Ibídem, p. 201 y siguientes.

[25] No obstante merecen ser tenidas en cuenta las reflexiones que el propio Ricoeur desarrolló a mediados de los 90 con ocasión de la dirección de un trabajo académico de la doctora Lucie Hacpille. Esta desarrolló un método de análisis de casos en ética clínica desde los planteamientos de Ricoeur. No deja de ser un método muy general que, claro está, no cuenta con los trabajos que sobre bioética escribirá después. Con ocasión de este trabajo, la doctora Hacpille

Figura 2.1. Deliberación: proceso de toma de decisiones

Deliberación (conduce a la toma de decisiones): producción de sentido Regla↔problema moral
No es automática, ni lineal, ni mecánica ▼

Argumentación (deducción/inducción) lógico-discursivo	+	Interpretación (narración, historia personal) creatividad

▼ Trabajo de imaginación Variaciones de sentido sobre la regla y el problema moral

Características de la deliberación como toma de decisiones:

- Límite temporal: la decisión no puede posponerse (tiempo limitado).
- Convicción: la decisión es irreductible al proceso deliberativo (siempre hay cierto riesgo).
- Equipos de deliberación: nunca estamos solos (comités, equipos, familiares, etc.).

el interés doble por su filosofía y por la bioética. Tal es el caso del profesor Lazare Benaroyo que con formación bioética y conocimiento de la hermenéutica ricoeuriana ha elaborado en los últimos años un método para la ética clínica. La presentación de su método se encuentra en varios de sus trabajos. Quizás la más clara, amplia y relevante es la que encontramos en su obra *Éthique et responsabilité en médecine* y, en particular, en el tercer capítulo que tiene el expresivo título de «Hacia la construcción de una sabiduría práctica: los caminos de la responsabilidad ética en medicina clínica».[26]

Siguiendo la propuesta de Ricoeur, que he resumido anteriormente, esta precisa que su objetivo es desarrollar la idea de sabiduría práctica, heredera de Aristóteles en el ámbito de la ética en medicina clínica. Para eso es necesario,

le hizo a Ricoeur una serie de entrevistas (conversaciones) sobre ética médica durante varios años; transcribió las conversaciones y se las envió al propio Ricoeur (más de 100 páginas). Agradezco al Fonds Ricoeur (C. Goldenstein) que pusiera este material a mi disposición.

[26] Benaroyo, L. (2006): *Éthique et responsabilité en médecine,* Ginebra, Ed. Médecine et Hygiène.

en primer lugar, reconstruir el concepto de sabiduría práctica *(phrónesis,* prudencia). Este concepto aristotélico es fundamental cuando reconocemos que la reflexión ética no puede limitarse a legitimar normas o analizar el lenguaje moral y persigue la forma de aplicar normas a contenidos concretos y heterogéneos. Se trata, como yo señalaba al principio a propósito de Gadamer, de la cuestión hermenéutica de la «aplicación». Esta actualización de la prudencia pasa por una crítica del sentido que le dio la filosofía kantiana, que en buena parte es el que perdura en la actualidad, que entiende por prudencia la búsqueda pragmática de medios para alcanzar la felicidad;[27] también pasa tal actualización por la crítica del pensamiento científico moderno, que entiende la aplicación como un proceso mecánico, y así busca extender una determinada forma de entender el método a todas las disciplinas.

Antes de proponer el método concreto de análisis, y a modo de fundamentación, el profesor L. Benaroyo recorre las diferentes «esferas» de aparición de los conflictos morales (interpersonal, profesional e institucional-social) así como los tres momentos de construcción del juicio moral que propone Ricoeur: momento teleológico, momento deontológico y momento de la sabiduría práctica (elaboración del juicio prudencial propiamente dicho). Tras señalar que echará mano también de la propuesta de Lévinas para enriquecer la relación de solicitud (cuidado del otro) inscrita en el corazón de la ética médica, pasa a presentar el cuadro metodológico del análisis de un problema moral buscando «un juicio prudencial circunstancial».[28]

El cuadro-esquema metodológico es el reflejado en la figura 2.2. En otros momentos ha presentado un esquema más simplificado,[29] y enunciado en forma de procedimiento (en lugar de preguntas) como el reflejado en la figura 2.3.

El propio Benaroyo comenta a propósito de estos cuadros procedimentales:

1. Son cuadros metodológicos que ofrecen una serie de pautas y buscan mostrar los problemas éticos en el corazón mismo de sus lugares de emergencia.

2. Su objetivo es abrir la vía de un nuevo proyecto de cuidado, una nueva práctica, que afronte lo más adecuadamente posible los conflictos éticos.

---

[27] Un breve y magnífico análisis del concepto de prudencia puede consultarse en la contribución de M. Forschner al *Diccionario de ética* —Höffe, O. (ed.) (1994): Barcelona, Grijalbo, pp. 229-30—. Clásico y básico para el tema de la deliberación en tradición aristotélica sigue siendo Aubenque, P. (1999): *La prudencia en Aristóteles,* Barcelona, Crítica.

[28] Benaroyo, 2006. *Op. cit.* nota 26, p. 98

[29] Benaroyo, L. (2004): «Méthodologie en éthique clinique: une approche intégrant les diverses dimensions éthiques du soin», *Médecine et hygiène, 62:* 60-3.

Figura 2.2. Propuesta de un enfoque ético reflexivo y crítico (paradigma hermenéutico)

1. ¿Cuáles son los valores en juego?
   - ¿Cuáles son los datos clínicos pertinentes?
   - ¿Por qué razones el proyecto médico actual se cuestiona?
   - ¿Cuáles son los valores personales del paciente?
   - ¿Cuáles son los valores personales del cuidador?
   - ¿Cuáles son las normas profesionales del cuidador?
   - ¿Cuáles son los valores institucionales del establecimiento de cuidados?
   - ¿Cuáles son los valores sociales y culturales en los que se desenvuelve la práctica considerada?
   - ¿Cómo son definidas las responsabilidades respectivas de los diversos actores del proyecto médico actual?
   - ¿Cuál es la estructura narrativa actual de la presentación del problema?

2. ¿Qué proyectos de cuidado se podrían proponer?
   - ¿Cuáles son los conflictos de valores (personales, profesionales, institucionales) que obstaculizan la realización del proyecto de cuidado actual?
   - ¿Qué opciones de cuidados permitirían superar o resolver estos conflictos en vista a la elaboración de un nuevo proyecto de cuidado?
   - ¿Cuál es el proyecto propuesto?

3. ¿Qué proyecto de cuidados es el elegido? La sabiduría práctica y sus límites
   - ¿Qué opción preserva más valores compartidos en el seno del equipo de cuidados en vistas a la elaboración de un nuevo proyecto de cuidados?
   - ¿Cuál es la estructura narrativa del proyecto elegido?
   - ¿Cuál es la justificación racional de esta elección?

Figura 2.3. Proposición de un método de análisis ético-práctico

- ¿Cuáles son los problemas ético-prácticos que se presentan?
- Identificar los datos clínicos significativos —los datos que tienen que ver con las decisiones que podrían tomarse en eso caso—.
- Identificar las responsabilidades de los diversos implicados en el proceso de cuidados.
- Identificar los diversos valores, normas y principios considerados por cada implicado en la situación de cuidados como esenciales para llegar a una salida favorable.
- Imaginar las opciones que permitan resolver los conflictos éticos.
- Elegir la opción que preserva más valores consensualmente compartidos para realizar un proyecto de cuidado.
- Dar una justificación racional de la elección.

3. La formulación esquematizada no puede entenderse como un algoritmo que ayude a aplicar principios éticos en vista a resolver un dilema bioético.

4. Es una forma concreta de ejercicio de la responsabilidad.

Es preciso comentar la centralidad que tiene en esta propuesta el «proyecto de cuidados», dicha centralidad está en consonancia con lo que Ricoeur llama «pacto de cuidados», el corazón de la relación médica y foco de los problemas éticos. Es por tanto una metodología centrada en la ética médica, pero, como ya he comentado, extrapolable con pequeñas modificaciones a la bioética, e incluso a la ética en general.

2.3. El método hermenéutico-deliberativo

Desde la propuesta más general de Ricoeur y teniendo en cuenta esta concreción metodológica del profesor L. Benaroyo, me gustaría caracterizar brevemente lo que podríamos llamar «método hermenéutico-deliberativo»,[30] recogiendo para ello alguno de los elementos ya señalados:

1. Se trata de un modelo hermenéutico porque en el tratamiento de los conflictos éticos adquiere un papel fundamental la tarea de *interpretación:* interpretar las acciones, las personas, sus conflictos, etc. No se trata solo de describir, ni tampoco de explicar, sino básicamente de *comprender. Por otro lado, la tarea clave de la práctica del método es la de aplicación,* la cual no se entiende como algo mecánico y automático, sino a la manera como se interpreta el sentido de un texto.[31]

---

[30] En relación con esta propuesta que estoy haciendo es muy interesante el trabajo comparativo de cuatro métodos centrados en la deliberación que realizan N. Steinkamp y B. Gordijn: (2003): «Ethical case deliberation on the Ward. A comparaison of four methods», *Medicine, Health Care and Philosophy, 6:* 235-46.

[31] La relación entre texto y acción es uno de los grandes temas de la filosofía de Ricoeur. En la llamada bioética narrativa ha habido intentos de pensar la bioética y sus problemas desde el modelo del texto. Es una vía muy interesante, véase por ejemplo: Svenaus, F. (2000): «Hermeneutics of clinical practice: the question of textuality», *Theoretical Medicine and Bioethics, 21:* 171-89. También es muy sugerente, en la línea de una bioética ricoeuriana, la cuestión de la narratividad. Sin lugar a dudas, Ricoeur debería ser uno de los grandes referentes de esta forma de hacer bioética. Además de los trabajos ya clásicos sobre bioética narrativa, como por ejemplo *Stories and Their Limits: Narrative Approaches to Bioethics* editado por Hilde Lindemann Nelson o los de Rita Charon, pueden consultarse otros como los de Hille Haker o los del propio L. Benaroyo —«Éthique narrative», en: Hottois, H. y Misa, J. N. (eds.) (2001): *Nouvelle*

2. Es un método que se aplica a los conflictos surgidos en la *bioética clínica*. Estos conflictos surgen en entorno del «pacto de cuidados», en lo que Ricoeur llama también «alianza terapéutica». Habría que pensar cómo este método puede responder también a los requerimientos de una bioética global e incluso una ética civil. Creo que esta ampliación del método no sería difícil en la medida en que su fundamento se encuentra en una propuesta ética que excede el ámbito clínico.

3. Otro rasgo que define a este método es lo que podemos llamar su *carácter articulador*. Es un método articulado e indagador de articulaciones. El método articula las diferentes esferas del mundo personal: lo individual, lo interpersonal y lo institucional (social/político). También articula los diferentes momentos en la búsqueda de la decisión *correcta:* el momento de generalidad, pues tiene en cuenta las leyes (el momento deontológico) y el momento circunstancial. De igual modo articula los diferentes saberes implicados: el saber médico, los saberes éticos, las consideraciones sociales y políticas, lo jurídico, etc. Es un método, dicho de otra manera, que defiende, como modo de trabajo en bioética (en ética), la interdisciplinariedad.

4. El objetivo del método es la búsqueda de «la acción que conviene» o, dicho de otra forma, el juicio moral en situación, que no es otra cosa que el ejercicio de la sabiduría práctica, de la prudencia, en un proceso de deliberación polifónico. El objetivo es la toma de decisiones más prudentes, responsables. No se trata de buscar verdades absolutas que, una vez encontradas, pudiéramos aplicar. El ámbito de aplicación es la acción humana, por tanto, y en terminología aristotélica, lo que puede ser de otra manera, lo probable.

5. La deliberación es el corazón —por utilizar la metáfora de Ricoeur— del método hermenéutico aplicado a la bioética; recorre todo el proceso y afecta, como podemos ver en la propuesta de Benaroyo, a los datos clínicos, a los valores (individuales, sociales, institucionales), a las normas, a los proyectos de cuidados que se pueden proponer, y a las decisiones que se toman.

6. Este método hermenéutico tiene muy en cuenta lo narrativo, tanto en la presentación del caso-problema como en la búsqueda de opciones de proyectos de cuidados, pero no desdeña el elemento argumentativo. Ricoeur no olvida señalar que la búsqueda de la mejor decisión es un proceso «mixto» de inter-

encyclopédie de bioéthique, Bruselas, DeBoeck, pp. 406-9—. También en esta línea puede consultarse el trabajo de la profesora L. Feito en este mismo libro («El modelo narrativo como vía de enseñanza de la bioética»). Un ejercicio de bioética narrativa es el que he intentado por mi parte en *Bioética y cine. De la narración a la deliberación* (2011, Madrid, UPCo-San Pablo).

pretación (narrativa) y argumentación; tampoco Benaroyo olvida introducir un último punto en la metodología referido a la «justificación racional».

7. El método hermenéutico-deliberativo, en su aplicación, explora lo que se podría llamar la «gramática de la responsabilidad». Por otro lado, más general, la ética hermenéutica, tanto la de Ricoeur como la de Gadamer, pueden ser definidas como éticas de la responsabilidad.

8. Ricoeur subraya frecuentemente el carácter difícil, problemático, y complejo de la toma de decisiones; el método ha de «corresponder» a esta complejidad. En terminología de Diego Gracia diríamos que los conflictos morales no son «dilemas» en los que haya que elegir o esto o aquello, o blanco o negro, o bueno o malo, sino «problemas». Como oportunamente dice Ricoeur:

> Me permito decir que los problemas verdaderamente difíciles de la moral no son aquellos en los que hay que elegir entre el Bien y el Mal. Los casos más difíciles son aquellos en los que se debe elegir entre el gris y el gris. Es lo que sucede en la legislación sobre el aborto. Se trata también de elegir en lo Malo y lo Peor [...] ¡Feliz aquel que tiene que elegir entre el Bien y el Mal! Pero, ¿qué hacer cuando hay que elegir entre lo Malo y lo Peor? Frecuentemente se ha evocado a las gentes que, durante la guerra, debían señalar unas víctimas para salvar otras [...] ¡No son solo casos didácticos [...] son también situaciones reales, que se presentan en ocasiones [...]![32]

2.3.1. El método hermenéutico-deliberativo y otros enfoques metodológicos

El método hermenéutico-deliberativo es crítico con respecto al principialismo por dos motivos. En primer lugar, porque la lógica deductivista que aplica el principialismo falsea los conflictos morales que quiere afrontar; parte, como hemos visto anteriormente, de una extrapolación indebida del campo de los saberes más apodícticos al *campo* de la acción humana, cuyo saber correspondiente es más dialéctico. En segundo lugar, porque reduce los problemas morales al mero hecho de respetar (o no) derechos y deberes,[33] lo que le imposibilita poder captar la riqueza de la vida moral.

---

[32] Ricoeur, P. (1994): «L'éthique, entre le mal et le pire, Une échange de vues avec Yves Pelicier». [Accesible en: http://www.fondsricoeur.fr/photo/Entretien Ethique et Bien Vivre V3.pdf].

[33] L. Benaroyo, *Éthique et responsabilicé en médecine. Op. cit.* nota 26, p. 100.

También es crítico con el casuismo porque el casuismo no deja de compartir algunos presupuestos con el principialismo que critica por ejemplo, que la selección de los problemas morales pertinentes se realice sobre el modo del cuestionamiento de la práctica médica confrontada a las lecciones tecnológicas.[34] Por otro lado, precisa Ricoeur, la casuística no ha dejado de desarrollarse como método para esquivar las normas, lo general.

Así, frente al principialismo el método hermenéutico-deliberativo desarrolla una lógica de lo probable (no apodíctica) y se mueve en el ámbito de una ética de la responsabilidad (no una ética de derechos y deberes), y frente a la casuística, propone —como dice Ricoeur— una «verdadera casuística»:

> La casuística ha adquirido mala reputación porque se entiende como una forma de evitar las normas. Pero la verdadera casuística es, justamente, crear normas para los casos singulares. Lo que Aristóteles llamaba «equidad» para distinguirla de la «justicia». En la justicia conocemos la regla. En la equidad, hay que encontrarla.[35]

2.3.2. El método hermenéutico y la propuesta deliberativa de Diego Gracia

Diego Gracia ha desarrollado un método deliberativo en los últimos años.[36] El método se ha desarrollado como un procedimiento para analizar casos y plantear la toma de decisiones en comités de bioética (extrapolable, con los complementos pertinentes, a otras esferas bioéticas y éticas, en general). La deliberación se lleva cabo en todos los niveles del acto moral. El acto moral es complejo. Apoyándose en la tradición fenomenológica, Diego Gracia recorre los sucesivos niveles del acto moral, pasando de los «hechos», a los «valores», y de estos a los «deberes» para concluir en la toma de decisiones prudentes y responsables. Dicho de otra manera, los problemas morales tienen un nivel cognitivo (hechos), un nivel estimativo o valorativo (valores) y un nivel práctico (deberes). Deliberar bien es deliberar en cada una de estos niveles, no ahorrarnos ninguno de ellos, ni tampoco querer reducir todo el proceso a un solo nivel; solo así estaremos en condiciones de tomar decisiones responsables y prudentes. Vayamos con los pasos del método (pensado para bioética clínica).

---

[34] Ibídem, p. 103.

[35] P. Ricoeur, «L'éthique, entre le mal et le pire. Une échange de vues avec Yves Pelicier». *Op. cit.* nota 32.

[36] Gracia, D. (2007): «Origen, fundamentación y método de la bioética», en: Gracia, D. (ed.): *La bioética en la educación secundaria,* Madrid, Ministerio de Educación y Ciencia, pp. 9-50.

a) Deliberación sobre los hechos.

   1. Presentación de un problema.

   Presentación del caso. La historia clínica es el soporte del problema.

   2. Análisis de los «hechos».

   La historia clínica maneja una serie de datos que hay que aclarar y precisar.

b) Deliberación sobre los valores.

   3. Identificar los problemas morales implicados.

   Los problemas morales son aquellos que se presentan más allá de los asuntos más o menos técnicos, y hacen referencia al mundo de los valores. Una buena forma de plantear los problemas morales es bajo la modalidad interrogativa.

   4. Identificar el problema moral fundamental.

   Problemas morales puede haber muchos, se trata ahora de elegir uno (luego, en otra ocasión, se podrá elegir otro).

   5. Identificar los valores en conflicto en el problema moral fundamental.

   Es muy importante determinar cuáles son los valores que componen el conflicto pues de ello dependerá el correcto planteamiento de los pasos siguientes.

c) Deliberación sobre los deberes.

   6. Identificar los cursos extremos de acción.

   Los cursos extremos son aquellos que, por ejemplo, en un conflicto entre dos valores optan por uno de ellos lesionando completamente el otro. Es necesario sacar a la luz estos cursos extremos pues son los que tendríamos que evitar por imprudentes. Si hablamos de valores (los dos valores en conflicto) estimaremos y apreciaremos ambos, y buscaremos la forma de que ambos se realicen.

   7. Identificar los cursos intermedios de acción.

   El objetivo es «salvar» los dos valores en conflicto y es lo que se intentará en las propuestas de cursos intermedios. Son intermedios pues evitan los extremos: salvar un valor a costa del otro. La primera labor de este paso es convertir el aparente dilema en problema, para, seguidamente, buscar varias salidas. Es tarea de búsqueda, más allá de lo más fácil mentalmente (o blanco o negro) o de lo más tranquilizador metodológicamente.

   8. Identificación del curso óptimo de acción.

   El curso óptimo es aquel que lesiona menos los valores en conflicto, o que realiza más ambos valores. Es aquel que tiene en cuenta las circunstancias y las consecuencias de la decisión. Cursos buenos puede haber muchos, pero ahora se trata de buscar el óptimo, el mejor, el excelente (el más correcto, el más excelente).

d) Deliberación sobre las responsabilidades finales.

  9. Pruebas de seguridad en la decisión.

  Este paso busca asegurar que la decisión tomada no haya sido precipitada (prueba del tiempo), que pueda argumentarse públicamente (prueba de publicidad), y que tenga en cuenta el nivel legal (prueba de legalidad).

  10. Decisión final.

  Es la decisión que toma la persona que presenta el caso, aquel que tiene que tomar la decisión.

Propongo brevemente un ejercicio de comparación entre esta propuesta y la propuesta hermenéutica. Son dos metodologías muy próximas. No ha de extrañarnos pues que compartan muchas referencias, sobre todo la clara inspiración aristotélica. Mi intención no es reducir una a otra, sino pensar conjuntamente un método que sea adecuado para afrontar los conflictos éticos; el objetivo es, pues, el mutuo enriquecimiento. Los parecidos saltan a la vista; entre otros se pueden destacar los siguientes:

1. En los dos modelos hay una deliberación sobre hechos, valores y deberes (utilizando la terminología de D. Gracia).

2. También en los dos modelos nos encontramos un triple momento: 1) exposición del problema moral; 2) propuesta de curso óptimo de acción (D. Gracia) o de «proyecto de cuidados» (L. Benaroyo), y 3) decisión y justificación de la elección.

3. El elemento central de ambos métodos es el conflicto de valores que se da en el problema moral, y en los dos también se tratan de identificar «cursos intermedios de acción» que salven los valores en conflicto (D. Gracia), o identificar «opciones de cuidados que permitan superar o resolver estos conflictos» (L. Benaroyo).

Los dos modelos presentan gran cantidad de pequeñas diferencias. Me gustaría destacar un par de elementos diferenciadores, que me parece que son de gran calado y afectan a la cuestión misma de un método para la bioética. Me refiero al tema de los *valores* y al tema de la *imaginación*. En las dos propuestas metodológicas son importantes, pero están presentes de manera muy diferente. Me atrevería a decir que en la propuesta de Diego Gracia es central la cuestión del valor, el método mismo pivota sobre ella. También me atrevería a decir que en la propuesta hermenéutica (L. Benaroyo) es central la dimensión narrativa: el problema moral se presenta narrativamente, el «proyecto de cuidados» que se propone como solución ha de ser pensado narrativamente y las opciones que permiten resolver los conflictos éticos nacen de la imaginación narrativa. Es cierto que ambos modelos tratan también lo que en el otro modelo es más relevante y característico; así, no puede entenderse el modelo de Diego Gracia sin el trabajo de la imaginación, ni el hermenéutico sin un análisis de los valores. Pero pienso que ambos métodos podrían enriquecerse si explicitaran e incorporaran más decididamente la aportación del otro.

Dicho de otra manera, y a titulo de *aplicación:* el método deliberativo de Diego Gracia podría potenciarse —quizás— si tuviera (más) en cuenta el papel de la imaginación y de la narración. El problema moral se presenta narrativamente, la búsqueda de cursos intermedios es trabajo de innovación, de creatividad, y la decisión final ha de contar los escenarios narrativos de aplicación. Por otro lado, el modelo hermenéutico necesitaría explicitar el concepto de valor que utiliza; una filosofía de los valores (solo apuntada en la ética de Ricoeur) enriquecería la propuesta.

3. A MODO DE CONCLUSIÓN: IMAGINACIÓN Y DELIBERACIÓN

Este método hermenéutico y deliberativo es una forma de ejercitar la sabiduría práctica, la prudencia. Como antes decía, no es la prudencia en el sentido moderno que la entiende o como recurso pragmático o como cautela y precaución frente a las posibles consecuencias de nuestras acciones.

La deliberación, enriquecida en la tradición hermenéutica, es una forma compleja de afrontar los problemas morales. El hábito mental que implica el método de la deliberación implica *circunspección* y *discernimiento.*[37] Gracias a la circunspección podemos sopesar alternativas, vislumbrar modos de realización de las opciones que barajamos y prever las consecuencias así como también reconocer las circunstancias y momentos favorables *(kairos).* Y gracias al discernimiento podemos explorar las contingencias, elegir lo mejor posible (siempre revisable) y buscar en la acción singular la realización de valores.

El gran objetivo del método de la deliberación no es otro que la toma de decisiones responsables. La responsabilidad es el gran paradigma moral en el que se inscriben estas propuestas metodológicas. La hermenéutica de Ricoeur ha contribuido a pensar este paradigma, pues nos ha ayudado a ver la deliberación (prudencia) desde la responsabilidad y, quizás más importante, a ver la respon-

---

[37] Sobre el discernimiento en clave hermenéutica y deliberativa véase Masiá, J. (2004): *La gratitud responsable. Vida, sabiduría y ética,* Bilbao, UPCo-Desclée de Brouwer; en concreto el capítulo «metodológico» titulado «Dimensión sapiencial de la decisión responsable», pp. 131-53.

sabilidad desde la prudencia («responsabilidad prudente»).[38] Por otra parte nos ha ayudado también a pensar la propia urdimbre de la sabiduría práctica que no es otra que la imaginación. Comenta, siguiendo a Aristóteles, que la capacidad para seguir un relato es una actividad de la inteligencia —inteligencia narrativa— próxima al tipo de inteligencia propia del campo de la moral —sabiduría práctica—. *Phrónesis,* sabiduría práctica, y *poiesis,* actividad poética, van de la mano. La imaginación es, pues, una de las claves de la ética de la responsabilidad y de la deliberación como método. Quizás solo puede decidir bien quien antes puede pensar, y sentir «de otra manera».

La deliberación es, como no hemos dejado de señalar, un método. Pero también es una actitud, una disposición; y probablemente esto sea más fundamental. No es solo un método; siendo más precisos habría que decir mejor que es un método cuyo ejercicio pide una auténtica conversión, la cual radica sobre todo en el papel asignado al *otro* en la búsqueda de la acción prudente. El *otro* no es solo alguien a quien tengo que convencer (vencer) argumentativamente o alguien que va a intentar hacer lo mismo conmigo; el otro es una perspectiva necesaria en el proceso mismo de deliberación, pues deliberar supone tener en cuenta la pluralidad de perspectivas (la pluralidad de *otros)* y vivir la experiencia —dura— de que puedo no tener razón. Deliberar es de esta manera hacer el *intrépido* viaje de «ponerme en lugar del otro»; este «ir de aquí para allá», diálogo de perspectivas, es todo un aprendizaje vital, siendo su elemento básico la imaginación.

Esta propuesta de método hermenéutico-deliberativo en donde se entrecruzan deliberación e imaginación no deja de ser exploratoria, y refleja más bien vías abiertas de investigación y profundización. La tarea requiere ser continuada *deliberadamente,* tanto con el planteamiento de Diego Gracia como con los de procedencia más hermenéutica (como por ejemplo el del profesor L. Benaroyo, entre otros). Nuestro tiempo nos exige una nueva ética y la deliberación puede ser un magnífico recurso. Estamos tras los pasos de Aristóteles, y quizás en esta cuestión, como en tantas otras, 24 siglos no son nada —o han sido poco—, y seguimos teniendo la exigencia de pensar adecuadamente, obrar prudentemente y vivir con imaginación.

---

[38] En este sentido afirma Ricoeur: «Entre la huida ante la responsabilidad y sus consecuencias y la inflación de una res¬ponsabilidad infinita se debe encontrar la justa medida» (2005, Caminos del reconocimiento, Madrid, Trotta, p. 118).

5

El modelo narrativo
como vía de enseñanza de la bioética

LYDIA FEITO GRANDE

1. INTRODUCCIÓN

La bioética, como toda disciplina o actividad humana, no puede prescindir de su inclusión en un determinado contexto, ni de su deuda con una historia y una tradición peculiares. Por ello no puede comprenderse sin tener en cuenta su enraizamiento en una determinada sociedad, con un sistema de reglas, valores, derechos, etc. vigentes. Siendo esto así, la bioética exige un doble movimiento: el de «tomar la inspiración» de los modelos vigentes, es decir, reconocer y asumir la deuda de la inserción contextual y cultural —tanto para visibilizar las especificidades de cada contexto, determinando la posible existencia de «bioéticas» locales o parciales, como para evidenciar los elementos comunes subyacentes, con un objetivo de universalización—; y, al mismo tiempo, el de alentar nuevos modelos, es decir, desarrollar una labor crítica de fundamentación que pueda proponer nuevas alternativas o vitalizar las ya existentes.

Este planteamiento es esencial para tomar conciencia de los presupuestos de los que partimos en la argumentación, para notar y explicitar los elementos tácitos que operan en nuestras perspectivas. Y resulta de indudable validez y utilidad cuando el objetivo es la formación y la enseñanza de esta disciplina, pues lejos de afirmar verdades absolutas e incuestionables, es preciso enfatizar el carácter de construcción, elaboración, justificación, y exigencia de rigor de cada una de las acciones o decisiones. Pero también su provisionalidad, la necesidad de una permanente revisión y actualización, y el necesario ejercicio de la prudencia responsable.

La ética es un quehacer, una tarea, una labor de ir desenmarañando los elementos de que se compone la acción humana, que son básicamente dos: 1) algo «que hacer», porque es evidente que las personas hacen y que no pueden no hacer. Por tanto, que la acción es un componente imprescindible de la misma condición del ser humano. 2) Pero también quehacer, no solo porque hace, sino porque se cuestiona «qué hacer». Y entonces nos referimos a la pregunta moral por excelencia, la que manifiesta la duda acerca de la bondad o corrección del acto. El ser humano es un ser libre, pero obligado a justificar sus decisiones, a asumir su responsabilidad por ellas. Al hacerlo, configura su identidad moral, un cierto modo de ser y de enfrentarse al mundo.

Es claro que en los problemas analizados por la bioética está incluida una pregunta sobre la vida en general y sobre la propia vida del ser humano en particular. Y esta cuestión sobre la vida de las personas supone la necesidad de no conformarse con el mero ejercicio y aplicación de una herramienta de resolución de conflictos, sino indagar en los contextos interpretativos que dan sentido a los conflictos, a las opciones de valor, a los modos de entender el mundo y la vida.

Las decisiones que se toman ante los conflictos bioéticos son decisiones que parten de una reflexión racional y también emocional en la que se asume como presupuesto básico la pluralidad de una sociedad en la que conviven sistemas diferentes con opciones variadas. Los seres humanos son «autores» de sus propias vidas, además de actores de un papel que les ha tocado desempeñar. El peligro que nos atenaza está siempre en la posibilidad de convertirnos en meras marionetas, pero nuestra capacidad de aducir razones para justificar nuestros actos nos obliga a ser responsables de nuestras decisiones y esto es lo que nos convierte en verdaderos seres morales. Si la aproximación narrativa enfatiza algo es precisamente la posibilidad de comprender los problemas bioéticos como relatos biográficos, que forman parte de un modo de ver el mundo, que tienen el potencial de reconfigurar al individuo, autor de su vida, y que, en última instancia, dicen algo sobre el ser humano.

2. LA ÉTICA NARRATIVA

Uno de los aspectos más interesantes de la ética actual es lo que se ha dado en llamar el «giro hermenéutico», que ha influido notablemente en el modo de concebir las éticas aplicadas, de las que la bioética es un ejemplo paradigmá-tico. Desde esta perspectiva se subrayan tres elementos básicos: por una parte se insiste en la importancia del carácter experiencial del pensamiento (lo «im-puro» de la razón); además, dicha experiencia tiene un carácter lingüístico, lo que lleva a un análisis del lenguaje y de las ficciones, perspectivas e interpreta-ciones, presentes en los relatos de los problemas éticos; y, en tercer lugar, esta aproximación se enfrenta a una razón fundamentadora, llegando en alguna de sus versiones al pragmatismo e incluso al nihilismo. Se trata de una puesta en cuestión de los modelos clásicos de fundamentación, pero hay que decir rápi-damente que si bien hay una hermenéutica que renuncia a la fundamentación (M. Heidegger, F. Nietzsche, R. Rorty), también hay otra hermenéutica que mantiene la pretensión de fundamentación (P. Ricoeur, K.-O. Apel, J. Haber-mas).

> Lo que nos aporta esta hermenéutica de la razón experiencial es haber puesto de relieve la facticidad de la comprensión como experiencia, su carácter lingüístico e histórico, y en el fondo, la radical temporalidad de la razón, puesto que no solo el ser, sino que también la razón es tiempo; solo así, desvelando lo expe-riencial que hay por debajo de lo formal, se rebasan los —al parecer— inexo-rables límites de la filosofía de la reflexión formal de todos los tiempos (desde Platón hasta Apel y Habermas).[1]

Dentro de este giro hermenéutico, la ética narrativa constituye un modelo específico que está teniendo importantes influencias en el campo de la bioética, donde hay un notable y profuso desarrollo de la reflexión sobre esta aproxima-ción. De hecho, cabe preguntarse si la ética narrativa es un modelo ético o un método, o ambas cosas. Al hablar de la ética narrativa existe una gran dificultad para establecer qué se encierra en dicho concepto.

Un posible modo de entender la ética narrativa es como una forma de la casuística. En este caso, el modo de analizar los problemas éticos es a través de casos particulares que sirven como ilustración de dichos problemas. La identi-ficación de rasgos concretos del caso se considera un modo más adecuado que el de la aplicación de principios universales, derechos o cálculos utilitaristas. Los rasgos identificados determinan los elementos relevantes para la resolu-ción, por medio de la analogía con casos precedentes o experiencias anteriores. Así, el modo de tomar una decisión en ética implica un razonamiento analógico en el que es preciso disponer de un repertorio de casos y una serie de máximas

---

[1] Conill, J. (2002): «La hermenéutica» en: Sarabia, J. (coord.): *La bioética, diálogo verda-dero,* Madrid, Asociación de Bioética Fundamental y Clínica, pp. 37-52.

basadas en la experiencia, que pueden guiar el juicio. Este proceso de análisis comparativo se considera narrativo en la medida en que el caso supone un relato circunstanciado y contextualizado. La convicción de fondo sería que no es posible trabajar con principios teóricos que pudieran aplicarse deductivamente, ya que ello haría perder la riqueza específica del caso.[2]

Pero la casuística es uno de los modos posibles de entender la ética narrativa y no ciertamente el único. Otra de las aproximaciones que se están utilizando en el campo de la ética médica es la de R. Charon,[3] quien defiende que es posible una mejora en la deliberación ética a través de «contribuciones narrativas» —y prefiere esta expresión a la de «ética narrativa»— en cuatro estadios cruciales: el reconocimiento del problema ético, la formulación del problema, la interpretación del caso ético, y la validación de la interpretación elegida como la más razonable y útil entre las muchas posibles. La aproximación narrativa, así, no constituiría un método independiente, sino que sería la clave para un mejor funcionamiento de los métodos existentes. El enfoque desde los principios, por ejemplo, se enriquecería así con una mayor atención a la singularidad de los casos particulares.

La idea subyacente es la de que el trabajo de la ética —como el del médico— tiene que ver con el desarrollo de ciertas competencias narrativas. El *estilo narrativo* sirve como elemento de persuasión, y es preciso hacerse cargo de ello tanto para utilizarlo en la resolución de los problemas, como para estar alerta ante los sesgos que se introduzcan en el relato que cada uno haga del caso particular.

Una tercera aproximación a la ética narrativa es la que defiende que el individuo debe encontrar el sentido del problema a través del relato y la interpretación que de él se haga. Así, fracasará cualquier intento de resolución ética —o de intervención médica— si el individuo no reconoce la historia como suya. En este caso, la idea fundamental es la de que la persona que debe llevar a cabo la acción tiene que estar convencida de que la solución elegida es la que representa la mejor interpretación. De otro modo habrá una resistencia por una falta de identificación con el relato y su interpretación de la situación. De nuevo se trata de una confrontación con un modelo ético de la justicia imparcial o los princi-

---

[2] Cfr. Hunter, K.M. (ed.) (1991): *Doctors' stories: the narrative structure of medical knowledge,* Princeton, Princeton University Press, y Jonsen, A. R. y Toulmin, S. (1988): *The abuse of casuistry: a history of moral reasoning,* Berkeley, University of California Press.

[3] Charon, R.: (1994): «Narrative contributions to medical ethics: recognition, formulation, interpretation and validation in the practice of the ethicist», en: DuBose, E. R.; Hamel, R.P. y O'Connell, L. J. (eds.): *A matter of principles? Ferment in U.S. Bioethics,* Valley Forge, Trinity Press International, pp. 260-83.

pios universales que se alejan de las circunstancias particulares de la situación. Trabajar con el relato del caso, atendiendo a sus peculiaridades, y tratando de analizar el sentido o interpretación que los implicados le dan, es el modo correcto de afrontar la toma de decisiones éticas.

Se trata de reconocer que el actor —principalmente el paciente, aunque también el médico, el enfermero, etc.— es el autor de su propia vida, y que por ello la historia, el relato que él construye no puede descansar —al menos no exclusivamente— sobre principios o teorías abstractos, sino sobre un tipo de conceptualización personal del caso.[4]

Con esta aproximación se pretende también pasar de una ética «decisional» a una ética «relacional»: la dimensión de enfermedad, el significado del sufrimiento, y el modo de reconstruir la propia historia vital por parte del paciente, pasan a cobrar el papel principal. Las narraciones de las enfermedades enfatizan la idea de la experiencia y conceden al acto terapéutico una dimensión moral diferente: la del compromiso y la responsabilidad con la vida de la persona, con la ayuda a la construcción de un relato que tenga sentido para la persona y que le dé valor a la experiencia. Este enfoque, que en la medicina tiene una fuerte vigencia, es aplicable y extensible a otros campos de la acción humana en los que están implicados valores. La responsabilidad moral atañe a los relatos experienciales y solo en este contexto tiene sentido la decisión ética. Con ello, de nuevo, se apartan de los modelos de la justicia y de los principios abstractos.

Tres son las ideas fundamentales que podemos concluir a partir de este breve recorrido por la ética narrativa en la medicina actual: la primera es que hay una fuerte controversia entre las aproximaciones éticas denominadas «principialistas», que confían en el establecimiento y aplicación de principios *a priori* con pretensión de universalidad e imparcialidad, y las éticas «casuísticas» que enlazan con esta perspectiva narrativista, en las que se enfatiza la idea de lo particular, de la experiencia, del sentido único de la vivencia para los implicados, y de la necesidad de evaluar lo más específico del caso para poder tomar decisiones que serán, en el más amplio de los casos, máximas de actuación aplicadas por analogía. La ética narrativa rechaza el modelo de los principios, especialmente cuando este se convierte en un mandato abstracto y alejado de la vida de las personas, que se impone como ley de modo deductivo y absoluto.

---

[4] Cfr. Brody, H. (1994): «My story is broken; can you help me fix it? Medical ethics and the joint construction of narrative», *Literature and Medicine, 13:* 79-92; Brody, H. (1987): *Stories of sickness,* New Haven, Yale University Press; Kleinman, A. (1988): *The illness narratives: suffering, healing and the human condition,* Nueva York, Basic Books; Frank, A. W. (1995): *The wounded storyteller: body, illness and ethics,* Chicago, Chicago University Press.

La segunda idea importante es que la ética narrativa intenta recuperar dimensiones de la moral que han sido relegadas u olvidadas, como la experiencia vital, el sentido personal que se otorga a los acontecimientos, o la dimensión de responsabilidad y compromiso con el otro humano. Aporta, además, una interesante reflexión en cuanto a las actitudes se refiere: la formación de una capacidad de percepción de lo particular, de sensibilidad generada por ciertos procesos de identificación a través de historias, la educación, en definitiva, en actitudes morales, tiene aquí una buena vía de desarrollo, que complementa de modo necesario la enseñanza de principios o modelos «decisionistas» de la ética. Con ello, además, se subraya que la enseñanza de contenidos y procedimientos racionales está incompleta si no trabaja también la dimensión actitudinal.

En tercer lugar, y en relación con lo anterior, esta aportación de la ética narrativa se inscribe en un conjunto de aproximaciones que están insistiendo reiteradamente en la necesidad de completar el modelo moderno de la ética racionalista, decisionista y principialista, con una perspectiva desde la relación, el contexto, la atención a lo particular y los elementos emocionales o afectivos que influyen en la toma de decisiones y en las actitudes. Este enfoque desde luego no es novedoso, ya que hunde sus raíces en la ética aristotélica y, en general, en las éticas de la virtud. Sin embargo, su vigencia actual es enorme y aporta como novedad el intento de aplicación. Así, nos encontramos la ética narrativa con un fuerte impacto en la reflexión sobre la ética médica; la ética del cuidado modificando todo el análisis de la ética en enfermería y relacionándose con la ética feminista; o la ética de la responsabilidad marcando el debate sobre la ciencia actual y el compromiso con las generaciones futuras.

3. La ética narrativa como ejercicio interpretativo de los problemas bioéticos

Mucho habría que decir sobre la fundamentación de la aproximación narrativa en bioética, sin embargo, lo que aquí nos interesa es el modo en que puede utilizarse este recurso como una vía de enseñanza de la bioética. Desde esta perspectiva metodológica, conviene recordar que un enfoque contextual, circunstanciado y atento a la diferencia y lo único de cada relato, exige y asume la necesidad de que las pretensiones de universalidad no anulen lo específico y particular.

El encuentro y convivencia pacífica entre estas dos aproximaciones no resulta fácil, y puede derivar, como se ha mencionado, en un relativismo y un subjetivismo. Pero el objetivo de la atención al relato como experiencia vivida, a pesar de mostrar un ejemplo, un modelo o un espécimen único, no renuncia a la explicación del modo de ser humano. Las formas diferentes de vida, de acción, de decisión, son expresiones de lo humano y por tanto remiten a elementos compartidos por todas las personas.

Precisamente esa posibilidad de identificación con las experiencias vividas por otros es la clave de algunas de las características fundamentales de la ética narrativa: el proceso de mímesis, la empatía, y el aprendizaje a partir de modelos que suscitan una imaginación creadora.

3.1. La mímesis y aprendizaje de una imaginación creadora

Cuando se cuentan cuentos a los niños, no solo se pretende que se duerman pronto, el objetivo principal es que vayan conociendo el mundo a través de relatos, que puedan identificarse con los personajes para configurar su propia identidad, que detecten los valores que representan los distintos actores, elaborando sus juicios sobre el bien, la justicia, el amor u otros, y también que se maravillen con cosas que no habían pensado, que eso les permita imaginar otras posibilidades, que comprendan lo igual y lo diferente, y que, por medio del lenguaje, adquieran también la habilidad de expresar acciones, sentimientos y pensamientos.

Los relatos y las narraciones sirven a este propósito en tanto que son expresiones de un fragmento de la realidad que tiene sentido y que invita a descubrirlo, compararlo, evaluarlo y abrir, a partir de él, otras posibilidades. De ahí su riqueza y su enorme potencial formativo, que también conviene al propósito de la enseñanza de la bioética.

Uno de los procesos básicos con los que opera la narración es la mímesis. No es posible aquí abordar un tema tan extenso y complejo, no obstante conviene tener en cuenta algunas ideas sobre este concepto: dice el Diccionario de la Real Academia Española, que la mímesis es, «en la estética clásica, la imitación de la naturaleza que como finalidad esencial tiene el arte». Y también, «la imitación del modo de hablar, gestos y ademanes de una persona». El término hace referencia, pues, a la imitación. Así lo entendieron los clásicos, como algo que imita la realidad. Dejando de lado el debate sobre si esta forma de imitación es entendida por Aristóteles como representación o no, lo cierto es que, según este autor, existen tres formas posibles de imitación: la representación de las cosas como son, como se dice o se cree que son, y como deben ser.[5] Por ello, las posibilidades de generar metáforas, modelos o ideales se encuentran dentro de este mundo de la mímesis, avanzando así más allá de la mera imitación como copia.

---

[5] Aristóteles: *Poética,* 1460b, 7-11.

Al utilizar los relatos, del mismo modo que lo pretendían las tragedias griegas, se busca que el público, el lector, encuentre representada la realidad, y también que observe modelos de conducta que pueda imitar. Hay un doble movimiento de imitación: la que el relato hace de la realidad, y la que el lector hace a partir del relato. El tema es demasiado complejo y aquí tan solo podemos esbozarlo. Para ello conviene mencionar la propuesta de P. Ricoeur,[6] quien nos habla de una triple mímesis, con la que construimos nuestra identidad:[7]

- Mímesis I (pre-figuración): las comprensiones y experiencias previas que el lector y el autor de un texto tienen sobre la acción humana como un curso en el tiempo, y que se vehiculan en los símbolos culturales compartidos.

- Mímesis II (configuración): se trata de la construcción literaria de una trama, a través de un relato desarrollado temporalmente sobre la historia de una vida.

- Mímesis III (refiguración): aplicación del relato a la propia vida, construyendo un nuevo mundo u horizonte de sentido.

Al entender la formación como proceso narrativo, se plantea como «un proceso de emergencia de sentidos, de innovación, creatividad, imaginación o, dicho con una palabra de Hannah Arendt, como nacimiento. Educar narrativamente es ofrecer nacimientos».[8] Por eso las narraciones, las historias, enseñan algo universal a través de lo concreto, muestran un elemento de la naturaleza humana que es visible desde una experiencia contada en forma de historia. Y con ello logran que el sujeto desarrolle procesos de empatía, de razonamiento, y también de imaginación, como nuevo espacio de creación.

Estos procesos se complementan con un elemento «sanador» o terapéutico que también se inscribe en el potencial de las narraciones. La «catarsis» es un modo de purificación, una manera de sanar el alma. Aristóteles, en su análisis sobre la tragedia griega, dota al término de un significado ético y estético, si bien originalmente la catarsis se refería a lo físico, a una acción médica, que daba como resultado la purificación del cuerpo. Al convertirse en un concepto

---

[6] Ricoeur, P. (1987): *Tiempo y narración I. Configuración del tiempo en el relato histórico,* Madrid, Cristiandad.

[7] El resumen de estas tres formas de mímesis se ha extraído de Domingo Moratalla, T. y Mella, P. (2008): «Notas para pensar la educación en términos narrativos», *Cuaderno de Pedagogía Universitaria, 10:* 5-9.

[8] Ibídem, p. 7.

moral, la catarsis acoge ese sentido de purga, de limpieza, de proceso que permite «lavar» las impurezas del alma, los actos malignos, los pensamientos oscuros.

En los relatos, el lector o público sufre un cierto proceso de identificación que, al permitirle ponerse «en la piel» del protagonista, vive metafóricamente la misma experiencia que él. Así al ver lo que le ocurre al personaje, cómo resuelve sus problemas y cómo recibe un castigo o un premio por sus decisiones, puede «lavar su espíritu», encontrando consuelo o reparación para sí mismo. Mímesis y catarsis tienen así una fuerte relación.

La representación teatral, la película, o el texto, permiten que el espectador o lector vea proyectados sus mismos deseos, pulsiones, tomas de posición, y que se conmueva al ver el resultado que tienen para el personaje, al identificarse con él. Entiende lo que le ocurre, asume lo que sucede y toma posición frente a ello, encontrando solución, perplejidad o resarcimiento.

Ciertamente, el proceso no es tan sencillo como pudiera parecer, pues las interpretaciones pueden ser variadas, los contextos y experiencias del individuo darán un sentido u otro al relato y, por tanto, no siempre se producirá el mismo efecto reparador. En algunos casos, incluso, el relato muestra «al otro», el diferente, aquel con el que no podemos identificarnos, precisamente por ser distinto. Pero también aquí se plantea la posibilidad de comprender esa diferencia. Por eso, sirve al propósito de que la identificación pueda ser, además, beneficiosa como aprendizaje moral, experiencia a ser pensada, y por tanto una vivencia que puede suscitar la reflexión.

La literatura, los relatos, las obras teatrales, sirven para generar y desarrollar lo que M. Nussbaum llama una «imaginación narrativa»: «la capacidad de pensar cómo sería estar en el lugar de la otra persona; ser un lector inteligente de la historia de esa persona, y comprender las emociones, deseos y anhelos que alguien así pudiera experimentar».[9]

La imaginación narrativa supone identificación e imitación, pero también distancia crítica y juicio sobre lo que es relatado. Ambos movimientos sirven al propósito de entender el mundo desde otras perspectivas; matizar, ponderar y sopesar las acciones y las intenciones; y descifrar la importancia y validez de esas conductas en contextos determinados. Con ello se puede comprender lo igual y lo diferente, y resulta un aprendizaje esencial para la interacción social, que, a pesar de las diferencias, puede reconocer elementos de lo humano mediante una «resonancia compasiva» ante las necesidades del otro. Se trata de la capacidad de imaginar cómo sería estar en el lugar de la otra persona, como toma de conciencia de lo que nos une y de lo que nos distingue.

---

[9] Nussbaum, N. (2001): *El cultivo de la humanidad. Una defensa clásica de la reforma en la educación liberal,* Barcelona, Andrés Bello, p. 30.

3.2. Aprendizaje de la bioética narrativa

Este tipo de aproximaciones promueven un tipo de aprendizaje inductivo, es decir, se parte de la experiencia concreta, circunstanciada, histórica, contextual, para extraer enseñanzas que puedan ser extrapolables a otros ámbitos o personas, y quizá alcanzar algún grado de universalizabilidad. La bioética ha utilizado este planteamiento al trabajar frecuentemente con casos, sin embargo, no suele hacerse un análisis de los procesos mentales que se generan con este método, ni de sus ventajas ni sus limitaciones. Lo que aporta el enfoque narrativo es el énfasis en los aspectos interpretativos que son esenciales en la bioética, promoviendo así los procesos de mímesis y empatía que se han comentado, pero también la posibilidad de completar la descripción de la realidad con experiencias vividas.

La «competencia narrativa» es otra de las habilidades que deben desarrollarse en los profesionales sanitarios. Supone la capacidad de comprender, interpretar y responder a los relatos. Lo cual, a su vez, promueve la empatía, la reflexión, un alto nivel de compromiso profesional y el establecimiento de una relación de confianza con el paciente.[10]

Esta aproximación a una «medicina narrativa»[11] es lo que se viene defendiendo en las últimas décadas como modelo de cuidado y atención sanitaria que quiere ir más allá de una relación técnica efectiva, para centrarse en la relación clínica y en la comprensión de los contextos que dan sentido a la toma de decisiones. Ello comporta una perspectiva humanística, más cercana a los enfoques cualitativos, que asume perspectivas bio-psico-sociales más globales y que escoge una aproximación centrada en el paciente. En ella, el sentido de la relación clínica, de las relaciones inter e intraprofesionales, el sentido que tiene el servicio que la medicina —u otras profesiones sociosanitarias— presta a la sociedad, e incluso la autocomprensión que el médico —u otro profesional— hace de sí mismo y su labor, se reinterpretan con un nuevo método.

Se trata de un tipo de giro hermenéutico que enfatiza los aspectos menos normativos, alejándose así de principios o reglas que pretendan ser válidos en todos los casos, y también de patrones comunes que busquen lo que nos hace similares, para subrayar las experiencias únicas vividas por los sujetos que par-

---

[10] Charon, R. (2001): «Narrative medicine. A model for empathy, reflection, profession and trust», *JAMA, 286:* 1897-902; Charon, R. (1993): «The narrative road to empathy», en: Spiro, H. et al. (eds.): *Empathy and the practice of medicine: beyond pills and the scalpel,* New Haven, Yale University Press, pp. 147-59.

[11] Charon, R. (2001): «Narrative medicine: form, function and ethics», *Annals of Internal Medicine, 134:* 83-7.

ticipan en una interacción humana, en la que el significado de lo que ocurre tiene una dimensión biográfica, dependiente del contexto, las circunstancias, los objetivos y valores personales, y el relato más general en el que se inscribe esta narración concreta.

Por supuesto, las teorías y metodologías desde las que se analizan los actos narrativos son muchas y exigen un estudio pormenorizado que excede los objetivos de este texto.[12] El rigor y la complejidad de una interpretación adecuada, exige un aprendizaje y un entrenamiento. Por más que la aplicación del enfoque narrativo pueda ser un método útil para la enseñanza, aparentemente fácil y asequible, es preciso huir de lo supuestamente simple, pues resulta engañoso. En ningún caso se trata de un mero ejercicio ilustrativo, ni de un intercambio de opiniones a modo de «charla de café».

La complejidad de un juicio práctico en ética se intensifica en el caso de la ética narrativa. Los métodos empleados por el «eticista narrativo» –como pueden ser la obtención de voces múltiples, el aprendizaje de los contextos sociales y religiosos de los pacientes y sus familias, la inclusión de eventos del pasado lejano en las deliberaciones actuales, o la preparación para entrar en una relación intersubjetiva con las personas implicadas en el caso– conducen inevitablemente al reconocimiento de una mayor singularidad, si cabe, del caso, que la que se evidencia a través del uso de otros métodos más habituales en bioética, como los basados en reglas o en principios.[13] Por ello, el investigador, el médico, el profesional, que emplea métodos narrativos, debe juzgar la fiabilidad de sus hallazgos a través de medios textuales e intersubjetivos, en función de los

[12] Desde la filosofía hermenéutica de P. Ricoeur —Ricoeur, P. (1984): «La vida: un relato en busca de narrador», en: *Educación y Política,* Buenos Aires, Docencia, pp. 45-58; Ricoeur, P. (1987): *Tiempo y narración,* Madrid, Cristiandad; Ricoeur, P. (2008): *Lo Justo 2. Estudios, lecturas y ejercicios de ética aplicada,* Madrid, Trotta— o H. G. Gadamer —Gadamer, H. G. (1992): *Verdad y método,* Salamanca, Sígueme; Gadamer, H. G. (1998): *El giro hermenéutico.* Cátedra, Madrid— hasta las aplicaciones que se han propuesto desde la bioética —Gracia, D. (2004): «Éticas narrativa y hermenéutica», en: *Como arqueros al blanco,* Madrid, Triacastela; Greenhalgh, T. y Hurwitz, B. (eds.) (1998): *Narrative based medicine: dialogue and discourse in clinical practice,* Londres, BMJ Books; Kleinman, A. (1988): *The illness narratives: suffering, healing and the human condition,* Nueva York, Basic Books; Brody, H. (1987): *Stories of sickness,* New Haven, Yale University Press; Montgomery, K. (1991): *Doctor's stories. The narrative structure of medical knowledge,* New Jersey, Princeton University Press—, entre otros muchos que se podrían citar. Véase también en esta obra el capítulo de T. Domingo Moratalla: «Bioética en perspectiva hermenéutica: hacia un método hermenéutico-deliberativo».

[13] Charon, R. y Montello, M. (1999): «Framing the case: narrative approaches for healthcare ethics committes», *HEC Forum 11(1): 6-15.*

objetivos de su análisis (resolver una situación conflictiva, extrapolar datos a una población más amplia, recabar información sobre un problema recurrente en un entorno específico, etc.). Del mismo modo que ocurre en la investigación cualitativa, la particularidad de los datos obtenidos no puede ocultar la necesidad de instrumentos para traducir, comprender y dar sentido a los mismos, incluyéndolos en la deliberación y extrayendo conclusiones válidas.[14]

Por todo ello, el aprendizaje de los métodos narrativos no puede obviar sus dificultades y obstáculos, especialmente cuando se trata no del empleo de un relato como desencadenante de una reflexión y aprendizaje, sino de la reconstrucción y análisis de un caso o situación problemática. Estos inconvenientes son, por ejemplo:

1. La presunción ingenua de que una historia es tan buena como otra, o que el mero hecho de imaginar cualquier historia es bueno y válido. Alguien puede plantear tramas que no encajan con la vida de los pacientes y sus familias, por lo que el relato será inútil e inapropiado.

2. Las distorsiones generadas por la transmisión de una historia a través de muchas personas. Del mismo modo que en el juego del «teléfono roto» —en el que los niños se dicen algo al oído unos a otros, secuencialmente, para comprobar al final que lo que escuchó el último difiere notablemente de lo que dijo el primero—, los relatos se van distorsionando y transformando por los intereses de quien lo cuenta y de quien lo escucha. Las narraciones son, así, inestables, susceptibles de modificación, ajuste o alteración, dependiendo de que puedan servir para explicar lo que narrador y oyente desean comprender desde su propia perspectiva.

3. La «autoría» del relato, que supone una elección de lenguaje, conceptos, trama, detalles relevantes, etc. según el punto de vista del narrador. Así, el reto del *eticista narrativo* sería reflejar del modo más fidedigno la historia que cuenta el paciente y/o su familia, recogiendo todos los elementos relevantes, permitiendo que los propios pacientes revisen el relato para determinar si es genuino y expone adecuadamente lo importante, revisando y reescribiendo notas y narraciones con otras personas implicadas, a fin de acercarse lo más posible a la verdadera experiencia única del paciente.[15]

---

[14] Mishler, E. G. (1990): «Validation in inquiry-guided research: the role of exemplars in narrative studies», *Harvard Education Review, 60:* 415-42.

[15] Charon, R. y Montello, M. (1999): «Framing the case: narrative approaches for healthcare ethics committees», *HEC Forum 11(1):* 6-15.

4. Cómo enseñar bioética con un método narrativo

En la enseñanza es preciso lograr que los alumnos puedan no solo adquirir conocimientos, sino comprender desde la propia reflexión y experiencia, es decir incorporar lo que se les enseña. En el ámbito de la bioética —de la ética en general— esto es especialmente importante, porque no se pueden enseñar actitudes, valores, ni fomentar compromisos o sensibilidades, sin que haya una cierta inmersión en un proceso de transformación personal.

Por eso, como bien dice Diego Gracia, la enseñanza tiene que realizarse al modo socrático, mayéutico, tratando de alumbrar lo mejor de cada uno. Frente a los extremos inadecuados de un modelo pedagógico que trata de adoctrinar, imponiendo verdades incuestionables, o de un modelo de enseñanza que, prescindiendo de todo vínculo o adscripción, se limita a informar de las posibilidades, este modelo socrático es una síntesis que trata de promover la formación y la incorporación de las enseñanzas como propias, y por tanto, libremente elegidas y promotoras de un modo de ser uno mismo mejorado y más perfecto.

> Se trata de sacar del interior de cada uno lo mejor que lleve dentro. Se trata de dar a luz eso que cada uno tiene que ser, por seguir con los términos propuestos por Ortega, y que constituye lo mejor de nosotros mismos. Esto no se puede hacer imponiendo, ni tampoco simplemente informando de hechos. Esto no puede hacerse más que razonando, dialogando, deliberando. Estos son términos que habría que analizar despacio, cosa que ahora no podemos. Pero al menos cabe decir una cosa, y es que este método exige que el profesor haga carne de su carne eso que quiere enseñar, y que el alumno actúe por mímesis, imitando lo que hace el profesor, es decir, rehaciendo en su interior la propia experiencia que el profesor le transmite. No hay otro modo de enseñar, enseñar de veras, que este. Lo demás es pura erudición.[16]

La opción por esta aproximación narrativa puede hacerse también de un modo racional y teórico, o intentando completarla, desde el punto de vista de la formación del alumno con la utilización de los textos narrativos como método de aprendizaje. No se trata solo de reflexionar sobre la importancia de ese giro hermenéutico de la ética, sino de aplicarlo en la labor docente. Véase, a modo de ejemplo, cómo pueden utilizarse estos recursos narrativos en bioética:

[16] Gracia, D. (2007): «La Vocación docente», *Anuario Jurídico y Económico Escurialense,* vol. 15, pp. 807-16. Sobre este modo de enseñanza socrática ver también: Gracia, D. (1999): «La enseñanza de la bioética en España: un enfoque socrático», en: *La bioética, lugar de encuentro,* Asociación de Bioética Fundamental y Clínica, Madrid, Zéneca-Farma, pp. 73-98 y Gracia, D. (2004): *Como arqueros al blanco. Estudios de bioética,* Madrid, Triacastela.

4.1. Concienciación ética a través de la literatura

Nuestro mundo no siempre es justo, ni verdadero, ni bondadoso, por eso es preciso desarrollar la capacidad de la crítica: saber denunciar las injusticias, saber alzar la voz cuando se está amenazando al ser humano o al mundo, no conformarse con la situación de las cosas sino intentar cambiarlas, proponer ideales y asumir una obligación por su logro. La protesta puede ser solo un modo de llamar la atención, por eso, lo importante es el compromiso: responsabilidad con el mundo y propuesta de alternativas. Es preciso comprometerse con un ideal y luchar por conseguirlo. Soñar un mundo mejor y colaborar para que sea posible, en la convicción de que se puede cambiar el mundo, aunque sea parcialmente, intentando modificar lo que está funcionando mal.

La ética requiere aprender una sensibilidad ante los problemas morales, un compromiso con lo que ocurre, y una actitud inconformista que no se acomode a lo que existe, sino que quiera transformarlo y hacerse responsable de un proyecto de mundo mejor. Los poetas, los novelistas o los cantautores han expresado desde antiguo con sus versos y textos la realidad del mundo y su injusticia. Con ello logran hablar a nuestras conciencias, denunciando lo que debería ser de otro modo, y tratando de cambiar nuestras actitudes, proponiendo un ideal posible. La ética no es cómoda, se trata de algo serio que implica una llamada de atención ante los problemas del mundo, desde la parcela en que a cada uno le corresponda actuar. El uso de este tipo de textos narrativos sirve como llamada a la denuncia y al compromiso moral y social, a la toma de conciencia a modo de «sacudida intelectual» o incluso emocional que resulta necesaria y beneficiosa para cambiar de perspectiva.

De hecho, el objetivo de la formación en bioética para los profesionales sanitarios —y para todas las personas— es lo que algunos autores han denominado una «concienciación ética» *(ethical mindfulness),* definida como una disposición o modo de ser, cuyos rasgos característicos son: 1) la sensibilización ante los momentos éticamente importantes en la práctica diaria; 2) el reconocimiento de la significación de dichos momentos, es decir, la toma de conciencia del potencial ético que encierran; 3) la capacidad de articular lo que está en juego éticamente en una situación dada; 4) el conocimiento y la reflexión sobre los diferentes puntos de vista y las limitaciones inherentes a cada uno de ellos, y 5) el coraje, esto es, la apertura de las propias creencias y la práctica de la crítica.[17]

---

[17] Guillemin, M.; McDougall, R. y Gillam, L. (2009): «Developing "ethical mindfulness" in continuing professional development in healthcare: use of a personal narrative approach», *Cambridge Quarterly of Healthcare Ethics, 18:* 197-208.

La concienciación ética exige conocimiento, habilidades y, especialmente, actitudes, pues requiere una disposición de apertura, un modo de ser y estar diferente, susceptible de percibir y ser alterado e incitado por la realidad. Por eso no basta con un aprendizaje de normas o reglas, sino que se requiere ser capaz de estar sensibilizado y actuar de acuerdo con esos principios. De algún modo, la concienciación es una vía de comunicación entre la teoría y la práctica.

4.2. Sobre el lenguaje humorístico y la importancia de la sugerencia moral

Otro modo de aproximarse a esta dimensión narrativa es la que se puede buscar en pequeños textos o fragmentos de tipo irónico o humorístico que, con pocas palabras, hacen sugerencias morales de hondo calado. También en lemas, aforismos, refranes, etc. No suele hacerse hincapié suficiente en la importancia de este tipo de aproximaciones, más cerca de la llamada de atención y de la suscitación de una cierta complicidad moral, que de una profundización racional, pero que, sin embargo, suelen ser desencadenantes de diálogos reflexivos tremendamente creativos y fructíferos sobre los problemas morales que plantean y, sobre todo, acerca de las actitudes que muestran los personajes en el análisis o resolución de dichos problemas. Como ejemplo, podemos tomar en consideración las tiras humorísticas de Quino. Mafalda, un personaje querido de muchas personas por la acidez de sus comentarios y su madurez ante la vida desde la ingenuidad de una niña, representa un modo de plantear también una actitud ética ante el mundo.

4.3. Figuras ejemplares, biografías y relatos de vidas

Más clásico, pero no por ello menos interesante, es el trabajo con relatos de vidas de personas que han defendido posturas éticas. A modo de ilustración de un compromiso con el mundo, sirven como un modo de comprender que la vida es un quehacer en el que cada individuo debe ir decidiendo cuáles son sus opciones morales, en una tarea siempre inacabada, al modo orteguiano, que va constituyendo una identidad moral, un modo de estar en el mundo, y por tanto, estableciendo una pauta de mayor o menor responsabilidad.

De nuevo aquí se trata de entender que los principios morales no son meras ideas abstractas que pueden ser defendidas como argumentos lógicos y bien fundamentados, sino expresiones de compromisos con valores, en los que las personas se juegan su condición moral. Este tipo de planteamientos puede llevar a análisis sobre la idoneidad de planteamientos combinados de principios y consecuencias, sobre la viabilidad de las actitudes éticamente correctas en un mundo pragmatista y consumista, sobre la posibilidad de la utopía, y, como se comentó en el caso de la denuncia y los poemas, sobre el inconformismo como clave de la ética.

Con las biografías o los relatos de vidas, una actitud moral de un personaje sirve para conocer, en cuanto a contenidos, una figura de la ética o de la historia contemporánea que tiene una importante dimensión moral, también permite acercarse a un momento histórico en el que se plantean unos ciertos problemas morales, se pueden analizar dichos problemas, y puede plantearse una idea de fondo que busca la identificación o al menos la sensibilización ante la actitud moral que representa el personaje.

4.4. El relato fílmico y dramático como narración ética

En la misma línea que se viene defendiendo en estos ejemplos de ética narrativa aplicada a la docencia, se puede destacar el importante papel que desempeñan el cine y el teatro como relato que es, a la vez, un caso, una vida ejemplar, una narración, un texto, y un problema moral. La ventaja indiscutible del relato fílmico es su cercanía con la vida, y la posibilidad de dar lugar a procesos de identificación, como en la catarsis propia de las obras teatrales, mencionada anteriormente, y que tantas veces se ha analizado con ocasión de las tragedias clásicas.

El relato cinematográfico, que en buena parte de los casos tiene un guión basado en una obra literaria —lo que asemeja enormemente estos dos modos de narración—, y el relato dramático, suponen la presentación de un fragmento, un texto, que se puede analizar en sí mismo, y que puede suscitar una reflexión sobre los conflictos morales y las actitudes o decisiones mostradas. El cine sirve como expresión del mundo y permite procesos de identificación bastante inmediatos, por cuanto los espectadores son arrastrados por la trama, por la estética y por la identificación con los personajes. En el mundo actual, más audiovisual que lector, y más afín a narrativas expresadas en forma de imágenes que en textos escritos, el cine se convierte en un inmejorable modo de exposición y, más aún, en un instrumento de deliberación moral. Como indica T. Domingo, «viendo cine podemos aprender a deliberar. Se podría hablar así de una deliberación narrativa».[18]

La narración fílmica, como todo relato, es una mediación. Una forma de exponer y abrir posibilidades, tanto desde lo reflexivo y racional, como desde lo emocional y afectivo. Y además de servir como vehículo de transmisión, y como expositor que promueve la identificación, la empatía, el juicio o la re-

---

[18] Domingo Moratalla, T. (2011): *Bioética y cine. De la narración a la deliberación,* Madrid, San Pablo, p. 15.

flexión, tiene también un potencial transformador, al influir en la vida y generar procesos de apropiación. En el magnífico análisis que T. Domingo realiza de la perspectiva hermenéutica, narrativa, de la bioética a través del cine se insiste en esta idea de la *refiguración* de la vida moral:

> Paul Ricoeur decía que la narración era un «laboratorio del juicio moral». Nosotros lo podemos ampliar también al cine. La vida moral está constituida narrativamente, o cuasi narrativamente. Muchas veces pensamos nuestras decisiones como relatos o películas, en el buen y mal sentido de la expresión, que contamos a los otros y a nosotros mismos. Actuamos y decidimos como si estuviéramos en una película; y así unas veces nos vemos y presentamos nuestras decisiones como heroicas y otras como sometidas a la fatalidad del destino; nos vemos como protagonistas que llevan adelante la trama o como meros actores secundarios que no tienen más remedio que dejarse llevar.[19]

Sin duda, una formación en bioética que trate de promover la autonomía de las personas, de modo que se hagan responsables de sus decisiones, no puede dejar de lado ni desentenderse de estas narrativas de la vida real, trasladadas al cine en forma de ficción, en donde los personajes con los que el espectador se identifica o se distancia asumen esa condición de hacerse cargo de la realidad, o contrariamente, prefieren servir obedientemente a los fines y motivos diseñados por otros. Este segundo modo de conducta, heterónomo, sometido a normas o registros de valores impuestos al individuo, puede suponer, si no son asumidos libre y conscientemente por el individuo, una forma de dejación de responsabilidad que resulta éticamente inaceptable. Los relatos que muestra el cine harán visibles estos modos de comportamiento, las razones o causas que los propician, y las consecuencias que podrían derivarse de ellos.

4.5. Los casos: ilustraciones de conflictos morales y comprensión de sentido

El modelo más habitual y utilizado en la enseñanza de la bioética es el de los casos. Se trata de un tipo de aprendizaje inductivo en el que la narración de una situación de conflicto supone un esfuerzo de interpretación y un intento de toma de decisiones por identificación con el sujeto implicado. En los casos se pueden buscar argumentos y utilizar una aproximación más racional intentando aplicar principios razonadamente, o bien «ponerse en el lugar del otro», tratar de vivir su relato y sentirse interpelado por las mismas dificultades, como modo de comprender la complejidad y la incertidumbre que suelen darse en los

---

[19] Ibídem, p. 105.

casos, buscando soluciones que no sean simplistas y que recojan la vivencia de sentido inserta en el caso.

Hay importantes críticas al trabajo con casos, por diversas razones: en primer lugar por poder convertirse en una mera ilustración «decorativa» que no aporta nada nuevo a la reflexión; en segundo lugar, por la dificultad que conlleva el análisis profundo de la situación, cuando se buscan diversas interpretaciones en dimensión narrativa; en tercer lugar, por adoptar una perspectiva casuística que puede confundir a la hora de establecer patrones universales sobre lo correcto y lo bueno.

Sin embargo, con ser ciertas estas críticas, conviene no perder de vista que los procesos de aprendizaje han de utilizar y combinar diversas estrategias y, lo que es más importante, que la ética ha de trabajar en una doble dimensión: la de los principios que puedan ser resultado de una tarea de fundamentación, y la de las consecuencias, donde es imprescindible una aproximación a la situación, circunstancias, contexto y características específicas que hacen único al caso, y para lo cual es preciso entender la dotación de sentido que hacen los implicados de su propia historia. Solo así puede construirse una ética que tenga pretensiones de universalidad pero que, al mismo tiempo, pueda ser responsable ante las consecuencias y sensible a las peculiaridades en la aplicación. Los principios universales e imparciales son vacíos sin narración de la situación y su originalidad. Las narraciones, los casos, lo particular, son ciegos sin la guía de los principios.

En este sentido, se ha generado también una interesante discusión acerca de si los casos reflejan la realidad o los valores y supuestos del autor. La utilidad de este método radica en el potencial de los casos para poner en marcha la imaginación y generar una discusión sobre los problemas éticos implicados. Y es ciertamente diferente que su objetivo sea la mera descripción, a modo de reportaje informativo, o que se presenten como historias. Sin embargo, cabe pensar que, en ambas opciones, se trata de construcciones sociales que generan una cierta realidad. El mero uso del lenguaje supone una cierta contextualización y creación, pues siempre operamos con elementos intersubjetivos que hacen comprensibles ciertos patrones de realidad. Esto es lo que determina y limita lo razonable o lo inteligible. Por eso, resulta imprescindible asumir que en la utilización didáctica de los casos hay ya ciertos compromisos y elecciones. Dicho de otro modo, no es posible una descripción «pura», toda descripción incorpora una posición, un marco conceptual y valorativo que da sentido a lo que se dice.

Así, en opinión de A. M. Carson,[20] parece claro que los casos han de presentarse como textos o narrativas, más que como descripciones de una situación

---

[20] Carson, A. M. (2001): «That's another story: narrative methods and ethical practice», *Journal of Medical Ethics, 27*: 198-202.

real. Esto implica una cierta toma de posición. Sin embargo, puede ser más honesto en tanto que explicita los posibles sesgos del autor. Esta es la razón de que, dado que hay más de un modo de describir una situación, sea necesario que los alumnos tengan acceso a más de un relato. Los casos deberían presentarse desde más de una perspectiva, en la medida en que, en la vida real, muchos conflictos éticos surgen, precisamente, de la diferente manera de entender o definir la situación por parte de los implicados. Tener la posibilidad de ver otros puntos de vista contribuye a una mejor y más completa comprensión de la situación.

Esta es la justificación del método que propone A. M. Carson: en una primera sesión se les propone a los alumnos que escriban un caso, una situación conflictiva de su práctica habitual, que se discute en clase. En un segundo momento, se les pide que escriban sobre la misma situación pero desde la perspectiva de la persona —o personas— con la que tienen el conflicto. Esto ayuda a imaginar cómo se ve el problema desde otro punto de vista, y refuerza el elemento de entendimiento intersubjetivo. Con ello se logra que la interpretación inicial del conflicto se vea amortiguada y quizá cuestionada hasta un cierto punto. Los dos relatos de la misma situación pueden ser realmente contradictorios o expresar dos versiones complementarias de la misma situación, y generan interrogantes y reflexiones muy válidas sobre el caso. Todo esto se acompaña de una búsqueda bibliográfica que permita dotar de contenido y justificación los elementos que cada una de las perspectivas subraya preferentemente.

Lo que se pretende con todo esto es lograr que los alumnos desarrollen prácticas reflexivamente (el nombre que le da Carson es *reflexive practicioner).* El profesional necesita desarrollar la capacidad de imaginarse el punto de vista del otro. Comprender sus propios valores y los de otros, entender cómo la perspectiva de cada uno (expectativas, presupuestos, creencias, etc.) determina el modo de entender la realidad. Al utilizar un método narrativo se promueve esta reflexión y esta toma de conciencia de que siempre existe otro modo posible de contar la historia.

Los métodos narrativos fomentan que los discentes se hagan responsables de sus propios casos, prácticas o relatos, que los revisen y repiensen desde otras perspectivas. Y que sean éticamente más conscientes y reflexivos en sus decisiones. Carson afirma que este planteamiento metodológico tiene importantes beneficios «terapéuticos» y pedagógicos, al permitir prácticas y decisiones más ponderadas, matizadas y reflexivas.

4.6. Narraciones personales

En todos los casos anteriores, la metodología narrativa escoge textos o relatos que sirvan de inspiración y permitan un análisis, sin embargo, también es posible utilizar narraciones personales. En este caso, el alumno será el narrador, el autor, quien deba elaborar un relato.

Ya se ha hecho mención de un primer modo de elaboración de narraciones, al comentar la posibilidad de redactar un caso, del modo más fidedigno posible, en relación y colaboración con los implicados, incluso variando los relatos para identificar diferentes perspectivas. Lo que se promueve con esta otra aproximación es la idea de «autoría», que se produzca el aprendizaje de la bioética desde el esfuerzo narrativo.

Los relatos nos ofrecen entendimiento, comprensión y nuevas perspectivas. Nos educan y alimentan nuestra imaginación. Nos ayudan a ver otros modos de hacer las cosas y pueden liberarnos del auto-reproche o la vergüenza. Escuchar y contar historias es reconfortante y genera vínculos entre las personas.

Sin embargo, el potencial de la autoría, además de poder lograr objetivos análogos, amplía sus posibilidades y se convierte en «terapéutico». En términos científicos, ser capaz de narrar una historia coherente es una experiencia curativa. En términos psicológicos, los relatos nos mantienen conectados a los otros, nos reafirman que no estamos solos.[21] Y al mismo tiempo, la perspectiva narrativa puede ser «curativa» para el propio profesional médico, frente al síndrome de desgaste profesional y frente a la posible deshumanización que propicia el distanciamiento del paciente, causado, entre otras razones, por el temor a no saber encajar emocionalmente de modo adecuado la información recibida.

La medicina narrativa sugiere algo simple, pero frecuentemente olvidado e incluso despreciado: que necesitamos estar en contacto con nuestras emociones y desarrollar lo que J. Coulehan llama «resiliencia emocional» *(emotional resilience),* que define como «ser capaz de funcionar de modo seguro y objetivo, mientras que se experimenta el núcleo emocional de las interacciones entre médico y paciente».[22] Esto es, solo se puede realizar el compromiso de un cuidado centrado en el paciente si se «dejan caer las defensas».

Para ello resulta útil, esclarecedor, y reparador o transformador, el trabajo de escribir un relato, la elaboración de narrativas personales sobre las experiencias en el cuidado de la salud. Este tipo de narrativas puede adoptar diversas formas. R. Charon distingue al menos cinco géneros diferentes: 1) la ficción médica, 2) la presentación expositiva, 3) la autobiografía médica, 4) las historias desde la práctica, y 5) los ejercicios escritos en el entrenamiento

---

[21] Divinsky, M. (2007): «Stories for life. Introduction to narrative medicine», *Canadian Family Physician, 53:* 203-5.

[22] Coulehan, J. L. (1995): «Tenderness and steadiness: emotions in medical practice», *Literature and Medicine, 14(2):* 222-36.

médico.[23] Cada uno de ellos tiene orígenes, estrategias, objetivos, resultados, características y posibilidades diferentes, y por ello resultará más o menos útil para un proyecto de formación en bioética dependiendo de cómo esté diseñado y cuál sea la intención primordial, tanto para el aprendizaje de contenidos como de herramientas o actitudes.

La ficción médica es una forma de producción de textos escritos por médicos, u otros trabajadores sociosanitarios en general, basados en sus experiencias profesionales, pero realizados en forma de ficción para expresar otras cualidades literarias. La ficción médica es así una forma de relato similar a las novelas, películas o cualquier otro texto que pueda ser analizado, con la diferencia de que el autor cuenta su propia vivencia, lo cual añade, sin duda, un componente relevante para el análisis.

De un modo similar, la autobiografía médica es una forma de relato biográfico que permite una introspección del individuo y sus experiencias, un autoexamen que no solo expone lo que sucede, sino que permite también: a) el análisis de los motivos o intenciones que condujeron a una decisión; b) la revisión de los factores que, desde la perspectiva del autor, fueron relevantes, y c) es susceptible de revelar líneas argumentales o sentidos que escaparon a la atención del autor cuando tuvieron lugar los acontecimientos.

La autobiografía guarda una estrecha relación con las historias desarrolladas desde la práctica y con los ejercicios realizados en el transcurso de un aprendizaje, en este caso de la bioética. La inmersión en un proceso de formación, especialmente cuando implica reflexiones sobre los valores, produce transformaciones en el individuo que pueden resultar dramáticas. No otro es el objetivo de la enseñanza de la bioética. Generar esa sensibilidad o concienciación ética, asumir las propias creencias y sus posibles deficiencias argumentativas, prestar atención a las emociones y a los elementos que son determinantes en la relación clínica y en el afrontamiento de los conflictos de valores, tiene un importante precio para la persona, que, como se dijo antes, ha de alumbrar lo mejor de sí mismo. El esfuerzo de escribir la narración del proceso de transformación que se ha sufrido, y la dotación de sentido que se le puede atribuir, es también un modo de formación muy útil.

El género de escritura puede adoptar esta forma de autobiografía, o el de historias a modo de ensayos, informes con estilo periodístico, diarios o portafolios, cuadernos de bitácora, cuentos, relatos de experiencias de enfermedad vividas, u otras modalidades de narración, pero su objetivo y sus posibilidades son siempre grandes. No solo es relevante el producto final, que es valioso y

---

[23] Charon, R, (2001): «Narrative medicine: form, function and ethics», *Annals of Internal Medicine, 134:* 83-7.

útil, sino también el proceso de contar una historia, de comprometerse con una narración y esforzarse en darle sentido. El aprendizaje se realiza, mayormente, en el transcurso de la escritura. Si bien, el análisis posterior de la experiencia de haber realizado la narración, es, así mismo, muy esclarecedor, al obligar a una reflexión sobre la acción narrativa intentado elucidar las razones de elegir esa historia, su planteamiento, lo que se ha incluido o excluido, los puntos éticamente relevantes destacados, etc.

5. Conclusión

Todos estos ejemplos mencionados no son sino ilustraciones metodológicas de cómo la ética narrativa aporta una dimensión diferente a la reflexión ética. Tanto por renunciar a rígidas descripciones de principios, como por atender a relatos experienciales que muestran una vivencia, se inserta en un modelo ético que trata de fomentar actitudes y comprensión de contenidos a través de procesos de interpretación e identificación. Tal es la aportación fundamental de este modo de hacer ética. Con él se enmarca, como se ha indicado anteriormente, una línea que trata de establecer puentes y conexiones entre lo racional y las emociones.

De hecho, buena parte de las reflexiones y análisis aquí presentados comparten esta característica común: la de buscar una vía de comunicación que matice los extremos fomentando una articulación, buscando imaginativamente espacios de acción que promuevan los valores desde el respeto a la diferencia, desde la sensibilización ante los contextos y las vivencias personales. Desde el punto de vista de la formación del alumno, es fundamental que perciba este dinamismo basado en el diálogo, la argumentación, la búsqueda de fundamentos y la comunicación entre perspectivas, que es, en definitiva el trabajo de la bioética, como ha destacado insistentemente Diego Gracia.

6

Teoría y práctica de la deliberación moral

Diego GRACIA

El ser humano ha pensado siempre que la vida moral de las personas debe regirse por reglas o normas que no tengan carácter meramente circunstancial o relativo. En algo tan importante como la ética, todos han creído necesario afirmar la existencia de principios absolutos. El modo de concebir tales absolutos ha variado con el paso del tiempo. La tesis más clásica decía que esos principios absolutos resultaban autoevidentes para la mente humana, de modo que esta los tenía desde siempre intuidos de modo inmediato. Su estatuto sería similar al que Euclides otorga en sus *Elementa* a las «nociones comunes» o «axiomas», que se «muestran» a la mente de modo inmediato, y a partir de los cuales es posible proceder deductivamente, «demostrando» los teoremas fundamentales de la geometría *(Elem* I, «nociones comunes»). Si tal es lo que sucede en el orden geométrico, ¿por qué no en el ético? Una vez establecidas las verdades primeras de la vida moral, las conclusiones deberían derivar de modo estrictamente lógico. Y si las premisas tienen carácter absoluto, las conclusiones han de serlo también. Así ha pensado la mayor parte de tradición ética occidental, desde el estoicismo hasta Kant: los primeros principios han de tener carácter imperativo y categórico, y las proposiciones que se deriven de ellos han de serlo también, al menos en el ámbito de lo que Kant llama «deberes perfectos», de modo que estos puedan mandar «sin restricción». Tomás de Aquino lo expresa en los siguientes términos:

> Praecepta legis naturae hoc modo se habent ad rationem practicam, sicut principia prima demonstrationum se habent ad rationem speculativam: utraque enim sunt quaedam principia per se nota. *(S Th* 1-2, q. 94, a. 2).

Todo lo anterior parte de un supuesto por demás problemático. Se trata de la idea de que existen unos primeros principios absolutos, que todo ser humano ve y entiende de modo natural e inmediato. Ni que decir tiene que puede afirmarse la existencia de tales principios, sin pensar que se hallan directamente intuidos por el ser humano. La tesis de mayor vigencia en la filosofía del siglo XX dice que tales principios son resultado de un proceso de construcción intersubjetiva. Los construimos, ciertamente, desde algo, so peligro de entrar en una regresión infinita. Pero ese algo no tiene por qué ser él mismo un principio, y menos deontológico. Siguiendo a Zubiri, cabe pensar que lo no construido tiene carácter meramente formal. Esa formalidad, que él denomina formalidad de realidad, abre el espacio dentro del cual se construyen los contenidos, todos los contenidos, incluso los contenidos morales. El hecho de estar construidos no convierte sin más esos contenidos en relativos. Todos los seres humanos pueden verlos como *prima facie* vinculantes, caso de que consideren que deberían convertirse en ley en una sociedad bien ordenada. Lo cual no obsta para que en la realidad empírica y contingente en que hemos de tomar decisiones morales, siempre constreñidos por las circunstancias concretas y las consecuencias previsibles, los deberes reales y efectivos puedan no coincidir con esos deberes ideales o *prima facie.* La paz o la veracidad obligan siempre, dado que deberían ser norma en una sociedad de seres humanos bien ordenada, pero las circunstancias nos obligan a veces a no decir toda la verdad, haciendo de ese modo algo distinto de lo que en principio deberíamos. El deber real y efectivo, el deber concreto, no se identifica necesariamente con el deber ideal o puro. Confundir ambos niveles ha sido una de las grandes tragedias de la historia de la ética. Para los autores iusnaturalistas, por ejemplo, las circunstancias no pueden modificar la moralidad de un acto, de modo que este será siempre bueno o malo con independencia de ellas *(S. Th.* 1-2, q. 18, a. 3).

Caso de que los principios morales estuvieran directamente intuidos y que los deberes humanos derivaran de ellos a través de un procedimiento meramente *deductivo,* no tendría mucho sentido plantearse el problema del método de la decisión moral. Sí cobra importancia cuando se piensa que los deberes son resultado de un proceso que, siguiendo a Aristóteles, cabe llamar «deliberativo». Aristóteles fue el genial artífice de la teoría de la deliberación como método de la racionalidad práctica. Su éxito, empero, fue extremadamente efímero. Los seres humanos, en materia tan sensible como la moral, queremos pronunciamientos apodícticos, absolutos, que no dejen escapatoria. Lo demás nos parece puro relativismo. Y a partir del movimiento estoico se optó por afirmar que los principios morales son absolutos y autoevidentes, y que la vida moral no puede consistir en otra cosa que en la rendida *sumisión* y *obediencia* a ellos. De este modo, la obediencia se convirtió en la virtud moral por antonomasia. Y con ello la *heteronomía* moral. Esto es aplicable incluso a quienes con mayor énfasis predicaron la autonomía, los idealistas alemanes. El gran teórico de la autonomía, Kant, propone una moral que es, paradójicamente, heterónoma.

La especie humana parece haber tenido siempre miedo a la *autonomía*. Y sin embargo, es su seña de identidad, el carácter definitorio y definitivo de los seres humanos. Las personas o llegamos a ser autónomas o hemos fracasado en nuestro proceso de humanización. La autonomía se construye. Todos comenzamos siendo heterónomos, y la conquista de nuestra propia humanidad, tanto individual como colectiva, es el logro de la autonomía. El método para llevar esto a cabo es la deliberación. Se delibera para tomar decisiones; unas decisiones que pocas veces, por no decir nunca, serán apodícticas, pero que sí estamos obligados a que sean responsables, sabias, razonables o prudentes. De ahí que la teoría y práctica de la deliberación sea la gran asignatura pendiente. Ese debería ser el objetivo fundamental de los programas educativos. No se trata de formar sujetos obedientes sino personas autónomas. Algo, sin duda, muy difícil, pero que constituye el objeto irrenunciable de la ética.

1. TEORÍA DE LA DELIBERACIÓN

Con la deliberación se ha cometido un auténtico parricidio histórico. Este tema del parricidio es viejo en los anales de la filosofía. En *El Sofista* de Platón, el Extranjero de Elea dialoga con Teeteto a propósito del ser y del no-ser. Parménides, el maestro del Extranjero de Elea, había dicho: «Nunca conseguirás que el no ser sea: aparta tu razón de tal camino» *(Sofista,* 237 a, 258 d). De ahí que cuando Teeteo fuerza al Extranjero a plantearse la cuestión de si el no-ser es, este responda a Teeteto con una súplica:

Teeteto: ¿Cuál?
Extranjero: De no considerarme en manera alguna como un parricida
Teeteto: ¿Qué quieres decir?
Extranjero: Que para defendernos, nos será necesariamente preciso poner en
cuarentena la tesis de nuestro padre Parménides y establecer, por fuerza,

que, bajo algunos aspectos, el no-ser es, y que el ser, a su vez, de alguna manera no es *(Sofista,* 241d).

Esto del parricidio parece haber sucedido innumerables veces en filosofía. Jacques Derrida defiende en *La pharmacie de Platon,* a partir de un texto del *Fedro,* que toda obra escrita es un inmenso parricidio cometido contra el *lógos,* la palabra viva. Y como es bien sabido, Freud universalizó el parricidio al hacer de él el núcleo central del complejo de Edipo. Todos comenzamos introyectando las figuras normativas del medio, paradigmáticamente representadas por el padre, y para convertirnos en individuos autónomos hemos de distanciarnos de ellas y, simbólicamente, asesinarlas. No hay otro modo, expresado en términos kantianos, de pasar de la heteronomía en que todos comenzamos a la autonomía personal y moral. En su ensayo *Dostoievski y el parricidio,* escribe Freud:

> No cabe atribuir al azar que tres obras maestras de la literatura universal traten el mismo tema: el parricidio. Tal es, en efecto, el tema del *Edipo* de Sófocles, del *Hamlet* shakespeariano y de *Los hermanos Karamazof.*

No todos los parricidios son iguales. Hay parricidios hígidos, saludables, positivos, fruto de la maduración o de la madurez y por ello mismo plenos de creatividad. Una de sus expresiones más excelsas se halla en el libro primero de la *Ética a Nicómaco.* Hoy sabemos, tras el trabajo de filigrana llevado a cabo por los filólogos e historiadores a lo largo de más de un siglo, que ese libro es el resultado final de un proceso que comenzó en los veinte años de permanencia de Aristóteles en la escuela de Platón. De esa época son sus escritos *Sobre el bien* y *Sobre las ideas,* en que el joven Aristóteles debate el tema de las Ideas y las Formas y muestra su preferencia por las segundas, en detrimento de las primeras. Se inicia así un periplo que, a través del libro primero de la *Ética a Eudemo,* culmina en el también libro inicial de la *Ética a Nicómaco.* En este último el parricidio se consuma. Aristóteles se ve obligado a formular el famoso *amicus Plato sed magis amica veritas.* Lo dice con dolor, como afirma explícitamente, «por ser amigos nuestros los que han introducido las ideas» *(EN,* I 6: 1096 a 13). Y añade:

> Parece, con todo, que es mejor y que debemos, para salvar la verdad, sacrificar incluso lo que nos es propio; sobre todo, siendo filósofos, pues siéndonos ambas cosas queridas, es justo preferir la verdad *(EN,* I 6: 1096 a 13).

¿A qué sacrificio se refiere? ¿Qué se ve obligado a sacrificar? ¿Dónde está el parricidio? Todo el libro primero va destinado a explicarlo. El Bien no es una única idea de la que participen las cosas en medida mayor o menor. Hay muchos bienes distintos, dependiendo de las cosas, de las actividades y de las técnicas. El bien de la medicina es uno, y el de la arquitectura otro muy distinto. En cualquier caso, Aristóteles sigue muy de cerca la tesis platónica, y afirma una y otra vez que por más que no exista un «bien en sí» sí hay muchos y distintos «bienes en sí». Existe, pues, eso que Platón llamaba el bien en sí, pero pluralizado; hay muchos bienes en sí. Hay otros que no son bienes en sí y que Aristóteles llama, genialmente, bienes por referencia. A los primeros los consideramos bienes por sí mismos, en tanto que los segundos solo son bienes en tanto están orientados a los primeros. Hay, pues, bienes fines y bienes medios. Cierto que también entre los bienes fines hay jerarquía interna, de modo que unos bienes en sí pueden ser medios para la consecución de otros, en especial el último y más elevado, la felicidad. Pero Aristóteles afirma una y otra vez que debe considerarse bien en sí todo aquello «que buscamos incluso aislado» *(EN,* I 6: 1096 b 16-17), Es la prueba que la teoría de los valores ha utilizado siempre para distinguir los valores intrínsecos de los valores instrumentales o por referencia: los primeros son aquellos que consideramos valiosos por sí mismos, es decir, «incluso aislados».

Este es el parricidio fecundo y creativo que simbólicamente Aristóteles comete con su padre Platón. Ya que todos los parricidios fueran así. Hay otros menos creativos, menos positivos. Quizá son solo estos últimos los que merecen el nombre de parricidios. No creo que Aristóteles incurriera nunca en tal figura. Pero sí es sorprendente y escandaloso el que se ha producido con él. De hecho, la ética aristotélica murió nada más nacer, y su influencia en la historia del Occidente, en contra de lo que se sospecha, ha sido mínima. La ética que ha triunfado ha sido otra muy distinta, la ética estoica. El aristotelismo medieval y moderno es una ilusión, porque, en el caso concreto de la ética, se hizo pasar por aristotélico lo que era estoico. Para comprobarlo no hay más que analizar una expresión presente en ambos sistemas, la de *orthós lógos* o *recta ratio.* Es sabido que Aristóteles la utiliza en el libro sexto de la *Ética a Nicómaco,* al ocuparse de dos virtudes dianoéticas, la técnica y la prudencia. La primera la define como *recta ratio factibilium* y la segunda como *recta ratio agibilium (EN,* VI 2: 1140 a 3-5). La escolástica medieval no se cansó de repetirlo. Pero dio a la expresión *recta ratio* un sentido que ya no era aristotélico sino estoico. Para Aristóteles, la técnica y la prudencia son tipos de razonamiento práctico, por tanto dialéctico, de modo que la recta razón consiste en la deliberación cuidadosa sobre las opiniones, en orden a tomar decisiones prudentes. Recta razón es razón prudente. Por el contrario, para el estoicismo la *ratio* es el *lógos* divino que hay en la naturaleza, que no solo tiene carácter ontológico sino también deontológico, y que por tanto tiene forma de ley, *nómos, lex.* He aquí cómo articulaba todos estos elementos Crisipo, según el testimonio de Diógenes Laercio: «Lo justo es justo por naturaleza y no por convención, como también lo son la ley y la recta razón». De ahí el concepto de *lex naturalis,* que es también *lex divina,* porque es la ley del *lógos.* Esta ley puede percibirse adecuadamente o no. La *rectitudo* u *orthótes* consiste en la adecuación al orden de la naturaleza. Lo que impide esa rectitud son las partes irracionales del alma, las pasiones, que por ello mismo deben ser anuladas, o al menos controladas. Las proposiciones propias de esa ley no tienen la condición de razonamientos dialécticos o probables, sino de razonamientos apodícticos, algo por completo ajeno al sistema aristotélico. Ese es el gran parricidio. A partir del estoicismo, se reinterpreta en sentido dogmático todo el razonamiento práctico aristotélico y se hace de la ética un saber dogmático y especulativo, basado en la idea de *orthós lógos* o *recta ratio,* pero interpretada ahora como *lex naturalis,* no en el sentido de *dóxa* u *oppinio.* La literatura doxográfica antigua es recurrente en testimoniar el rechazo frontal por parte del fundador de la escuela, Zenón de Citio, de la *dóxa* u opinión como virtud dianoética: Cicerón pone en boca de Zenón estas palabras: «El sabio nada opina, de nada se arrepiente, en nada se equivoca, nunca cambia de idea» *(SVF* I 54; trad. 60). Y en otro texto añade: «Que el sabio nada opina, [nunca] fue defendido con gran empeño antes de Zenón» *(SVF* I 54; trad. 61). Diógenes Laercio nos recuerda que para Zenón, «el sabio no emite opiniones» *(SVF* I 54; trad. 66), y Estobeo escribe de Zenón: «El sabio nada sostiene con vacilación, sino, al contrario, con firmeza y seguridad, por lo cual tampoco opina» *(SVF* I 54; trad. 64). En *Contra académicos,* Agustín de Hipona dice haber aprendido de Zenón «que nada hay más torpe que el opinar» *(SVF* I 54; trad. 64). La enumeración podría continuarse.

Se comprende que, para quienes así pensaban, la deliberación entendida como método de la racionalidad práctica, al modo aristotélico, careciera de sentido. Y es que una vez transformada la ética en disciplina apodíctica, la deliberación cambió necesariamente de sentido. Ya advirtió Aristóteles que «sobre los conocimientos rigurosos y suficientes no hay deliberación» *(EN* III 3: 1112 b 1); por tanto, «la deliberación se da respecto de las cosas que generalmente suceden de cierta manera, pero cuyo resultado no es claro, y de aquellas en que es indeterminado» *(EN* III 3: 1112 b 8-9). De ahí que en el estoicismo no quepa hablar de deliberación en sentido estricto, es decir, como método de la racionalidad práctica. Cuando los estoicos utilizan el término, es simplemente para designar el proceso de conocimiento o clarificación de los dictados del *lógos.* Según Calcidio, el objetivo de la deliberación era para Crisipo «aceptar lo presente, recordar lo ausente y prever lo que ha de venir» (Crisipo, frg. 450). Por su parte, Marco Aurelio considera que la deliberación es tarea que ya han hecho los dioses, de tal modo que la humana no puede tener otro objetivo que asumir lo ya dicho por ellos a través de la naturaleza *(Meditaciones,* VI 44). De ahí el diferente concepto de *deber* propio de ambas teorías: del deber como actuación prudente se pasa al deber como actuación conforme al orden de la naturaleza *(a principiis naturae).* Esto es lo que significan en el estoicismo *kathêkon,* traducido al latín por Cicerón como *officium* y por Séneca como *convenentia,* y *katórthoma* u *officium perfectum* (o *recte factum).*

Este cambio de enfoque del tema de la deliberación tuvo importantes consecuencias filosóficas que dieron como resultado la configuración de dos ideas de la ética radicalmente distintas. Y ello porque el papel que Aristóteles y el Estoicismo conceden a la deliberación en el razonamiento moral es completamente distinto. En Aristóteles la deliberación parte de algo, que si bien es absoluto no tiene carácter deontológico. Eso es lo que Aristóteles llama en el primer libro de la *Ética a Nicómaco* los «bienes por sí mismos» *(EN* I 6: 1096 b 14-34). Estos bienes tienen la condición de «fines», pero su realización depende de los «medios», es decir, de las características concretas de la acción. Los fines no son objeto de la ética, precisamente porque sobre ellos no cabe *proaíresis,* ni por tanto elección. La deliberación moral no versa sobre los fines sino sobre los medios, como Aristóteles se encarga de repetir varias veces. De ahí que los «bienes en sí» funcionen más como «valores en sí» o «valores intrínsecos» que como «leyes morales» de obligado cumplimiento. Por eso no tienen carácter deontológico, porque esos bienes son los fines de las cosas, que vienen impuestos por la naturaleza, pero la ética no trata de ellos sino de los medios. Y los medios nos dirán hasta qué punto o en qué condiciones pueden alcanzarse o realizarse en la práctica, y por tanto cuáles son nuestros deberes concretos. Entre otras cosas, los bienes pueden entrar en conflicto entre sí, en cuyo caso habrá que ver por cuál se decide uno, etc. Como Aristóteles repite por dos veces, «el juicio está en la percepción», por tanto, en la evaluación de la situación concreta. Lo único obligatorio, el único deber es ser «prudente» tras un adecuado ejercicio de «deliberación». Este es el sentido de la ética aristotélica.

La ética estoica es completamente distinta. Los principios de que parte el razonamiento moral no son «bienes en sí» o «valores» sino «leyes», más en concreto, «leyes naturales», que son al mismo tiempo «leyes morales», ya que poseen carácter deontológico. Parece que es un simple cambio de nomenclatura o terminología, pero en el fondo se trata de algo más profundo. La ley, a diferencia del bien, tiene carácter deontológico, y por tanto es estrictamente moral. De ahí que para la ética tenga la condición de norma absoluta y sin excepciones. Ahora no se trata de valores sino de normas de obligado cumplimiento. De lo que se deduce que la deliberación moral no tiene carácter *sustantivo* sino solo *accidental.* De lo que se trata es de ver cómo se aplica una ley absoluta y sin excepciones en una situación concreta. El único objetivo de la deliberación es hacer posible la *obediencia* a la ley. Así como la deliberación aristotélica es sustantiva y tiene por objeto determinar lo que debemos hacer *prudentemente,* el único objetivo de la deliberación estoica es hacer posible en las situaciones concretas la *obediencia* a la ley. Esta ley es la de la naturaleza, y por tanto tiene, en muy buena medida, cuando no en toda, carácter *heterónomo.* De ahí que pueda concluirse diciendo que la deliberación aristotélica fomenta la *autonomía,* en tanto que la deliberación estoica es profundamente *heterónoma.* Resumiendo, cabe decir que si la ética aristotélica utiliza el lenguaje de los *fines* y los *medios,* el de la ética estoica es el de *leyes* y *circunstancias.* En el primer caso, la deliberación versa sobre los medios más adecuados para la consecución de los fines; en el segundo, sobre la aplicación circunstancial de la ley. En Aristóteles, el deber es el resultado de la deliberación sobre los medios, en tanto que en el estoicismo el deber se identifica con la ley natural, y la deliberación no tiene otro objeto de buscar su aplicación estricta en circunstancias concretas. En síntesis, pues, cabe decir que en Aristóteles la deliberación ética juega un papel *sustancial,* en tanto que en el estoicismo es estrictamente *accidental.*

Este segundo sentido del término deliberación es el que asumieron las tres religiones del libro, la judaica, la cristiana y la musulmana, y la que se impuso inmediatamente como canónica. De hecho, en la historia de la ética occidental, la deliberación aristotélica, como procedimiento de toma de decisiones prudentes, ha brillado por su ausencia. No se encontrará en los textos medievales, escolásticos y neoescolásticos, en los que el principio básico es siempre la obediencia a la ley, afirmada de modo absoluto en su carácter deontológico, de modo que la deliberación no atañe a la sustancia de los deberes sino solo a las circunstancias de su aplicación. Tal es el sentido de la «casuística moral». Pero tampoco se encontrará la deliberación aristotélica en los autores modernos. Es inútil buscar no ya el procedimiento, sino el mismo término en autores como Espinoza, o Kant. Todos han querido hacer *ethica ordine geometrico demonstrata,* algo por completo ajeno y hasta opuesto a lo pensado y escrito por Aristóteles. Este ha sido el gran parricidio. La historia de la deliberación es la de una secular, milenaria ausencia. Iniciada por Aristóteles, desapareció inmediatamente después para no iniciar su rehabilitación más que a partir de la segunda mitad del siglo XIX.

1.1. Biología de la deliberación

El resultado del epígrafe anterior es que hay, cuando menos, dos sentidos del término deliberación, el aristotélico y el estoico, y que la parte del león en la cultura occidental se la ha llevado el segundo de ellos. En los dos casos se trata del método de la racionalidad práctica, pero entendido de modo muy distinto.

En el caso de Aristóteles se parte de unos «bienes en sí» o de unos «valores», y a partir de ellos se busca determinar el modo «prudente» de actuar en las situaciones concretas, en tanto que en el estoicismo el punto de partida lo constituyen las «leyes naturales» entendidas como principios deontológicos absolutos y sin excepciones, de modo que la deliberación solo versará sobre las «circunstancias» de aplicación de la ley o norma a las situaciones concretas. Cabe decir, por ello, que en el primer caso la deliberación moral tiene carácter *sustantivo*, en tanto que en el segundo es meramente *accidental.*

Pero la deliberación no es privativa de la ética. Todos los seres humanos deliberamos, y deliberamos continuamente. No podemos vivir sin deliberar. Y ello porque se trata de una necesidad biológica. Los seres humanos estamos profundamente inadaptados a nuestro medio. Al nacimiento, somos casi tan inmaduros como los osos panda. Necesitamos de unos enormes cuidados. Y cuando conseguimos superar la llamada fase fetal posnatal, seguimos teniendo cualidades biológicas muy pobres, incapaces de adaptarnos adecuadamente al medio y de permitir nuestra subsistencia. De acuerdo con los principios darwinianos de adaptación al medio y supervivencia del más apto, los seres humanos estaríamos sin duda condenados al mayor de los fracasos.

Pero nuestra especie tiene un rasgo fenotípico que la diferencia de todas las demás. Es ese rasgo que denominamos inteligencia específicamente humana. La inteligencia, como el sistema nervioso en su conjunto, procede de una hoja blastodérmica que es el ectodermo, la hoja de la que se forman las cubiertas externas y los sistemas de relación con el medio (piel, órganos de los sentidos, sistema nervioso). La función del sistema nervioso es la anticipación o previsión, a fin de hacer posible y viable la interacción con el medio y el desplazamiento en el espacio. Cuanto más complejo es el sistema nervioso, cuanto más estructurado está, mayor es la capacidad de anticipación y previsión.

Pues bien, la inteligencia es un modo de anticipación y previsión, que denominamos proyección. El ser humano proyecta sus actos, se anticipa a ellos mediante un proceso mental. En eso consiste el proyecto. Ser inteligente es tener esta capacidad de anticipación proyectiva, es decir, ser capaz de hacer planes, de proponerse fines. Por eso también el ser humano es moral, porque se propone fines y sale responsable, como mínimo ante sí mismo, de los fines que se propone. Es la responsabilidad moral.

Para proyectar hay que *deliberar*, ponderando todos los factores que intervienen en una acción, antes de decidir llevarla a cabo. Cuando conduzco un coche voy deliberando conmigo mismo sobre la velocidad a que debo ir o cuándo y cuánto tengo que torcer el volante, etc.

No todas las acciones del ser humano son deliberadas. Lo contrario de las acciones deliberadas son las acciones automáticas, las inconscientes, etc. Así como la corteza cerebral es el órgano de la deliberación, las estructuras mes-encefálicas son sede de los automatismos fundamentales de la vida. La evolu-ción ha asegurado esas funciones de modo automático, arrebatándoselas a la deliberación. Es también un mecanismo de subsistencia. Si para respirar o para digerir tuviéramos que deliberar, probablemente acabaríamos fracasando como individuos biológicos.

La deliberación, como vemos, es un proceso natural en el ser humano. Pero ella es la que nos hace superar la propia naturaleza. Esto es algo paradójico. La deliberación es natural en la especie humana, pero su objetivo es antinatural, es transformar la propia naturaleza convirtiéndola en otra cosa distinta de ella misma, que llamamos cultura. El objetivo de la deliberación es este, la transfor-mación de la naturaleza en cultura. Por propia necesidad natural, el ser humano tiene que desnaturalizar la naturaleza, tiene que transformarla y humanizarla; es decir, tiene que saltar sobre ella. La deliberación sirve para transformar el medio natural en mundo cultural. El ser humano no puede subsistir en un me-dio puramente natural, y de ahí que el objetivo de todos sus proyectos sea la humanización del medio, su transformación en un medio humanizado. Eso es lo que llamamos cultura. Dicho de otro modo, la deliberación es el mecanismo por el que transformamos la naturaleza en cultura y el medio en mundo.

Esto se hace a través del proyecto. Y el proyecto humano consta siempre de tres fases, una cognitiva, que identifica los *hechos* relevantes para el proyecto que hemos concebido, otra emocional, que *valora* el proyecto de transforma-ción de los hechos, y una tercera práctica, que pone en obra el proyecto, que lo *realiza*, lo lleva a cabo haciéndolo realidad. Hay, por tanto, un momento cog-nitivo, otro emocional y otro práctico o activo. El tercer momento, el de reali-zación, tiene por objeto *añadir valor* a los hechos, transformándolos de modo que ganen valor. De ahí que todo lo que hace el ser humano sobre la tierra sea transformar la naturaleza a través de los procesos de valoración y realización práctica mediante el trabajo.

Pensemos en el hombre primitivo que ve unas piedras y concibe el proyec-to de construir una cabaña. Primero necesita conocer las características de las piedras, su dureza, la posibilidad de colocar unas encima de otras, etc. Sin ese momento cognitivo no hay proyecto. Pero con él solo tampoco. Además de juicios de hecho, el primitivo habrá de realizar algunas estimaciones sobre esos hechos, es decir, tendrá que formular ciertos juicios de valor. Estimará que la cabaña puede servirle para resguardarse de las inclemencias del tiempo y tener una vida más cómoda, que le protegerá de las asechanzas de los animales, pre-servando de ese modo mejor su salud y su vida, etc. Sin este momento de esti-mación o valoración, tampoco hay proyecto humano. Tras él, vendrá el tercero y último, el momento operativo, el de llevar a cabo el proyecto. Este consiste siempre en añadir valor a los hechos a través del trabajo. Tras el momento cognitivo y el estimativo, el ser humano hace un juicio de deber, llega a la conclusión de que debe llevar a cabo su proyecto, precisamente para promover la realización de los valores en juego.

La deliberación inherente a todo proyecto específicamente humano tiene, pues, tres momentos: uno relativo a los *hechos,* otro a los *valores* implicados y un tercero a su realización práctica, es decir, a lo que *debe* o no *debe* hacer. Este es el momento propiamente moral, el relativo a los *deberes.* El deber moral es solo uno y siempre el mismo: realizar valores, y realizarlos lo máximo posible. La ética no trata de lo bueno sino de lo óptimo.

De aquí se deduce que hay tres tipos de deliberación. Una primera es la deliberación *técnica*, que tiene que ver con los *hechos* del proyecto de que se trate. Otra segunda es la deliberación *estimativa,* relativa a los *valores* del caso. Y finalmente hay una tercera, la deliberación *moral,* cuyo objetivo es determinar los *deberes* en la situación concreta en que ha de tomarse la decisión. La deliberación moral es la más compleja, porque estos tres tipos de deliberación no se hallan articulados en paralelo sino en serie, de tal modo que la deliberación estimativa necesita antes de la deliberación técnica, y la deliberación moral no es posible si previamente no se han llevado a cabo las otras dos.

Uno tendería a pensar que si la deliberación tiene una base estrictamente biológica y su objetivo último es la subsistencia de los seres humanos como seres vivos, el proyecto ha de tener siempre por objetivo maximizar los resultados para el propio individuo que delibera. Esto significa que la deliberación moral acabará siempre en la defensa de un refinado egoísmo. El egoísmo biológico, *selfishness,* generaría necesariamente un egoísmo moral, *egoism.* Pero esto, curiosamente, no es así. Son conocidas las conductas llamadas «altruistas» de los animales, hasta el punto de inmolarse individualmente a favor de la especie. Esto se advierte también en la historia de la humanidad. Los hombres primitivos proyectaban no solo salvarse a sí mismos, sino también a los próximos o cercanos, a los consanguíneamente emparentados, a los del mismo clan, pueblo o tribu, etc. A lo largo de la historia de la humanidad se ha ido produciendo una ampliación progresiva de los incluidos en ese proyecto moral. En Grecia se vio la necesidad de incluir en él a todos los pertenecientes a la *pólis;* y en la Europa moderna, a todos los habitantes del propio Estado. A partir de Kant, el proyecto moral se amplió hasta incluir a la humanidad entera. Y hoy estamos en el momento en que se está pasando del criterio kantiano de universalización al de globalización, en el cual se hace necesario tener en cuenta no solo a todos los individuos humanos actualmente existentes, sino también a los potencialmente existentes y a los nichos ecológicos de los seres humanos, y por tanto a los animales y al medio ambiente.

Todo esto plantea el tema, tan conocido en teoría evolucionista, de que la evolución no busca la supervivencia de los individuos sino de las especies, y por tanto de los rasgos biológicos adaptativos. La ética tiene que ver con lo que debemos hacer no solo por nosotros mismos sino por la especie humana entera, por toda la humanidad, para que subsista sobre la tierra, y que lo haga en condiciones humanamente dignas. ¿Se conseguirá eso? Es muy dudoso. Es probable que ese rasgo fenotípico que llamamos inteligencia no sea capaz de conseguir eso, y que por tanto fracase como mecanismo de adaptación al medio. Otros muchos han fracasado antes que él, y la propia inteligencia ha fracasado en todas las especies anteriores a la humana actual, incluida la del Hombre de Neanderthal. De ser esto así, no solo habrá fracasado la inteligencia sino también la ética. En cualquier caso, nuestra obligación, la de cada uno, no se modifica por tal sospecha. Todos tenemos el deber de actuar como si el proyecto humano fuera a triunfar, aunque fracase. Todos hemos de decir: «por mí, que no quede».

Aristóteles, que fue un gran biólogo, no conoció nada de esto que acabamos de ver. Pero sí dijo algo tremendamente interesante, y que siempre se ha interpretado en sentido distinto al que ahora vamos a ver aquí. Se trata de su definición del ser humano como *zôon lógon éjon,* animal dotado de *lógos.* La expresión no se encuentra exactamente así en ningún pasaje de la obra aristotélica, pero hay un párrafo en la *Política* que dice:

> La razón por la cual el hombre es, más que la abeja o cualquier animal gregario, un animal social *(politikón ho ántropos zôon)* es evidente: la naturaleza, como solemos decir, no hace nada en vano, y el hombre es el único animal que tiene palabra *(lógon dè mónon ánthropos éjei tôn zóon).* La voz es signo del dolor y del placer, y por eso la tienen también los demás animales, pues su naturaleza llega hasta tener sensación de dolor y de placer y significársela unos a otros; pero la palabra es para manifestar lo conveniente y lo dañoso, lo justo y lo injusto, y es exclusivo del hombre, frente a los demás animales, el tener, él solo, el sentido del bien y del mal, de lo justo y de lo injusto, etc., y la comunidad de estas cosas es lo que constituye la casa y la ciudad *(Pol* I 2: 1253 a 7-18).

La interpretación tradicional de ese texto aristotélico es bien conocida: *lógos* se tradujo por *ratio* y como consecuencia se definió al ser humano como un «animal racional». Pero en este texto el sentido primario que tiene es el de «palabra». Los animales tienen voz *(phoné),* pero solo la voz humana es palabra *(lógos).* ¿Por qué? Un lingüista diría que porque transmite significados y no solo signos o sonidos, pero se puede ir más allá y, siguiendo al propio Aristóteles, afirmar que la palabra se distingue de la voz en que «manifiesta lo conveniente y lo dañoso, lo justo y lo injusto», «el sentido del bien y del mal, de lo justo y de lo injusto». En la terminología que hemos utilizado antes, esto significa que el *lógos* permite no solo ver las cosas y reaccionar ante ellas, sino *valorarlas* en tanto que convenientes o dañosas, justas o injustas, buenas o malas. El *lógos* es la característica del ser humano que le permite *proyectar* a través de juicios de valor y de deber. Y como todo eso consiste en deliberación, mi tesis es que cuando Aristóteles afirma que el ser humano es un animal dotado de *lógos,* no está afirmando tanto que sea un sujeto con un alma inmortal, al menos en este párrafo, cuanto que es un animal capaz de deliberar. Más que *animal rationale,* en el sentido clásico de esta expresión, el ser humano es un *animal deliberans.*

1.2. La lógica de la deliberación

Si el ser humano es un animal dotado de *lógos,* hay que aclarar en qué consiste esa cualidad o nota y cómo se ejercita. Es decir, hemos de analizar la *lógica,* la estructura del logos, o si utilizamos el término «lógica» en su sentido técnico actual, la lógica del logos, por más que esto parezca redundante.

El *lógos,* según Aristóteles, tiene varios modos de actuar, el apodíctico, el dialéctico, el retórico y el erístico o sofístico. Estos dos últimos se diferencian por su finalidad, que en un caso es la persuasión lícita y en el otro la dominación (definida, al modo de Max Weber, como el proceso por el que se consigue que el otro haga lo que nosotros queremos que haga, pero de modo que él crea que hace lo que quiere). Por tanto, ambos modos de actuar no vienen definidos por su estructura lógica sino por su finalidad. Las estructuras lógicas que admite Aristóteles son fundamentalmente dos, la apodíctica y la dialéctica. La primera no es deliberativa. «Sobre lo eterno nadie delibera» *(EN* III 3: 1112 a 21-22), y «sobre los conocimientos rigurosos y suficientes no hay deliberación» *(EN* III 3: 1112 b 1), dice Aristóteles. Pero la segunda, sí. Más aún, para Aristóteles la deliberación es el método propio del razonamiento dialéctico.

El razonamiento dialéctico se caracteriza, como ya sabemos, por partir de premisas que no son autoevidentes y verdaderas sino solo plausibles, opinables o probables. La base de estos razonamientos no son *verdades* sino *opiniones.* La opinión es racional, pero no agota la racionalidad del asunto, de modo que siempre puede haber otras opiniones, también racionales pero distintas o incluso opuestas a la nuestra, que puedan darse sobre el asunto. De ahí que en el mundo de la opinión sea conveniente enriquecer el juicio mediante la acumulación e intercambio de opiniones. El *lógos* se convierte así en un *dia-légein,* en un diálogo. El *lógos* de este tipo de razonamientos es intrínseca y esencialmente dialógico. Lo es incluso cuando estamos solos y deliberamos con nosotros mismos. El *monólogo* es el diálogo que uno realiza consigo mismo;

en palabras de Unamuno, es un «monodiálogo». Se comprende, por ello, que ese *dia-légein*, por más que pueda ser individual, tienda, por su propia naturaleza, a transformarse en colectivo. El razonamiento dialéctico típico tiende a ser compartido, y la deliberación se hace en él común, colectiva. De este modo, aseguramos, o al menos incrementamos la probabilidad de que la deliberación alcance su objetivo, que no es otro que la toma de decisiones, no verdaderas, puesto que ello no es posible, sino prudentes *(Top* I 1: 100 a 16-b 1).

La deliberación es por su propia naturaleza dialógica, y por ello mismo colectiva. Así se explica que Aristóteles considere que la perfección moral solo puede darse en la *pólis,* en la ciudad. Esto se ha interpretado siempre en el sentido de que el ser humano solo, carece de *autárkeia,* de suficiencia, y que la única unidad plenamente suficiente es la ciudad; por tanto, que solo en ella puede lograrse la perfección propia de la naturaleza humana, la *eudaimonía.* Pero esto, con ser verdad, no es toda la verdad, ni quizá tampoco la verdad primaria. Porque la *pólis* es también necesaria desde el punto de vista lógico o epistemológico, ya que en ella es donde el diálogo puede llevarse a cabo con plena suficiencia, en plenitud, de modo que las decisiones que se tomen pueden considerarse realmente *prudentes.* En la *pólis* se alcanza la perfección no solo ontológica y moral sino también lógica. Más aún, solo a través de esta primera pueden lograrse las otras dos. En el régimen político aristocrático, la deliberación colectiva o política se hace en las magistraturas, como luego veremos. Y en el régimen democrático, en las asambleas. El tipo de deliberación política puede ser distinto, pero en ambos casos es colectiva, más o menos colectiva.

Ahora podemos leer un párrafo de la *Política* que se halla inmediatamente después del que antes vimos. Dice así:

> Es evidente que la ciudad es por naturaleza anterior al individuo, porque si el individuo separado no se basta a sí mismo será semejante a las demás partes en relación con el todo, y el que no puede vivir en sociedad, o no necesita nada por su propia suficiencia *(autárkeia),* no es miembro de la ciudad, sino una bestia o un dios. Es natural en todos la tendencia a una comunidad tal, pero el primero que la estableció fue causa de los mayores bienes; porque así como el hombre perfecto es el mejor de los animales, apartado de la ley y de la justicia es el peor de todos: la peor injusticia es la que tiene armas, y el hombre está naturalmente dotado de armas para servir a la prudencia y la virtud, pero puede usarlas para las cosas más opuestas. Por eso, sin virtud, es el más impío y salvaje de los animales, y el más lascivo y glotón. La justicia, en cambio, es cosa de la ciudad, ya que la justicia es el orden de la comunidad civil, y consiste en el discernimiento de lo que es justo *(Pol* I 2: 1253 a 25-38).

Este párrafo es interesante por varias razones. La primera, porque afirma que la comunidad de la *pólis* es anterior al individuo. Esto quiere decir que el individuo no es un ser autónomo separado de la *pólis* o independientemente de ella. Esto explica algo de la máxima importancia ontológica y moral, a saber, que para los griegos la autonomía no es propiedad del individuo sino de la *pólis*. De hecho, el término autonomía, que fue de uso frecuente en el griego clásico, nunca se aplicó a individuos concretos sino solo a la *pólis*. Por tanto, cuando Aristóteles dice que la ciudad es por naturaleza anterior al individuo, no se está refiriendo a que el bien común sea anterior o superior al bien individual, sino a que solo en el interior de la comunidad los individuos pueden ser verdaderos seres humanos, y por tanto autónomos. En griego *idiótes* significa privado o particular, pero en el sentido de quien actúa al margen de la *pólis;* es quien no toma parte en la vida política, preocupado tan solo en lo suyo, incapaz de ofrecer nada a los demás. Ni que decir tiene que se trata de una conducta moral negativa, lo más opuesta que pensarse pueda a la *eudaimonía*. Por otra parte, en este párrafo se ve con claridad que la *pólis* es necesaria «para servir a la prudencia y la virtud», cosas que requieren, como la justicia, «discernimiento» *(krísis)*. Ese discernimiento puede llevarse a cabo individualmente, pero la perfección de la justicia y de la virtud exigen hacerlo colectivo. Que este sea el fin de la política, permite entender que para Aristóteles «el fin de la comunidad política son las buenas acciones y no la convivencia» *(Pol* III 9: 1281 a 2-4).

De aquí se deducen varias cosas importantes. Una, por qué la ética es para Aristóteles una parte de la política. Este es un tema que nunca ha recibido una explicación del todo convincente. La correcta, a mi modo de ver, es la que toma las palabras de Aristóteles en sentido estricto, afirmando que no puede llegarse a la perfección moral fuera de la ciudad, porque solo en ella el *dia-légein* puede llevarse a cabo en modo suficiente, de forma que la deliberación compartida o colectiva permite el logro de la prudencia.

Si existe algún fin de nuestros actos que queramos por él mismo y los demás por él, y no elegimos todo por otra cosa, es evidente que ese fin será lo bueno y lo mejor. Y así, ¿no tendrá su conocimiento gran influencia sobre nuestra vida, y, como arqueros que tienen un blanco, no alcanzaremos mejor el nuestro? Si es así, hemos de intentar comprender de un modo general cuál es y a cuál de las ciencias o facultades pertenece. Parecería que ha de ser el de la más principal y eminentemente directiva. Tal es manifiestamente la política. En efecto, ella es la que establece qué ciencias son necesarias en la ciudad y cuáles ha de aprender cada uno, y hasta qué punto. Vemos, además, que las facultades más estimadas le están subordinadas, como la estrategia, la economía, la retórica. Y puesto que la política se sirve de las demás ciencias prácticas y legisla además qué se debe hacer y de qué cosas hay que apartarse, el fin de ella comprenderá los de las demás ciencias, de modo que constituirá el bien del hombre; pues aunque el bien del individuo y el de la ciudad sean el mismo, es evidente que será mucho más grande y más perfecto alcanzar y preservar el de la ciudad, porque, ciertamente, ya es apetecible procurarlo para uno solo, pero es más hermoso y divino para un pueblo y para ciudades *(EN* I 2: 1094 a 18-b 10).

La política es, pues, la ciencia, facultad o saber directivo, y lo es porque en ella la deliberación puede llegar a su plenitud, de modo que se logre la máxima prudencia, que es la virtud fundamental del gobernante. Esto explica que la prudencia por antonomasia fuera para Aristóteles, lo mismo que para toda la tradición anterior a las revoluciones liberales, la prudencia política.

Vemos que toda ciudad es una comunidad y que toda comunidad está constituida en vista de algún bien, porque los hombres siempre actúan mirando a lo que les parece bueno; y si todos tienden a algún bien, es evidente que más que ninguna, y al bien más principal, la principal entre todas y que comprende todas las demás, a saber, la llamada ciudad y comunidad civil *(Pol* I 1: 1252 a 1-7).

El hecho de que la deliberación deba ser colectiva y ciudadana no quiere decir que todos los miembros de la ciudad tengan que participar en la deliberación. En la *Política,* Aristóteles recuerda la idea de Platón de que en la *pólis* la multitud de sus habitantes está dividida en dos partes: «la de los campesinos y la de los defensores, y extrae de estos últimos una tercera, la consultiva *(bouleúomenon)* y que rige la ciudad» *(Pol* II 6: 1264 b 31-34). Solo estos últimos son los deliberadores, al menos en los regímenes aristocráticos, aquellos que Aristóteles propugna. Tal ha sido la opinión clásica hasta el siglo XVII. Esto permite a Aristóteles distinguir entre el «hombre bueno» y el «buen ciudadano». Todos los que viven en una ciudad tienen que ser buenos ciudadanos, pero no todos ellos serán hombres buenos (para los antiguos, los artesanos tenían casi imposible el ser buenos). Por tanto, estos tendrán que ser buenos ciudadanos sin ser hombres buenos. Lo cual solo se conseguirá mediante la obediencia, de modo que la deliberación será propia de los que mandan en la ciudad, y la obediencia propia de quienes deben obedecer.

Es imposible que la ciudad se componga exclusivamente de hombres buenos, pero cada uno debe cumplir bien su función, y esto requiere virtud; por otra parte, como es imposible que todos los ciudadanos sean iguales, no será una misma la virtud del ciudadano *(areté polítou)* y la del hombre bueno *(andròs agathoû).*

En efecto, la virtud del buen ciudadano han de tenerla todos (pues así la ciudad será necesariamente la mejor), pero es imposible que tengan la del hombre bueno *(Pol* III 4:1276 b 37-1277 a 5).

Donde deben coincidir ambas condiciones es en el gobernante: «El gobernante recto debe ser bueno y prudente y el político tiene que ser prudente» *(Pol* III 4:1277 a 13-16).

La deliberación no es virtud exclusiva del gobernante, sino de todos aquellos que forman parte de «asambleas» y «magistraturas». Estos son los cuerpos deliberativos de que debe constar una ciudad, y los únicos con poder deliberativo en los regímenes aristocráticos.

Es claro que el gobernante tiene que ser legislador y que ha de haber leyes, pero no que se apliquen en los casos que caen fuera de su alcance [es decir, fuera del alcance del gobernante], ya que deben decidir todos los demás. En cuanto a las cuestiones que la ley no puede decidir en absoluto o no puede decidir bien, ¿deben estar al arbitrio del mejor o de todos? En la actualidad todos reunidos juzgan, deliberan y deciden, y estas decisiones se refieren todas a casos concretos. Sin duda cada uno de ellos, tomado individualmente, es inferior al mejor, pero la ciudad se compone de muchos, y por la misma razón que un banquete al que muchos contribuyen es mejor que el de uno solo, también juzga mejor una multitud que un individuo cualquiera *(Pol* III 15: 1286 a 21-31).

La deliberación colectiva o común es preferible a la individual, porque la perfección no se logra más que en comunidad. Pero como no todo el mundo es capaz de deliberación, esta ha de quedar restringida a los órganos deliberativos de la ciudad, las asambleas y las magistraturas. En una descripción muy detallada de los roles de la ciudad, puntualiza Aristóteles:

Una séptima clase es la de los que sirven a la ciudad con su patrimonio, la que llamamos los ricos; la octava es la que sirve en los servicios públicos *(demiourgikón)* y las magistraturas *(arjas leitourgías),* puesto que sin magistrados *(arjónton)* no puede existir la ciudad. Tiene que haber, por tanto, algunos ciudadanos capaces de ejercer las magistraturas y desempeñar los servicios públicos, de un modo permanente o por turno. Quedan las clases que acabamos de definir: la deliberativa y la que juzga en caso de litigio. Si la ciudad, pues, tiene que contar con todos estos elementos y todos han de desempeñar sus funciones bien y *justamente,* tendrá que haber algunos ciudadanos que participen de la virtud de los políticos *(Pol* VI (IV) 4: 1291 a 33-b 2).

Del estamento deliberador de la ciudad se ocupa Aristóteles en el capítulo 14 del libro VI (IV) de la *Política*. En él distingue el poder deliberativo de las magistraturas de la administración de justicia. De estos dos, el poder deliberativo es «el supremo de la ciudad» *(Pol* VIII (VI) 1: 1316 b 32). Los miembros de estos dos cuerpos son los ciudadanos por antonomasia: «Llamamos, en efecto, ciudadano al que tiene derecho a participar en la función deliberativa o judicial de la ciudad» *(Pol* III 2: 1275 b 17-20). «El elemento deliberativo tiene autoridad sobre la guerra y la paz, las alianzas y su disolución, la pena de muerte, de destierro y de confiscación, el nombramiento de las magistraturas y la rendición de cuentas» *(Pol* VI(IV) 14: 1298 a 4-6). En las democracias, a diferencia de las oligarquías aristocráticas, todos los ciudadanos poseen capacidad deliberativa, que hacen valer en las asambleas. Ni que decir tiene que no todo miembro de la ciudad gozaba de la condición de ciudadano.

La idea de que solo pueden deliberar los mejores y que los demás deben obedecer, es inherente al concepto griego de deliberación. Eso es lo que explica que el término *boúleusis* se tradujera al latín por *consilium,* y que *deliberatio* fuera un término técnico, utilizado solo en contextos filosóficos. El verbo griego *bouleúo* significa analizar intelectualmente una cuestión antes de decidir. De él deriva el sustantivo propio *Boulé,* Consejo de ancianos o Senado. Y de este procede el sustantivo abstracto *boúleusis. Consulo* es el verbo latino que se corresponde con el griego *bouleúo:* significa considerar, reflexionar o deliberar. De él deriva el sustantivo *Consul,* la más elevada magistratura del Estado romano en la época de la república. Los cónsules eran dos, y tomaban decisiones mancomunadas. El acto de reunirse para deliberar se llamaba *consilium* o *concilium.* Sus decisiones se conocían con el nombre de *consulta* o *consilia.* Con Cicerón, la cuestión se complicó, sin duda porque el término *consilium* había pasado ya de significar el proceso deliberativo a designar la decisión tomada. De nuevo la interpretación estoica había triunfado sobre la aristotélica. De ahí que para nombrar el proceso de análisis, Cicerón introdujera en el idioma latino el neologismo *deliberatio,* con un sentido similar al aristotélico. Pero su uso fue muy restrictivo a lo largo de la Edad Media.

No todos los cuerpos políticos son órganos deliberativos, como ya hemos visto al final del epígrafe anterior. En los regímenes monárquicos clásicos, la deliberación era individual, del monarca o de este y sus *consejeros,* es decir, sus *deliberadores.* En el oligárquico, era patrimonio del pequeño grupo que gobernaba, y en el democrático, de todos los ciudadanos. Aristóteles, igual que Platón, considera que el régimen mejor es el aristocrático, aquel en que gobiernan los mejores. «El nombre de aristocracia puede aplicarse legítimamente al régimen que hemos estudiado en los primeros libros» *(Pol* VI(IV) 7: 1293 b 1-3). Pero si tal régimen no es posible o no funciona, si no gobiernan los mejores, entonces la democracia es el régimen mejor. Y ello por pura lógica, habida cuenta de que la *pólis* es la unidad perfecta, tanto en el orden lógico como en el ético.

> Que la masa debe ejercer la soberanía más bien que los que son mejores, pero pocos, podría parecer plausible y, aunque no exenta de dificultad, encerrar tal vez algo de verdad. En efecto, los más, cada uno de los cuales es un hombre incualificado, pueden ser, sin embargo, reunidos, mejores que aquellos, no individualmente, sino en conjunto. […] Como son muchos, cada uno tiene una parte de la virtud y de prudencia, y, reunidos, viene a ser la multitud como un solo hombre con muchos pies, muchas manos y muchos sentidos, y lo mismo ocurre con los caracteres y la inteligencia *(Pol* III 11: 1281 a 40-b 7).

El término que en el párrafo anterior se ha traducido por «masa» es *plêthos,* que significa multitud en número, o masa en volumen. La traducción por «masa» es interesante, sobre todo porque proviene de Maria Araujo, una discípula de Ortega y Gasset. Este tema, en efecto, le preocupó mucho a Ortega, y es el argumento de su libro *La rebelión de las masas,* uno de sus textos peor comprendidos. La tesis que defiende Ortega en ese libro es que tradicionalmente se había considerado que quienes debían gobernar eran «los mejores», no la masa. Pero con las revoluciones liberales, la masa, por más que no ha dejado de serlo, tras rebelarse se ha hecho con el gobierno. Eso es lo que él llama «la rebelión de las masas». Lejos de universalizarse la aristocracia, se ha generalizado la masificación. Esto es lo que llevó a Ortega a intervenir en política, primero con la Liga para la Educación Política (1915), y luego con la Agrupación al servicio de la República (1931). Su objetivo no era otro que moralizar la democracia a través de la educación del pueblo. En ambas ocasiones fracasó. Pero sigue siendo verdad que el problema de nuestras democracias es la falta de *ciudadanos* autónomos y responsables, en lugar de *súbditos* heterónomos. Esto quiere decir que la deliberación no se ha extendido al conjunto de la sociedad. O mejor aún, que el sentido de la deliberación que ha imperado hasta las revoluciones liberales, y que quizá sigue imperando, es el *heterónomo,* propio de la tradición estoica, y no el *autónomo,* el más propio de la tradición aristotélica. En la vida moral todos comenzamos siendo heterónomos, obedeciendo a las distintas instancias normativas, empezando por la paterna, pero la madurez moral se consigue con el logro de la autonomía. Pues bien, el modelo estoico es el más propio de la tradición heterónoma, y el aristotélico de la autónoma. El problema es que en nuestra sociedad, por más que se considere liberal y autónoma, sigue imperando la idea de que correcto es aquello que se ajusta a la ley, y que el buen ciudadano es el obediente. Todo, los usos, las costumbres, las normas, los medios de comunicación, la propia educación, van en el sentido de formar personas heterónomas, regidas por lo que Heidegger llamaba «las habladurías», que pertenecen siempre al reino de lo impersonal, *das Man,* lo que *se* dice o *uno* dice. Al preguntar ¿pero quién lo dice?, la respuesta no puede ser otra que *nadie* en concreto.

Con esto tenemos definido lo que es la deliberación desde el punto de vista lógico, en tanto que método propio del razonamiento dialéctico, así como su historia en la cultura y la filosofía occidentales. Con lo cual llegamos a una conclusión realmente paradójica: es obvio que la ética, para ser tal, tiene que estar presidida por la idea de deber, de hacer lo que se debe, lo que cada uno debe hacer en cada momento, evitando el impersonal «se». Ahora podemos añadir que eso exige autonomía y deliberación. El actuar por deber es raro, muy infrecuente en la conducta de los seres humanos, lo mismo que el gobernar la vida de modo realmente autónomo, no heterónomo. Para Kant, en esto consiste el «mal radical». Hannah Arendt denominó «banalidad del mal» al actuar por criterios heterónomos o distintos del puro deber. Pues bien, ahora podemos añadir que no solo son raras en la especie humana la autonomía y la actuación por el móvil del deber, sino que también lo es la deliberación. La deliberación es lo que diferencia a la persona autónoma del «hombre masa» de que habla Ortega. Es lo que caracteriza al *inner directed man* de Riesman frente al *other directed man.* Una rareza. Pero que constituye el objetivo directo de la ética, y a eso es a lo que tenemos que dedicarnos los que nos ocupamos de ella.

1.3. La deliberación moral

La deliberación no es solo el método de la ética, según Aristóteles, sino el propio de toda la racionalidad práctica. Siempre que se trate de tomar decisiones, tanto técnicas como éticas, resulta necesario acudir a la deliberación.

Generalmente se ha considerado que la deliberación técnica y la deliberación ética son distintas, y que una no tiene nada que ver con la otra. Esta, la ética, trata de la actividad humana, de las decisiones que uno toma en su interior, en tanto que la otra trata de las acciones externas, es decir, de las producciones, de los productos, de lo que se hace. Así establecida la distinción entre *prâxis* y *poíesis,* entre *agere* y *facere,* ha sido usual concluir que la deliberación ética tiene en cualquier caso prioridad sobre la técnica, dado que la producción es un tipo de actividad humana, en tanto que hay muchas actividades internas que no acaban en producción.

Pienso que ese modo de plantear el tema no es, al menos hoy, correcto. Y ello porque el campo de lo que Aristóteles denominaba *poíesis,* es el propio de lo que hoy conocemos como tecnociencia. La razón está en que lo *producido* o *construido* cubre hoy todo el ámbito de los llamados *hechos*. No es posible llevar a cabo una evaluación moral de algo sin partir de los hechos. Y los hechos son productos de nuestra actividad en el mundo, muy especialmente de los datos que nos aportan la ciencia y la técnica. La deliberación moral tiene que partir del análisis de esos hechos. Lo cual significa que en vez de ser ulterior a la deliberación moral, hay que considerarla más bien como previa.

Hay un segundo momento, que es la deliberación sobre los valores. Esto no se halla diferenciado de modo explícito en el modelo aristotélico, dado que sitúa el análisis de los valores al comienzo de la ética, como un prerrequisito de la deliberación moral. En cualquier caso, es distinto y debe vérsele como momento autónomo. El identificar excesivamente los valores con la ética es lo que ha llevado insensiblemente al modelo estoico de deliberación, aquel que antes hemos criticado.

Finalmente, está la deliberación propiamente moral. Esta se monta siempre y necesariamente sobre los hechos y sobre los valores. Es un error pensar que la deliberación moral depende solo de sí misma. Es un error en el que se cae continuamente en los análisis de problemas morales en los medios de comunicación. Se hacen juicios morales sin un buen análisis de los hechos del caso y de los valores implicados. Es algo que no puede conducir más que a decisiones incorrectas e imprudentes.

- Primer paso, la deliberación sobre los *hechos.*
  Por hechos entendemos aquí no solo lo que Bergson llamaría «los datos inmediatos de la conciencia», lo que vemos u oímos, sino también los hechos científicos, que nunca son de evidencia inmediata. Esto es de enorme importancia, ya que sobre los hechos inmediatos podemos formular proposiciones *ciertas* (por ejemplo, «está lloviendo»), pero no sobre los hechos científicos. La ciencia se expresa en formulaciones universales, y estas parten siempre de una base empírica particular. Lo cual significa que tales proposiciones no son nunca ciertas sino solo probables o falsables. Esto es lo que hace que las proposiciones científicas hayan de someterse continuamente a revisión. No hay proposiciones científicas de carácter absoluto. De ahí la necesidad de deliberar sobre los hechos, a fin de tener un conocimiento de ellos lo más razonable posible. Téngase en cuenta, además, que los hechos están siempre mediados por múltiples factores, educacionales, históricos, culturales, personales, etc., de modo que nunca podemos agotarlos, y que cada ser humano es un punto de vista sobre cada uno de los hechos. Eso es lo que le hizo decir a Ortega que «cada ser humano es un punto de vista esencial sobre el universo». Tal es el origen de la hermenéutica. Pero si esto es así, entonces es necesario deliberar sobre los hechos, individualmente, y colectivamente.

La medicina es un buen ejemplo de esto. El médico tiene que deliberar consigo mismo sobre los hechos clínicos de cada caso, o del paciente que tiene ante sí. Y cuando la cosa se le complica, debe ampliar la deliberación y hacerla colectiva. Tanto en uno como en otro caso, el objetivo final de la deliberación sobre los hechos es siempre el mismo: la respuesta a las preguntas «¿qué pasa o qué está sucediendo?» (diagnóstico), «¿cómo va a evolucionar este problema de aquí en adelante?» (pronóstico) y «¿qué podemos hacer para revertir la situación?» (tratamiento). Los juicios de hecho son siempre y por necesidad dialécticos, no apodícticos (estos son solo los analíticos o tautológicos), y por tanto en ellos la deliberación es imprescindible. La deliberación sobre los hechos, reduciendo la incertidumbre sobre ellos a límites razonables o prudentes, es el primer paso de todo proceso del razonamiento moral.

- Segundo paso, la deliberación sobre *valores.*
El segundo nivel de la deliberación es el de los valores. Los valores se hallan soportados por los hechos. Valorar es un momento indispensable de todo proyecto humano. Y sobre ellos es preciso deliberar. Esto, por más que parezca extraño, es toda una novedad. Los valores se han manejado a lo largo de la cultura occidental de dos modos, a cuál más incorrecto. El primero es el clásico, para el que los valores eran realidades objetivas, como ideas platónicas, evidentes por sí mismas y que solo la mala educación o la locura pueden distorsionar. En cualquiera de los dos casos, al individuo debía exigírsele que asumiera los valores que por ser objetivos debían regir la vida de los seres humanos. Por tanto, ante los valores hay que tener una actitud *beligerante* e *impositiva,* incluso a través de la fuerza. Ni que decir tiene que de este modo de entender los valores está excluido todo pluralismo. Es lo que cabe llamar el monismo axiológico, una constante en la historia occidental hasta las revoluciones liberales modernas. Entonces se impuso la tesis contraria, la del pluralismo, habida cuenta de que los valores son completamente subjetivos e irracionales, y que por tanto sobre ellos no cabe discutir sino solo *tolerar* y *respetar.* De la beligerancia, pues, se pasó a la tolerancia. Mi opinión es que ninguna de esas posturas es correcta. Los valores no se deben imponer, pero tampoco tolerar; sobre ellos hay que deliberar, y esa deliberación tiene que ser tanto individual como colectiva. La razón de ello es que tenemos la obligación, no de que sean racionales, pero sí, al menos, de que sean razonables y prudentes. Y ya sabemos que el modo de buscar racionalidad y prudencia en nuestras decisiones es a través de la deliberación. Actualmente está de moda la deliberación colectiva para el establecimiento de normas públicas o aplicables a todos. Así lo expresa Rawls, y tal es también la propuesta de Ha-

bermas. Se delibera colectivamente para pactar normas públicas. Lo demás queda a la gestión privada de las personas, que tanto Rawls como Habermas parecen entender de acuerdo con el segundo de los modelos descritos, el subjetivista, en el que cualquier ejercicio de racionalidad parece imposible. En estos últimos años tanto Rawls como Habermas se han interesado por el valor religioso, siempre antes mantenido al margen, habida cuenta de que deben gestionarlo las personas privadamente, de acuerdo con su proyecto de vida. No parece que se hayan apeado de esa tesis, pero sí han caído en la cuenta de que para que las creencias religiosas no estropeen su proyecto de consenso interpersonal de normas, es necesario que quienes detentan valores religiosos abandonen el fanatismo y la intolerancia, y que por tanto deliberen sobre la propia religiosidad. Sin embargo, leyendo a los citados autores, parece que el tema solo les interesa en tanto afecta a su teoría de consenso universal o colectivo de normas, y no porque la deliberación deba afectar a todos los valores, no solo a los implicados en la elaboración de normas colectivas. Por otra parte, los valores entran en conflicto, razón por la cual para resolver los conflictos también es necesario deliberar sobre valores. Pero esto último nos abre al tercer y último nivel, la deliberación sobre deberes.

- Tercer paso, la deliberación sobre los *deberes*.

Las proposiciones sobre deberes son siempre de «futuro contingente». Esto significa que son por necesidad decisiones sobre lo que se hará en el futuro, aunque ese futuro sea inmediato, y que por tanto están afectadas por la contingencia del momento, es decir, por las circunstancias y por las consecuencias previsibles. Esto es lo que hace imprescindible en ellas la deliberación, que tendrá por objeto añadir, a la deliberación sobre los hechos y sobre los valores, el análisis de las circunstancias en que vaya a tomarse la decisión y la previsión de las consecuencias relevantes. Solo podrían ser proposiciones absolutas, y por tanto necesarias y sin excepciones, si fuéramos capaces de formular principios morales *a priori* de carácter absoluto. Ahora bien, estos principios:

○ En caso de que se formulen proposiciones analíticas, serían puramente tautológicas. Estas son muy frecuentes en ética. Así, el principio *bonum est faciendum et malum vitandum* es una pura tautología, ya que en la definición de bien va incluido el predicado. Lo mismo sucede cuando formulamos proposiciones del tipo «la violación es siempre mala», porque en el término violación se incluye el abuso del cuerpo de una persona en contra de su voluntad. Todas las proposiciones llamadas de ley natural suelen ser de este tipo. El propio Tomás de Aquino es consciente de ello: *quaelibet propositio dicitur per se nota, cuius praedicatum est de ratione subjecti (S. Th. 1-2, q.94, a.2).*

○ Si, por el contrario, fueran proposiciones sintéticas de carácter empírico, tendrían que derivar de la experiencia. Pero las proposiciones de experiencia no pueden ser a la vez universales y ciertas. Para poderlas formular de modo universal tenemos que partir de una experiencia que es siempre limitada, y por tanto la formulación universal tiene un defecto de base empírica que las hace necesariamente probables pero no ciertas. Por tanto, no hay proposiciones empíricas de contenido moral que puedan afirmarse como universales y ciertas. Kant dijo que el imperativo categórico era una proposición sintética *a priori,* precisamente para evitar el carácter tautológico de las proposiciones analíticas. Pero para dotarle de universalidad se vio obligado a privarle de carácter deontológico y darle el estatuto de proposición meramente formal y canónica. Y de todos modos la corrección del procedimiento kantiano pende de la de su propia teoría de los juicios sintéticos *a priori.*

La deliberación moral exige pasar por estos tres niveles. No cabe reducirla al tercero. De ahí su dificultad. Basta asomarse a las tertulias de la radio o de la televisión para ver cómo se hacen afirmaciones morales sin un análisis adecuado de los hechos y de los valores que están en la base del problema. Así no puede hacerse una verdadera deliberación moral, ni por tanto llegarse a conclusiones razonables, responsables o prudentes.

Es recomendable seguir, dentro de cada uno de esos tres niveles, también un cierto orden de análisis. Eso ha dado lugar a un procedimiento concreto de análisis de conflictos éticos y toma de decisiones, que en síntesis es el reflejado en la tabla 6.1.

1.4. Dificultades de la deliberación

Por más que la deliberación sea una característica inherente a la especie humana y el objetivo último de esa cualidad o nota que llamamos inteligencia, hemos visto que deliberar bien es muy difícil, ya que se trata de un tipo de razonamiento basado en la probabilidad o plausibilidad, y que en ese campo los juicios son tanto más prudentes cuanto resultan más compartidos o debatidos; mejor, más deliberados. Ahora bien, esto último es muy difícil de hacer. De ahí que la deliberación estricta necesite de ciertas condiciones previas, sin las cuales no puede llevarse a cabo.

Los antiguos tuvieron claro que esto de la deliberación es tarea difícil, que necesita de cualidades poco frecuentes. Para ellos, la deliberación moral y po-

Tabla 6.1 El procedimiento deliberativo

I. Deliberación sobre los *hechos*.
1. Presentación del caso.
2. Deliberación sobre los hechos del caso:
    a. ¿Qué pasa? (Diagnóstico).
    b. ¿Cómo va a evolucionar? (Pronóstico).
    c. ¿Qué puede hacerse? (Tratamiento.)

II. Deliberación sobre los *valores*.
3. Identificación de los problemas morales del caso.
4. Elección del problema moral a discutir.
5. Explicitación de los valores en conflicto en ese problema.

III. Deliberación sobre los *deberes*.
6. Identificación de los cursos extremos de acción.
7. Búsqueda de cursos intermedios.
8. Elección del curso óptimo.

IV. Pruebas de *consistencia* de la decisión.
9. Prueba de la legalidad.
10. Prueba de la publicidad.
11. Prueba del tiempo.

V. Toma de decisión *definitiva*.

lítica, es decir, la deliberación estricta, era privativa de quienes habían recibido una educación previa. Tal educación no era la propia de las «artes serviles» sino la de las «artes liberales» *(Pol* V(VIII) 2: 1337 b-1338 a). La razón la da Aristóteles en la *Política*:

> Resulta evidente que en la ciudad mejor gobernada y que posee hombres justos en absoluto y no según los supuestos del régimen, los ciudadanos no deben llevar una vida de obrero ni mercader (porque tal género de vida carece de nobleza y es contrario a la virtud) ni tampoco deben ser labradores los que han de ser ciudadanos (porque tanto para que se origine la virtud como para las actividades políticas es indispensable el ocio) *(Pol* IV (VII) 9: 1328 b 37– 1329 a 2; cf. 1337 b).

Está claro, pues, que se requiere una educación especial. «El gobernante recto debe ser bueno y prudente y el político tiene que ser prudente. Incluso la educación del gobernante dicen algunos que debe ser distinta» *(Pol* III 4: 1277 a 13-17). Esto es lo que dio lugar al género literario *de regimine principum*.

¿Cómo debe ser esta educación? Aristóteles dice que «los hombres resultan buenos y cabales por tres cosas, que son: la naturaleza, el hábito y la razón *(phýsis éthos lógos)» (Pol* IV (VII) 13: 1332 a 39-40), o que su buena condición moral «requiere naturaleza, hábito y razón *(phýseos kaì éthous kaì lógou)» (Pol* IV (VII) 15: 1334 b 6-7). Lo primero que se necesita es una buena naturaleza: «En primer lugar, en efecto, es preciso nacer como hombre y no como uno cualquiera de los animales, y además con cierta cualidad de cuerpo y alma» *(Pol* IV (VII) 13: 1332 a 40-42). Por naturaleza no tiende Aristóteles solo la constitución física, sino también ciertas condiciones del medio. Pertenece a la naturaleza, en efecto, el medio en el que uno nace y vive, el medio ambiente, el tipo de ciudad, si es muy populosa, etc. Aquí Aristóteles integra la tradición hipocrática *De aires, aguas y lugares,* que parece conocer. La naturaleza integra también las condiciones geográficas, y no solo la geografía física sino también la llamada geografía humana. No es bueno vivir en climas extremos, muy fríos y muy calientes. «La raza griega, así como ocupa localmente una posición intermedia, participa de las características de ambos grupos y es a la vez briosa e inteligente; por eso no solo vive libre, sino que es la que mejor se gobierna y la más capacitada para gobernar a todos los demás si alcanza la unidad política» *(Pol* IV (VII) 7: 1327 b 29-34). La naturaleza comprende también las condiciones que hoy llamaríamos sociales.

Esa naturaleza viene dada por el nacimiento. Pero el hábito y la razón dependen de la educación, y por tanto constituyen lo que tradicionalmente se ha denominado «naturaleza segunda». Aristóteles entiende por hábito el control de las partes irracionales del psiquismo, la concupiscible y la irascible, y por razón la propia de la parte superior, intelectiva o racional (cf. *Pol* IV (VII) 15: 1334 b). El hábito tiene que ver con las llamadas «virtudes éticas o morales», y la razón con las «virtudes dianoéticas o intelectuales».

Todo eso es lo que Aristóteles considera necesario para llevar a cabo una buena deliberación: buena naturaleza, buenos hábitos y buena inteligencia. Hoy las cosas son, sin duda, muy distintas, pero el problema sigue siendo el mismo que en tiempos de Aristóteles: qué condiciones se necesitan para deliberar bien.

Algunas de esas condiciones tienen que ver con la naturaleza. Hay personalidades tan rígidas que en ellas la deliberación resulta prácticamente imposible. Cuando esta rigidez es patológica, constituye un capítulo de los que en psiquiatría se llaman «trastornos de la personalidad» o «personalidades anormales». Una de ellas es la «personalidad fanática». Esto también lo conoció Aristóteles, que lo llama *akolasía* o «perversión», a diferencia de la *akráteia* o «intemperancia». Para él la perversión es una alteración de la «naturaleza primera», en tanto que la licenciosidad lo es de la «naturaleza segunda». De esto se ocupa en el libro séptimo de la *Ética a Nicómaco*.

Una de estas personalidades anormales o desviadas es la que se denomina «personalidad fanática». El fanatismo es incompatible con la deliberación, tanto en el orden religioso, como en el moral, el político, etc. Esto es importante tenerlo en cuenta, porque el fanatismo ha sido y es muy frecuente en ética. Es lo que Max Weber llamó *Gesinnungsethik*, el modo de hacer ética más frecuente en la historia occidental, como ya vimos. Cabe preguntarse si muchos de los más celebrados tratadistas de ética no han caído en este defecto.

Pero para deliberar se necesitan ciertas cualidades que no tienen que ver con la naturaleza sino con la educación. De hecho, nuestros sistemas educativos no forman en la deliberación sino en lo contrario: en la imposición del propio punto de vista; educan para triunfar, para sobresalir, etc. Una de las grandes tragedias de nuestra pedagogía es que no forma en la deliberación.

Las resistencias a la deliberación no son solo conscientes sino también inconscientes. Estas son muy importantes, porque al no darnos cuenta de ellas, las controlamos muy difícilmente. Aquí el gran desmitificador fue Freud. El narcisismo nos lleva a sobrevalorar siempre nuestro propio punto de vista. La consecuencia es que creemos que nuestras ideas son las mejores, y que nuestras creencias y valores también lo son. Esa creencia no es racional, y por tanto no se debe a que tengamos buenos argumentos a favor de ellas, sino a que son nuestras. Por otra parte, cuando alguien remueve nuestras creencias, tendemos a ponernos nerviosos. Esto lo estudió muy bien Ortega en *Ideas y creencias*. El resultado es que por principio anulamos al otro, infravaloramos su punto de vista, no le concedemos, como dice Habermas, «competencia comunicativa», y por tanto no le «escuchamos». Somos sordos para todos los que digan cosas distintas o contrarias a las nuestras. Y precisamente con estos es con quienes debemos deliberar. Los que piensan exactamente igual que nosotros no nos serán de ayuda en la búsqueda de las decisiones más prudentes.

El narcisismo descontrolado anula la capacidad deliberativa, o al menos la hace difícil. Quien se cree en el punto de vista de Dios, y por tanto piensa que el suyo es *el* punto de vista, el único y definitivo, quien piensa que todos sus argumentos son apodícticos, ese carece de competencia deliberativa. Para deliberar hay que conocerse un poco mejor a sí mismo, hay que saber controlar el propio inconsciente y aminorar el narcisismo. Uno tiene que saber que no es dios sino un pobre hombre, intrínsecamente falible y necesitado de la ayuda de los demás. No puede deliberar quien carezca de una buena dosis de *humildad intelectual*.

Pero hay más. Superado el narcisismo primitivo, aparecen nuevos obstáculos, que también diagnosticó Freud con enorme agudeza. Se trata de que todos comenzamos siendo moralmente heterónomos. El niño introyecta las pautas de conducta de las figuras de autoridad, la madre, el padre, el maestro, la sociedad, la ley, la religión, los usos, las costumbres, etc. Así aprende a juzgar las cosas como buenas o malas. No hay nadie que inicie su vida moral de modo autónomo. La autonomía moral es un logro, y un logro muy difícil; tan difícil, que es un logro de pocas personas, y en estas en pocos momentos de sus vidas.

Todas esas pautas heterónomas que el niño y el joven reciben, van constituyendo lo que Freud llamó el «Super-yo», que siempre tiene función represiva de los impulsos del Ello. Él es el origen, para Freud, del «sentimiento de culpabilidad». Freud sintetiza todas las figuras normativas en la del padre, que sería la principal fuerza configuradora del Super-yo. Y precisamente porque el Super-yo tiene una función represiva, el joven desarrolla una actitud ambivalente ante la figura del padre, a la vez de amor y de odio. Este es el complejo de Edipo. Visto desde la ética, el complejo de Edipo es el momento de ruptura del joven con las normas procedentes de la moral heterónoma, en busca de una ética autónoma. Esto le obliga a romper amarras respecto de las figuras normativas a las que tanto ha querido y a quienes ha imitado. Hay que matar al padre para lograr la autonomía. Algo muy difícil. Tanto, que la mayor parte de las personas nunca la alcanzan. Y en pura heteronomía, vivencian las normas morales como puramente represivas, lo que les lleva a transgredirlas, pero al mismo tiempo a sentirse culpables por la propia transgresión. El resultado de esto es la llamada «neurosis de culpa», consecuencia de la moralidad heterónoma.

¿Se acaban los problemas una vez controlado el narcisismo y superado el complejo de Edipo? No. Y de nuevo fue Freud el que se dio cuenta de esto. La argumentación dialéctica, como ya sabemos, se hace siempre en condiciones de incertidumbre. Ahora bien, la incertidumbre mal manejada, genera en los seres humanos angustia, de nuevo un sentimiento inconsciente. Freud nos enseñó que la angustia dispara, también inconscientemente, los llamados «mecanismos de defensa del yo» (negación, agresión, racionalización, alejamiento, etc.). Esto permite entender que a los seres humanos no nos gusten los argumentos dialécticos sino los apodícticos. Buscamos certezas, no incertidumbres. Pues bien, los mecanismos de defensa hacen difícil, cuando no imposible, la deliberación. Esto se lleva a cabo, repito, de modo inconsciente, razón por la cual nuestra capacidad de controlarlo es mínima. Los mecanismos de defensa son incompatibles con la deliberación. ¿Cómo superar esto? No hay más que un modo, y es aprendiendo a gestionar la incertidumbre sin angustia. Esto no se consigue más que con saber y, sobre todo, con experiencia. Si no sabemos conducir un coche o lo hemos conducido pocas veces, tendremos angustia y eso nos llevará a conducir mal. Solo conduciremos bien cuando la incertidumbre inherente a la conducción la sepamos gestionar sin angustia. Entonces deliberaremos mejor, y en consecuencia seremos más prudentes. Lo mismo que en la conducción, pasa en medicina, en judicatura, etc. Y por supuesto en ética.

En conclusión, para deliberar se requiere tener un narcisismo controlado, haber superado el complejo de Edipo y poseer un control adecuado de los mecanismos de defensa del yo. No puede deliberar quien no sea capaz de vivir la moralidad de modo autónomo y responsable. Es preciso borrar de la ética la palabra «culpa», de raíz por lo general tan heterónoma, y sustituirla por la de «responsabilidad», que exige como condición previa la autonomía.

¿Se necesita algo más para deliberar? Por supuesto que sí. No solo es preciso tener el inconsciente oxigenado y relativamente limpio, sino que además es preciso un entrenamiento consciente. Solo quien haya sometido a crítica sus propios valores y creencias, quien sepa las razones que tiene a su favor y las que no tiene; es decir, solo quien conozca la debilidad de sus propios argumentos, podrá deliberar con los demás. Esto requiere entrenamiento, ejercicio. Y aquí es donde resulta muy útil la filosofía. De igual modo que en psicopatología es preciso echar mano de la psiquiatría, y en las pulsiones inconscientes del psicoanálisis, aquí la gran terapéutica viene de la filosofía. Es el «conócete a ti mismo» socrático. Solo quien se someta a sí mismo continuamente a este ejercicio de análisis, podrá deliberar con fruto. Y esto resulta muy difícil. Aristóteles dice al comienzo de la *Ética a Nicómaco* que la filosofía no es saber o erudición sino un *bíos,* es decir, un modo de vida. El filósofo empeña su vida en la tarea de filosofar, y por tanto la filosofía afecta a toda su vida, a su vida entera. Pues bien, para deliberar hace falta este talante, este modo de enfocar la vida y los problemas.

Todo lo dicho puede resumirse diciendo que la deliberación es un *acto,* el de deliberar, que necesita como condiciones previas unos ciertos *hábitos* y algunas cualidades de *carácter*. Las cualidades de carácter son siempre muy difíciles de modificar, y en las personas adultas no puede hacerse más que a través de actos y hábitos. Los hábitos, a su vez, surgen de la repetición de actos. De tal manera que todo acaba dependiendo de los actos. A deliberar no se aprende más que deliberando. Hay que deliberar muchas veces, cientos de veces, para aprender a deliberar, es decir, para tener el «hábito deliberativo», y también para tener ese rasgo de carácter que cabe denominar «actitud deliberativa». Esto es lo que se consigue en las «sesiones de deliberación».

2. LA PRÁCTICA DE LA DELIBERACIÓN

¿Cómo poner lo anterior en práctica? En lo que sigue haremos un ensayo de aplicación, analizando de acuerdo con las categorías descritas en las páginas anteriores una de las piezas morales de todos los siglos, la *Antígona* de Sófocles. Empezaremos por la deliberación sobre los hechos, luego deliberaremos sobre los valores y finalmente sobre los deberes.

2.1. Deliberación sobre los *hechos*

Los grandes ciclos épicos de la literatura griega tienen todos su origen en la poesía arcaica. Uno es el ciclo troyano, que parte, obviamente, de los relatos de la *Ilíada* y la *Odisea,* y que en el caso de Sófocles se expresa en tres obras: *Ayante,* que transcurre en plena guerra troyana; *Filoctetes,* centrada en las hazañas del héroe que la pondrá término; y *Electra,* que narra los problemas familiares tras el retorno de la guerra. Otro ciclo épico es el de Heracles o Hércules, cuyo origen se encuentra en Homero, en Hesíodo, y sobre todo en el seudohesiódico *Escudo de Heracles,* y que Sófocles desarrolla en *Las tarquinias.* Y, en fin, está el ciclo tebano, que no parte de los poemas homéricos o de los hesiódicos, sino de tres poemas de los siglos VIII y VII, titulados *Edipodia, Tebaida* y *Epígonos.* Se discute si otro poema perdido, *Alcmeónida,* debe ser incluido o no en este ciclo. Todos ellos se han perdido, pero eran ampliamente conocidos por el pueblo griego. El argumento central de este ciclo tebano es Edipo, así como la posterior guerra entre tebanos y argivos. Esos tres poemas sirvieron de base a las piezas teatrales en torno a Edipo y Tebas. Entre ellas están las siguientes: *Los siete contra Tebas,* de Esquilo (que formaba parte de una tetralogía compuesta por *Layo, Edipo* y *La esfinge,* además de *Los siete contra Tebas,* la única que se conserva), *Edipo rey, Edipo en Colono* y *Antígona,* de Sófocles, y la trilogía *Enomao, Crisipo* y *Las fenicias,* de Eurípides, de las que también se han perdido las dos primeras. En el teatro de Sófocles, las tres piezas citadas se articulan entre sí, de modo que la primera cuenta la primera parte de la vida de Edipo y la segunda sus últimos días, en tanto que la tercera narra la historia de sus dos hijas y hermanas, Antígona e Ismene, tras la muerte de su padre y su regreso de Colono a Tebas.

El centro de todo el ciclo es la ciudad de Tebas, clásica rival de Atenas. Tebas no participó en la guerra de Troya. Se alió además con los invasores persas en la Segunda Guerra Médica, peleando en 479 a.C. contra los griegos en la batalla de Platea. En la Guerra del Peloponeso peleó juntó a Esparta para destruir Atenas. Pero temió luego el poder de su aliado vencedor y, junto a Corinto, Argos y Atenas, peleó contra Esparta en la Guerra de Corinto (395-386 a.C.). Este cambio de bando exasperó las relaciones con Esparta. Se desató la guerra entre ambas ciudades y el general Epaminondas se impuso a los espartanos dando a la ciudad de Tebas un breve período de supremacía en Grecia. Tebas se unió a Atenas para impedir el avance de Filipo de Macedonia, pero sin éxito. En 388 Grecia quedó bajo el poder macedónico. Muerto Filipo, los tebanos intentaron recuperar su independencia pero fueron aplastados por Alejandro Magno, quien los venció en 335 a.C., destruyó la ciudad y vendió a los sobrevivientes como esclavos. Casandro de Macedonia la reconstruyó en 315 a.C. Los romanos la volvieron a destruir en el siglo II a.C.

Tanto la proximidad de Tebas y Atenas como la rivalidad histórica entre ambas ciudades, permite entender que Tebas no fuera una ciudad muy querida en Atenas, y que en ella situaran perversiones, desgracias, males y tragedias sin cuento. Tebas era uno de los chivos expiatorios que necesitaban los atenienses para hacer *kátharsis* de sus propias desgracias y así purificar su conciencia. Aristóteles llamó la atención sobre la función catártica de la tragedia *(Poet* 6: 1449 b 27-28). Esa función no consistió solo, ni quizá principalmente, en la mera provocación de emociones que liberaban la tensión psíquica de los espectadores, como tantas veces se ha dicho, sino en la proyección en unos personajes distintos y ajenos a los atenienses de males que ellos sufrían en su vida ciudadana y que acarreaban terribles consecuencias a los protagonistas y a la ciudad toda. De ese modo, los dramas que tienen lugar en Tebas hacen de espejo de las conductas que los atenienses querían evitar. Eso explica que estos dramas tengan por lo general una finalidad moral, de reforma de costumbres. En el caso de *Antígona,* su objetivo es llamar la atención sobre los males de las posturas rígidas y extremas, y sobre la necesidad de tomar decisiones sensatas y prudentes. Pero no solo esta sino todas las tragedias tienen carácter moral. «La tragedia es imitación, no de personas, sino de una acción y de una vida, y la felicidad y la infelicidad están en la acción, y el fin es una acción, no una cualidad» *(Poet* 6: 1450 a 16-18). La acción, *praxis,* es el objetivo de la ética, cuya finalidad no es otra que la felicidad, *eudaimonía.* La tragedia tiene, pues, un objetivo claramente moral. Sobre todo en el caso de Sófocles. Aristóteles dice en un pasaje de su *Poética* que «Sófocles decía que él presentaba los hombres como deben ser» *(Poet* 25: 1460 b 34). Se trata, pues, de una *kátharsis* no solo psicológica sino sobre todo ética.

El ciclo tebano comienza con Layo, hijo de Lábdaco, el fundador de Tebas y padre de Edipo. Expulsado de Tebas, es recogido por Pélope, el rey de Pisa, que le encomienda la educación de su hijo Crisipo. Layo traiciona la confianza y generosidad de Pélope pervirtiendo al joven Crisipo, del cual se había enamorado. Durante los Juegos Nemeos, en los que la pareja competía en carreras de carros, Crisipo fue secuestrado por Layo cuando lo escoltaba. Como consecuencia del rapto y la violación, Crisipo murió, según una versión por suicidio, y según otra porque su madre lo mandó asesinar. Pélope, arrojó sobre Layo la maldición de Apolo, diciéndole «Layo, Layo, que jamás tengas un hijo, o si llegares a tenerle, sea el asesino de su padre». Toda Grecia conocía este suceso como «el crimen de Layo». Lo que relatan la piezas teatrales es, precisamente, el modo como acontece ese exterminio. En el *Crisipo* de Eurípides se relata la *hybris* de Layo, modelo de ingratitud, ya que traiciona a quienes le acogieron, raptando y violando a su hijo, a la vez que el Coro celebra la gravedad y eternidad de las leyes de la naturaleza.

Layo llega a ser rey de Tebas y toma como esposa a Yocasta. Durante años intentaron tener hijos, sin conseguirlo. Layo acudió al oráculo de Delfos pidiendo una solución. La respuesta del oráculo no le satisfizo: «Tu hijo matará a su padre y se acostará con su madre». Layo, prudente, guardó el secreto y no lo reveló a su mujer. Una noche, bajo los efectos de la bebida yació con su mujer y engendró a Edipo. Layo, queriendo evitar tal destino, ordenó a un súbdito que matara a Edipo al nacer. Apiadado de él, en vez de matarlo, el súbdito lo abandonó en el monte Citerón, colgándole de un árbol por los pies, los cuales perforó. Un pastor halló el bebé y lo entregó al rey Pólibo de Corinto. Peribea o Mérope, la esposa de Pólibo y reina de Corinto, se encargó de la crianza del bebé, llamándolo Edipo, que significa «de pies hinchados» por haber estado colgado.

Al llegar a la adolescencia, Edipo, por habladurías de sus compañeros de juegos que le insultan como bastardo y extranjero, sospecha que no es hijo de sus pretendidos padres. Para salir de dudas visita al Oráculo de Delfos, que le augura que matará a su padre y luego desposará a su madre. Edipo, creyendo que sus padres eran quienes lo habían criado, decidió no regresar nunca a Corinto para huir de su destino. Emprende un viaje y, en el camino hacia Tebas, encuentra a Layo en una encrucijada, discuten por la preferencia de paso y lo mata sin saber que era el rey de Tebas y su propio padre. Más tarde Edipo encuentra a la esfinge, un monstruo que daba muerte a todo aquel que no pudiera adivinar sus acertijos, atormentando al reino de Tebas. A la pregunta de «¿cuál es el ser vivo que camina a cuatro patas al alba, con dos al mediodía y con tres al atardecer?», Edipo respondió que es el hombre. La explicación consiste en esto: la mañana, la tarde y la noche traducen las etapas de la vida. El día o comienzo de la vida muestra al bebe gateando en cuatro pies o patas, la tarde o mitad de la vida es la adultez del ser humano caminando en dos pies y la noche o final de la vida muestra al anciano con un bastón o sea en tres pies. Había también otro acertijo: «Son dos hermanas, una de las cuales engendra a la otra y, a su vez, es engendrada por la primera». Edipo contestó: el día y la noche. Furiosa, la Esfinge se suicida lanzándose al vacío y Edipo es nombrado el salvador de Tebas. Como premio, Edipo es nombrado rey y se casa con la viuda de Layo, Yocasta, su verdadera madre. Tendrá con ella cuatro hijos: Polinices, Eteocles, Ismene y Antígona.

Al poco, una terrible plaga cae sobre la ciudad, ya que el asesino de Layo no ha pagado por su crimen y contamina con su presencia a toda la ciudad. Es el comienzo de la obra de Sófocles *Edipo rey*. El pueblo suplica a Edipo que ponga fin a la terrible epidemia que azota a la población. Edipo tratará de averiguar la causa de la crisis enviando a su cuñado y a la vez tío, Creonte, a Delfos para consultar al oráculo. Al volver de Delfos, Creonte transmite a Edipo y al pueblo de Tebas, la sentencia del oráculo: «el soberano Febo nos ordenó, claramente, arrojar de la región una mancilla que existe en esta tierra y no mantenerla para que llegue a ser irremediable» (95-97). Y como Edipo preguntara a Creonte cuál debía ser el castigo, este responde: «Con el destierro o liberando un antiguo asesinato con otro, puesto que esta sangre es la que está sacudiendo la ciudad» (100-101). Edipo tomó, entonces, la determinación de perseguir sin descanso al asesino y castigarlo muy duramente, sin saber que así, se estaba cavando su propia tumba. Por indicación de Creonte manda buscar al adivino Tiresias, gracias al cual descubre que en realidad es hijo de Yocasta y Layo y que es él mismo el asesino que anda buscando. Al saber Yocasta que Edipo era en realidad su hijo, se da muerte, colgándose en palacio. Horrorizado, Edipo se quita los ojos con los broches del vestido de Yocasta, en señal de la ceguera que siente por no haber visto la realidad antes. Suplica al Coro que le destierre del país o le maten, y pide a Creonte que se ocupe de sus hijas.

Del destierro y del final de Edipo se ocupa la otra pieza, *Edipo en Colono*. Edipo, ciego y desterrado, llega a esa ciudad del Ática guiado por Antígona. Los habitantes de Colono le piden que se marche, pero él, sabiendo que este era el lugar en el que había de morir según el oráculo, se niega a hacerlo. Se recurre a Teseo, rey de Atenas, quien asegura a Edipo su protección y le promete que será enterrado en suelo ático. De esta forma su espíritu protegerá Atenas. El rugir de los truenos advierte a Edipo que la hora de la muerte se está acercando. Se retira y un mensajero cuenta que tras bendecir a sus hijas, se ha apartado a un lugar solitario y que ha muerto solo. Antígona pide a Teseo el volver con su hermana Ismene a Tebas. «Envíanos a nosotras a la muy antigua Tebas, por si podemos impedir la muerte que avanza sobre nuestros hermanos» (1770-1772).

Aquí es preciso incrustar el argumento de *Los siete contra Tebas,* de Esquilo. Los hijos de Edipo, Eteocles y Polinices, acordaron turnarse anualmente en el trono tebano. Echado a suertes, tocó el primer año a Eteocles. Mientras tanto, Polinices se casó con la hija del rey de Argos. Al cumplirse el año y ver que su hermano no cedía el trono, Polinices, en unión de seis jefes argivos, capitaneó una expedición contra Tebas, que atacó la ciudad por las siete puertas de su muralla. Todos los caudillos argivos murieron, menos uno de ellos, Adrasto, el rey de Argos, que huyó a caballo. Polinices decidió atacar la puerta que defendía su hermano Eteocles. Polinices muere en el intento, no sin dejar herido de muerte a su hermano Eteocles. El ejército argivo huye. Como consecuencia de ello, el gobierno de la ciudad pasó a manos de Creonte, tío de ambos príncipes.

Aquí comienza la *Antígona* de Sófocles. Creonte, hermano de Yocasta, asume el gobierno de Tebas. Entierra a Eteocles con los honores debidos a un héroe, a la vez que prohíbe sepultar a Polinices, adicto a la causa de Argos y traidor a la ciudad de Tebas. Creonte está casado con Eurídice, de la que ha tenido dos hijos. Uno ha muerto en la guerra, y el otro, Hemón, es el novio de Antígona.

Antígona, hija de Edipo, cuenta a su hermana Ismene la prohibición de Creonte, y le pide ayuda para enterrar el cadáver de su hermano. Esta se niega por temor a las consecuencias de quebrantar la ley. Antígona reprocha a su hermana su actitud y lleva a cabo su plan ella sola. Los guardianes que vigilaban el cadáver de Polinices acaban identificándola como la persona que ha enterrado el cuerpo. Uno de los guardianes la lleva ante Creonte. Antígona se enfrenta con él, argumentando que las leyes humanas no pueden prevalecer sobre las divinas. Además se muestra orgullosa de su acto y no teme las consecuencias. Creonte la increpa por su acción, sospecha que su hermana Ismene también está implicada y, a pesar del parentesco que le une con ellas, se dispone a condenarlas a muerte.

Ismene, llamada a presencia de Creonte, a pesar de que no ha desobedecido la ley, desea compartir el destino con su hermana y se confiesa también culpable. Sin embargo, Antígona, resentida contra ella porque ha preferido respetar la ley promulgada por Creonte, no pretende que muera con ella. Finalmente, solo Antígona es condenada a muerte. Será encerrada viva en una tumba excavada en la roca.

Aparece en escena el hijo de Creonte, Hemón (en griego antiguo, *aímon*, «sangriento»), prometido de Antígona. Intenta persuadir a su padre de lo imprudente de su decisión. Creonte se niega a ello, pues desea librarse de un miembro de la familia tan potencialmente peligroso como Antígona.

Tras el intento fracasado de Hemón, aparece en escena el ciego Tiresias, que reconviene a Creonte por su falta de prudencia. El rey tebano acaba aceptando su consejo y revoca la sentencia de muerte a Antígona, pero ya es demasiado tarde, pues la joven se ha ahorcado para evitar ser enterrada viva. Cuando Hemón ve el cuerpo de su amada, se suicida clavándose una espada a los pies de su prometida. Desesperada por la muerte de su segundo hijo, Eurídice también se suicida. El coro finaliza exhortando a obrar con prudencia y respetar las leyes divinas.

2.2. Deliberación sobre los *valores*

Los hechos que acaban de ser descritos soportan unos valores que, al entrar en conflicto, conforman el núcleo dramático de la obra. De la lectura del texto de Sófocles parece desprenderse que el conflicto viene expresado, más que en el lenguaje de los *valores*, en el de las *leyes*, ya que contrapone una ley humana, la dictada por Creonte, a la ley divina.

El problema de la ley natural. Antígona le dice a Creonte, cuando este le pregunta por qué se atrevió a transgredir sus decretos:

> No fue Zeus el que los ha mandado publicar, ni la Justicia que vive con los dioses de abajo la que fijó tales leyes para los hombres. No pensaba que tus proclamas tuvieran tanto poder como para que un mortal pudiera transgredir las leyes no escritas e inquebrantables de los dioses. Estas no son de hoy ni de ayer, sino de siempre, y nadie sabe de dónde surgieron (449-456).

El tema del conflicto entre leyes se repite casi al final de la obra, cuando Creonte, tras revocar su decisión primera, exclama: «Temo [sospecho] que lo mejor sea cumplir las leyes establecidas por los dioses mientras dure la vida» (1113s).

La necesidad de respetar la «ley divina» es tema que se repite en las demás obras de Sófocles: *Ayax* (1130), *Edipo Rey* (865ss), etc. No hay duda que se está refiriendo a la «ley natural», presente en la cultura griega desde la época presocrática. De Heráclito conservamos este fragmento: «Es necesario que los que hablan con inteligencia confíen en lo común a todos, tal como un Estado en su ley, y con mucha mayor confianza aún; en efecto, todas las leyes se nutren de una sola, la divina» (D-K B 114). En parecidos términos se expresa Empédocles, según el testimonio conservado por Aristóteles en su *Retórica,* y que luego transcribiremos (D-K B 135). El problema está en determinar qué se entiende por ley natural en esa época del pensamiento griego, qué sentido hay que dar a tales palabras. Existe la tendencia a interpretar esa expresión con las categorías propias del pensamiento griego posterior, en particular el estoico y, aún más, el propio de las religiones de raíz judaica, que interpretaron siempre esa ley natural como la ley de Dios en tanto que expresada en su obra, la creación. Eso es, por ejemplo, lo que hizo Errandonea en su edición de Sófocles. Según esto, de ley natural serían, por ejemplo, todos los preceptos del decálogo de Moisés. *Praecepta decalogi sunt omnino indispensabilia (S Th* 1-2, q.100, a.8)*.* Ni que decir tiene que esto es absolutamente ajeno al pensamiento griego de la época de Sófocles y al mismo Sófocles.

La vida de Sófocles transcurre entre el 497/6 y el 406/5. Vivió, por tanto, en pleno siglo V. Veinte años después de su muerte nació Aristóteles (384-322), un hombre que pertenece de lleno al siglo IV. Aristóteles conoció bien la obra de Sófocles y sin duda la apreció en extremo. Y en su *Retórica* se ocupa, precisamente, de este asunto, el de la ley natural, haciendo referencia explícita a Sófocles. El texto dice así:

> Llamo ley, de una parte, la que es particular, y de otra, a la que es común. Es ley particular la que cada pueblo se ha señalado a sí mismo, y de estas unas son no

escritas y otras escritas. Común es la conforme a la naturaleza *(koinòn dè tòn katà phýsin)*. Pues existe algo que todos en cierto modo adivinamos, lo cual por naturaleza es justo e injusto en común *(phýsei koinòn díkaion kaì ádikon)*, aunque no haya ninguna mutua comunidad ni acuerdo, tal como aparece diciendo la Antígona de Sófocles que es justo, aunque esté prohibido, enterrar a Polinices por ser ello justo por naturaleza: «pues no ahora ni ayer, sino por siempre jamás / vive esto, y nadie sabe desde cuándo apareció». Y como dice Empédocles acerca de no matar cosa viviente, aunque ello es para unos justo y para otros injusto: «pero la ley que vale para todos, a través del / éter de vasto reino y del rayo inmensurable se extiende por doquier...». *(Ret* I 13: 1373 b 4-18).

Este texto de Aristóteles resulta clave para comprender lo que podía entenderse por ley natural en la época de Aristóteles, y lo que probablemente entendía Sófocles por tal. Se trata, sin duda, de la ley de la naturaleza, es decir, de lo que los escolásticos denominarían después, siguiendo en muy buena medida al propio Aristóteles, «primera naturaleza», el *eû zên* de que habla en la *Ética a Nicómaco (EN* I 4: 1095 a 19). Pero la ética no trata de ella, ni consiste tampoco en considerar sus leyes como absolutas en el orden moral, de tal modo que el ser humano haya de seguirlas siempre y sin excepción. Las leyes de la naturaleza, en Aristóteles, no son imperativos categóricos, en el sentido kantiano. Muy al contrario, la ética trata de la «segunda naturaleza», es decir, de lo que Aristóteles llama al comienzo de la *Ética a Nicómaco, eû práttein (EN* I 4: 1095 a 19). Y este buen ejercicio de la primera naturaleza no consiste en ver sus leyes como imperativos absolutos, sino a modo de criterios que es preciso conjugar con las circunstancias de cada caso concreto y las consecuencias previsibles, a fin de tomar decisiones prudentes, tras articular todos esos elementos en un proceso deliberativo. El criterio último no es la ley de la naturaleza sino la prudencia. Esto es esencial en la ética aristotélica, y es también el *leit motiv* de la obra de Sófocles. Para Aristóteles, las decisiones prudentes van creando hábitos positivos de vida, es decir, virtudes. Y las virtudes que se hallan en juego en esta obra de Sófocles son dos: la «justicia», *dike,* y la «piedad», *eusébeia.* La pieza teatral tiene dos protagonistas, Creonte y Antígona. En los dos el conflicto de valores es el mismo, si bien cada uno de ellos opta por uno distinto.

El conflicto de valores. Eusébeia y *dike* no son dos valores cualesquiera en la cultura griega clásica, y por extensión en la occidental toda. Ellos definen los dos espacios fundamentales de la vida humana: el que dice relación a los iguales y el propio de los superiores. Las relaciones entre iguales se rigen por el principio de justicia, que exige reciprocidad en la retribución e intercambio de bienes. Cuando este no es igualitario o proporcional, lo calificamos de injusto.

De ahí que la justicia sea el criterio fundamental en las relaciones entre semejantes o iguales. El problema está en que no todas las relaciones humanas son de ese tipo, ni por tanto tienen carácter horizontal. Hay otras, en efecto, que nos vinculan a quienes son superiores a nosotros, como es el caso de los padres y de los dioses. Tales relaciones se caracterizan por su verticalidad y asimetría. Eso es lo que hace imposible el criterio de justicia en ellas. Los padres nos han dado la vida, algo que nosotros no podemos pagarles o retribuirles. Y tampoco se atienen al criterio de justicia en las relaciones con sus hijos. La justicia no es el criterio en este tipo de vínculos. Algo similar sucede con los dioses, autores de la realidad toda. Lo que los superiores nos han dado es impagable, razón por la que siempre estamos en deuda con ellos. De ahí que nuestra actitud haya de ser la de respeto y gratitud o agradecimiento. En eso consiste la *eusébeia.* La *dikaiosýne* es la virtud moral por antonomasia; la *eusébeia,* por el contrario, es la raíz y fundamento de la religiosidad. Pues bien, estos son los dos valores que en la *Antígona* de Sófocles entran en conflicto.

El primero de los valores es la justicia, *díke.* Así se nos dice repetidamente a lo largo de la obra:

Pues ¿no ha considerado Creonte a nuestros hermanos, al uno digno de enterramiento y al otro indigno? A Eteocles, según dicen, por considerarle merecedor de ser tratado con justicia *(katà díkes)* y según la costumbre, lo sepultó bajo tierra a fin de que resultara honrado por los muertos de allí abajo. En cuanto al cadáver de Polinices, muerto miserablemente, dicen que, en un edicto a los ciudadanos, ha hecho publicar que nadie le dé sepultura ni le llore, y que le dejen sin lamentos, sin enterramiento, como grato tesoro para las aves rapaces que avizoran por la satisfacción de cebarse (22-31).

Por lo demás, Creonte se dirige al Coro en estos términos:

Es imposible conocer el alma, los sentimientos y las intenciones de un hombre hasta que se muestre experimentado en cargos y en leyes. Y el que al gobernar una ciudad entera no obra de acuerdo con las mejores decisiones, sino que mantiene la boca cerrada por el miedo, ese me parece —y desde siempre me ha parecido— que es el peor. Y al que tiene en mayor estima a un amigo que a su propia patria no lo considero digno de nada. Pues yo —¡sépalo Zeus que todo lo ve siempre!— no podría silenciar la desgracia que viera acercarse a los ciudadanos en vez del bienestar, ni nunca mantendría como amigo mío a una persona que fuera hostil al país, sabiendo que es este el que nos salva y que, navegando sobre él, es como felizmente haremos los amigos. Con estas normas pretendo yo engrandecer la ciudad (175-192).

Como Aristóteles, Sófocles piensa que la felicidad solo puede adquirirse en la *pólis,* y que la amistad no puede darse más que entre iguales, de modo que la justicia es requisito previo de la amistad.

El otro valor en juego es la piedad, *eusébeia.* El término sale repetidamente a lo largo del texto. He aquí lo que dice Antígona:

> Yo le enterraré. Hermoso será morir haciéndolo. Yaceré con aquel al que amo y me ama, tras cometer un piadoso crimen *(hósia panourgésas),* ya que es mayor el tiempo que debo agradar a los de abajo que a los de aquí. Allí reposaré para siempre. Tú, si te parece bien, desdeña los honores a los dioses (175-192).

La expresión «piadoso crimen» o, como traduce María Rosa Lida, «santo delito», es el oxímoron que define la postura adoptada por Antígona. Ella comete su crimen por piedad, por ser fiel al valor piedad. Procurando el respeto de ese valor, provoca la lesión de otro, la vida, su propia vida. En eso consiste el nudo dramático. Creonte recuerda a Antígona que su piedad para con Polinices trae como consecuencia que sea impía con Eteocles: «¿Cómo es que honras a este [Polinices] con impío *(dyssebê)* agradecimiento para aquel [Eteocles]? [...] Sí, si le das honra por igual que al impío *(dyssebeî)»*. (513-16). Pero Antígona no lo ve así: «¿Quién sabe si allá abajo estas cosas son las piadosas *(euagê)?»* (523).

Esta polarización de dos valores, justicia y piedad, permite identificar varias propiedades del mundo del valor estudiadas por Nicolai Hartmann. Una primera es su carácter *antinómico,* lo que significa que no son del todo compatibles entre sí, de forma que la justicia llevada a sus últimas consecuencias puede resultar impía, y viceversa. La *antinomia* es en el orden de los valores lo que el *conflicto* es en el de los deberes; porque son antinómicos, resulta problemático determinar lo que *debe* hacerse. El «conflicto de valores» genera un «conflicto de deberes». En la pieza de Sófocles, el conflicto de valores se da entre piedad y justicia. ¿Por cuál de los dos optar? Es el tercer punto del método, la deliberación sobre los deberes.

2.3. Deliberación sobre los *deberes*

El deber consiste siempre, como ya ha quedado dicho, en la realización de valores. Precisamente porque no se hallan plenamente realizados, tenemos el deber de incrementarlos. Debemos trabajar por la paz, por la justicia, etc. El problema es que tal realización tiene que contar con varios factores, a cual más importante.

Un primer factor a tener en cuenta es la del carácter antinómico o inconmensurable de los valores, de tal modo que la absolutización de uno lleva necesariamente a la lesión de otro u otros. Es el fenómeno que Nicolai Hartmann bautizó con el nombre de «tiranía» de los valores. Un ejemplo clásico de esto es la expresión: *fiat iustitia pereat mundus.* Si perece todo el mundo, ¿tiene sentido seguir hablando de justicia? Debido a su carácter antinómico, la absolutización de un valor conlleva la pérdida irreparable de otros. Es algo de lo que se tiene conciencia desde tiempos muy antiguos. La teología cristiana se ha hecho siempre cuestión de la antinomia que existe entre la misericordia y la justicia en Dios. Si es infinitamente justo, castigará a quienes han obrado mal, pero si es infinitamente misericordioso, perdonará a todos.

Las decisiones sobre lo que debe hacerse han de tener en cuenta no solo los valores en juego, sino también los conflictos entre ellos. Estos son, precisamente, los que plantean el problema moral. Cuando no hay conflicto entre valores, todo el mundo sabe cuál es su obligación, ya que esta consiste siempre en lo mismo, en realizar valores o en lesionarlos lo menos posible. Los problemas surgen cuando varios valores entran en conflicto.

Los conflictos son siempre concretos. Sus condiciones son, pues, limitadas y contingentes. El deber está siempre situado en el espacio y el tiempo. Tiene lugar, por tanto, en unas circunstancias concretas y previendo determinadas consecuencias. De ahí que en la deliberación sobre los deberes haya que incluir, junto con los valores, las circunstancias del caso y las consecuencias previsibles, porque si bien los valores son la regla o norma de nuestros actos, las circunstancias y consecuencias permiten a veces hacer excepciones a esa norma.

Precisamente porque los deberes son siempre concretos y están necesariamente situados, la deliberación sobre los deberes no puede hacerse en abstracto sino analizando las posibilidades de actuar existentes en cada momento, es decir, los distintos cursos de acción. La mente humana tiene una especial tendencia a reducir todos los cursos de acción a dos, que se caracterizan, además, por ser extremos. Eso explica que hayamos de empezar por la identificación de los cursos extremos, a fin de pasar luego al análisis de los posibles cursos intermedios. El curso óptimo suele encontrarse entre ellos.

Cursos extremos de acción. Los cursos extremos consisten siempre en la opción por uno de los valores en conflicto, con lesión completa del otro. En el caso de *Antígona,* un curso extremo consistirá en la opción por la justicia en detrimento del valor piedad, y el opuesto será el optar por la piedad sin atender al valor justicia. En el drama de Sófocles, el primero es el curso elegido por Creonte y el segundo por Antígona. De ese modo, los dos protagonistas principales se posicionan en cada uno de los extremos del abanico de cursos de acción.

Creonte opta por la justicia en detrimento del valor piedad. Sin justicia, argumenta, la vida en la ciudad, y por tanto la convivencia, resultan imposibles, lo que a su vez va en detrimento de la piedad debida a los dioses (175-192). De ahí que, tras identificar la justicia como valor fundamental, aplique esta doctrina al caso concreto de los hijos de Edipo y tome un curso de acción:

> Y ahora, de acuerdo con ellas [esas normas], he hecho proclamar un edicto a los ciudadanos acerca de los hijos de Edipo. A Eteocles, que murió luchando por la ciudad tras sobresalir en gran manera con la lanza, que se le sepulte en su tumba y que se le cumplan todos los ritos sagrados que acompañan abajo a los cadáveres de los héroes. Pero a su hermano —me refiero a Polinices—, que en su vuelta como desterrado quiso incendiar completamente su tierra patria y a las deidades de su raza, además de alimentarse de la sangre de los suyos, y quiso llevárselos en cautiverio, respecto de este ha sido ordenado por un heraldo a esta ciudad que ninguno le tribute los honores postreros con un enterramiento, ni le llore. Que se le deje sin sepultura y que su cuerpo sea pasto de las aves de rapiña y de los perros, y ultraje para la vista. Tal es mi propósito, y nunca por mi parte los malvados estarán por delante de los justos *(endíkon)* en lo que a honra se refiere. Antes bien, quien sea benefactor para esta ciudad recibirá honores míos en vida igual que muerto (193-210).

Como se ve, Creonte justifica su decisión. Él quiere defender la justicia, que debe reinar en la ciudad. Dice más, y es que haciendo eso cree estar protegiendo y respetando también a «las deidades» de la ciudad, con lo cual el acto de Polinices no solo habría ido contra la justicia sino también contra la piedad. Como siempre sucede en los cursos extremos, Creonte exige «obediencia ciega», es decir, eleva su mandato a la categoría de absoluto, sin posible excepción. Así se lo dice a su hijo Hemón: «Al que la ciudad designa se le debe obedecer en lo pequeño, en lo justo y en lo contrario» (666-7).

Antígona opta por el curso extremo opuesto: atiende a la piedad y desdeña completamente la justicia:

> Que el asunto no lo considera [Creonte] de poca importancia; antes bien, que está prescrito que quien haga algo de esto reciba muerte por lapidación pública en la ciudad. Así están las cosas, y podrás mostrar pronto si eres por naturaleza bien nacida, o si, aunque de noble linaje, eres cobarde (34-38).

> Deja que yo y la locura *(dysboulían)*, que es solo mía, corramos este peligro. No sufriré nada tan grave que no me permita morir con honor (95).

También Ismene opta por una decisión extrema al comienzo de la obra, la opuesta de Antígona, refugiándose en el deber de obediencia y en su condición de mujer.

Es preciso que consideremos, primero, que somos mujeres, no hechas para luchar contra los hombres, y, después, que nos mandan los que tienen más poder, de suerte que tenemos que obedecer *(akoúein)* en esto y en cosas aún más dolorosas que estas (61-64).

Ismene se refugia en la obediencia para no cumplir con lo que exige la piedad.

Yo, por mi parte, pidiendo a los de abajo que tengan indulgencia, obedeceré *(peísomai)* porque me siento coaccionada *(biazómai)* a ello. Pues el obrar por encima de nuestras posibilidades no tiene ningún sentido (65-68).

Aquí está claro que Ismene cree que las circunstancias le impiden actuar como debe, lo que le lleva a optar por el curso extremo de obedecer a Creonte, aunque sabe que es incorrecto. «Yo no les deshonro [a los dioses], pero me es imposible obrar en contra de los ciudadanos» (79). Ismene piensa que está coaccionada y que no puede hacer otra cosa. Considera que su curso extremo de acción es más *prudente* que el de Antígona. De hecho, las dos apelan a la sensatez de su curso: «A unos les pareces tú sensata, yo a otros» (557).

La «tiranía» de los valores se da cuando estos exigen cumplimiento absoluto y, por tanto, «obediencia ciega». Es lo que Creonte pide a sus ciudadanos, según le dice a Hemón, y al propio Hemón: «Hijo mío: debes razonar en tu interior: posponer todo a las resoluciones paternas. Por este motivo piden los hombres tener en sus hogares hijos sumisos tras haberlos engendrado». (639-643). En la obediencia a la ley se refugia también Ismene: «Yo por mi parte, pidiendo a los de abajo que tengan indulgencia, obedeceré porque me siento coaccionada a ello» (65-66). Y a su modo, obediencia ciega hacia lo que llama «las leyes de los dioses» es el curso que elige Antígona:

No pensaba que tus proclamas tuvieran tanto poder como para que un mortal pudiera transgredir las leyes no escritas e *inquebrantables* de los dioses. Estas no son de hoy ni de ayer, sino de siempre, y nadie sabe de dónde surgieron. No iba yo a obtener castigo por ellas de parte de los dioses por miedo a la intención de hombre alguno (451-459).

Este último párrafo es buena muestra de que cuando un valor, la piedad en este caso, se convierte en una «ley no escrita e inquebrantable de los dioses», exige obediencia ciega y por tanto se transforma en tirana y lleva a un curso extremo, origen de la tragedia. Esa tiranía se debe a que necesariamente entra en conflicto con otros valores, por el carácter antinómico de estos, desencadenando la tragedia. Por otra parte, el párrafo deja claro que Antígona toma el curso extremo por miedo al castigo por parte de los dioses, lo que le impide hacer una ponderación moral de factores. En ella se ve claro el carácter heterónomo de la obediencia ciega, que es siempre consecuencia de la tiranía de los valores, o de los valores interpretados de modo extremo. No hay duda de que el causante de la polarización es Creonte, y que Antígona no hace más que reaccionar de modo tan extremo como lo ha hecho Creonte, y además impulsada por él. «Si te parezco estar haciendo locuras, puede ser que ante un loco me vea culpable de una locura» (470-1). Pero eso no legitima otro curso que también es extremo.

Es importante resaltar que la opción tanto de Creonte como de Antígona por los cursos extremos se debe a que ambos han hecho girar todo el problema moral en torno a la «obediencia». Antígona cree que debe obediencia ciega a los dioses, y Creonte piensa que la justicia del gobernante exige obediencia ciega. La obediencia ciega conduce siempre a los cursos extremos, y por tanto a decisiones imprudentes. Es de nuevo la «tiranía de los valores», que se da siempre que se desconoce su carácter *antinómico*.

La contienda entre los cursos extremos. Entre Antígona y Creonte se establece una lucha, cada uno defendiendo su propio curso extremo. Antígona argumenta en favor el suyo:

Sabía que iba a morir, ¿cómo no?, aun cuando tú no lo hubieras hecho pregonar. Y si muero antes de tiempo, yo lo llamo ganancia. Porque quien, como yo, vive entre desgracias sin cuento, ¿cómo no va a obtener provecho de la muerte? Así, a mí no me supone pesar alcanzar este destino. Por el contrario, si hubiera consentido que el cadáver del que ha nacido de mi madre estuviera insepulto, entonces sí sentiría pesar. Ahora, en cambio, no me aflijo (460-70).

Creonte también defiende su curso extremo de acción:

Sí, pero sábete que las voluntades en exceso obstinadas son las que primero caen, y que es el más fuerte hierro, templado al fuego y muy duro, el que más veces podrás ver que se rompe y se hace añicos. Sé que los caballos indómitos se vuelven dóciles con un pequeño freno. No es lícito tener orgullosos pensamientos a quien es esclavo de los que le rodean. Esta conocía perfectamente que entonces estaba obrando con insolencia, al transgredir las leyes establecidas, y aquí, después de haberlo hecho, da muestras de una segunda insolencia: ufanarse de ello y burlarse, una vez que ya lo ha llevado a cabo. Pero verdaderamente en esta situación no sería yo hombre —ella lo sería—, si este triunfo hubiera de quedar impune. Así, sea hija de mi hermana, sea más de mi propia sangre que todos los que están conmigo bajo la protección de Zeus del Hogar, ella y su hermana no se librarán del destino supremo (473-490).

La respuesta de Antígona demuestra que están enzarzados en una pelea:

¿Qué te hace vacilar en ese caso? Porque a mí de tus palabras nada me es grato —¡que nunca me lo sea!—, del mismo modo que a ti te desagradan las mías. Sin embargo, ¿dónde hubiera podido obtener yo más gloriosa fama que depositando a mi propio hermano en una sepultura? Se podría decir que esto complace a todos los presentes, si el temor no les tuviera paralizada la lengua (499-506).

Cuando Antígona se percata de que va a morir, cobra conciencia de que su opción por la «piedad» le está creando fama de «impía».

¿Qué derecho de los dioses he transgredido? ¿Por qué tengo yo, desventurada, que dirigir mi mirada ya hacia los dioses? ¿A quién de los aliados me es posible apelar? Porque con mi piedad he adquirido fama de impía (920-924).

Cuando un valor se absolutiza, desatendiendo todos los demás, aparece la antinomia, el oxímoron, en este caso la piedad impía, resultado de la tiranía del valor que lleva a la elección de los cursos extremos. En cualquier caso, Antígona justifica hasta el final su curso de acción:

¡Oh, ciudad paterna del país de Tebas! ¡Oh dioses creadores de nuestro linaje! Soy arrastrada y ya no puedo aplazarlo. Mirad vosotros, príncipes de Tebas, a la única que queda de las hijas de los reyes, cómo sufro y a manos de quiénes por guardar el debido respeto a la piedad *(eusebían)* (937-943).

Una enseñanza de esto es que la elección de un curso extremo lleva a otros a elegir el curso extremo opuesto, y además parece justificarles de alguna manera, ya que su respuesta es una pura reacción. Se instaura así una pelea entre dos personas. Lo que debía ser un proceso deliberativo, se convierte en una discusión, o mejor aún, en una pelea. De ahí la ceguera para los cursos intermedios. Antígona se considera aún más justificada para elegir el curso extremo, porque el criterio de jerarquía le dice que el valor piedad es superior al de justicia, y por tanto cree que tiene más razón que Creonte para elegir su curso extremo. El criterio de jerarquía llevado hasta sus últimas consecuencias lleva a la toma de decisiones tiránicas. Tal es el análisis que se ha hecho generalmente de esta pieza. Se ha visto en ella un conflicto de valores, que se resuelve apelando al criterio de jerarquía o rango de los respectivos valores. Limitando a esto el análisis, se reduce la deliberación a los cursos extremos, lo cual es, como veremos, un grave error.

Cursos intermedios de acción. Pero Sófocles no quiere quedarse ahí. Toda la obra está llena de exhortaciones hacia los cursos intermedios. Ellos son los únicos que pueden evitar la tragedia y conducir a una decisión sensata, razonable o prudente.

El primer personaje que busca en la obra un curso intermedio es Ismene, al avisar a su hermana de su temeridad.

> ¡Oh temeraria! ¿A pesar de que lo ha prohibido Creonte? (47).
>
> ¡Ah, cómo temo por ti, desdichada! (82).
>
> Deseas cosas imposibles (90).
>
> No es conveniente perseguir desde el principio lo imposible (90).
>
> Sabe que tu conducta al irte es insensata, pero grata con razón para los seres queridos (98).

Luego, sin embargo, a la vista de que Antígona no cede, Ismene decide acompañarla. Su curso es, pues, intermedio, pero muy cercano al curso extremo de Antígona.

El Coro intenta otro curso intermedio, avisando de lo peligroso de los cursos extremos: «Zeus odia sobremanera las jactancias pronunciadas por boca arrogante» (127). El Corifeo hace también lo posible por resolver el problema a través de un curso intermedio, al considerar que el decreto de Creonte no es prudente, y haciéndoselo saber al propio Creonte. Así, cuando este le ordena que vigile el cadáver de Polinices para que nadie lo entierre, responde: «Ordena a otro más joven que sobrelleve esto» (216). «Señor, mis pensamientos están, desde hace tiempo, deliberando si esto es obra de los dioses [o todo lo contrario]» (278-9).

Hemón también busca un curso intermedio, al amonestar a su padre y advertirle que su postura no es prudente.

> No mantengas en ti mismo solo un punto de vista: el de que lo que tú dices y nada más es lo que está bien. Pues los que creen que únicamente ellos son sensatos o que poseen una lengua o una inteligencia cual ningún otro, estos, cuando quedan al descubierto, se muestran vacíos. Pero nada tiene de vergonzoso que un hombre, aunque sea sabio, aprenda mucho y no se obstine en demasía. Pue-

des ver a lo largo del lecho de las torrenteras que, cuantos árboles ceden conservan sus ramas, mientras que los que ofrecen resistencia son destrozados desde las raíces. De la misma manera el que tensa fuertemente las escotas de una nave sin aflojar nada, después de hacerla volcar, navega el resto del tiempo con la cubierta invertida. Así que haz ceder tu cólera y consiente en cambiar. Y si tengo algo de razón —aunque sea más joven—, afirmo que es preferible con mucho que el hombre esté por naturaleza completamente lleno de sabiduría. Pero si no lo está —pues no suele inclinarse la balanza a este lado—, es bueno también que aprenda de los que hablan con moderación (705-723).

Todo el debate de Hemón con su padre gira en torno a la sensatez o prudencia. En el orden de los cursos intermedios, la palabra clave es «sensatez», *phrónesis,* lo mismo que en el de los cursos extremos es «locura», *ánoia, manía* (646-765). «Si no fueras mi padre, diría que no estás en tu sano juicio» (755).

El diálogo entre Creonte y Hemón es casi un tratado de lógica. Creonte no ve más que un curso de acción, que por otra parte es extremo, y no escucha a su hijo. Este le dice: «Podría ser que también en otro aspecto tuviera yo razón» (689).Puede haber, pues, razones encontradas, y deliberar sobre ellas aumenta la prudencia. Es la base de lo que Aristóteles llama el «razonamiento dialéctico». Lo que Sófocles está diciendo por boca de Hemón es que nos hallamos en el terreno de la *dóxa.* Esa *dóxa* es la que expresa Hemón cuando dice: «A mí, en la sombra, me es posible oír cómo la ciudad se lamenta por esta joven, diciendo que, siendo la que menos lo merece de todas las mujeres, va a morir de indigna manera» (693-696). Y añade Hemón: «No mantengas en ti mismo solo un punto de vista: el de lo que tú dices y nada más es lo que está bien. Pues los que creen que únicamente ellos son sensatos o que poseen una lengua o una inteligencia cual ningún otro, estos, cuando quedan al descubierto, se muestran vacíos» (704-708).

Los ciudadanos de Tebas también creen que la decisión de Creonte no es prudente, como lo manifiesta Hemón, cuando apela a «todo el pueblo de Tebas» (735). Aquí se ve la importancia de la deliberación colectiva, consecuencia lógica de la racionalidad dialéctica ya expuesta. Es importante no perder de vista que para el griego, como para toda persona anterior a la época moderna, el individuo tiene una entidad muy relativa. La verdadera autonomía la tiene la comunidad. Es un error trasponer el concepto moderno de autonomía a las épocas antiguas. Es una idea completamente extraña a su mentalidad. La comunidad es el verdadero *unum per se.* De ahí la importancia del juicio colectivo. Y de ahí también que la deliberación deba ser colectiva. No hay vida específicamente humana fuera de la comunidad o al margen de ella, ni tampoco perfección moral. Esta no puede adquirirse más que en la *pólis,* de modo que los juicios o las deliberaciones exigen, para ser perfectos, la participación de todos. De ahí la acusación de Hemón: «Tú gobernarías bien, en solitario, un país desierto» (738). Los ciudadanos de Tebas consideran que la decisión de Creonte no es prudente, pero tampoco aprueban la de Antígona, que asimismo les parece imprudente: «Ser piadoso es una cierta forma de respeto, pero de ninguna manera se puede transgredir la autoridad de quien regenta el poder. Y en tu caso [en el de Antígona], una pasión impulsiva te ha perdido» (872-6). Los ciudadanos de Tebas tienen muy claro que la *pólis* es una estructura imprescindible para la ética, tanto individual como colectiva, al igual que antes hemos visto en Aristóteles. Antígona, como buena griega, también sabe que no es posible la perfección moral fuera de la *pólis,* pero se defiende contra esa acusación diciendo que los «sensatos» o «prudentes» tienen que pensar como ella:

> Yo te honré [a Polinices] debidamente en opinión de los sensatos. Pues nunca, ni aunque hubiera sido madre de hijos, ni aunque mi esposo muerto se estuviera corrompiendo, hubiera tomado sobre mí esta tarea en contra de la voluntad de los ciudadanos (903-8).

Si el asunto acaba en tragedia, es porque Creonte no atiende a todas estas insistentes recomendaciones, porque no hace caso de los cursos intermedios que le proponen. El único curso intermedio que admite Creonte, y que está muy próximo al curso extremo, es el de cambiar su primitivo castigo, el de lapidación (36) por el de dejar morir a Antígona de hambre, encerrada en una caverna (775), a fin de que su muerte sea natural y no violenta.

¿Cabe imaginar otros cursos intermedios? Sin duda hay varios que hubieran sido posibles. Uno de ellos sería que Antígona hubiera intentado hablar con Creonte y con sus consejeros, junto con Eurídice y Hemón, para hacerle ver que el pueblo vería muy mal que Polinices sufriera la indignidad de ser comido por las aves rapaces, etc.

En la obra hay, de hecho, otro curso intermedio, aquel que acaba tomando Creonte, si bien demasiado tarde. Esta es otra enseñanza fundamental, que las decisiones hay que tomarlas «en el momento oportuno», con *kairós,* y Creonte ha perdido un tiempo que ya no es recuperable. De ahí la tragedia.

¿Quién hace reflexionar a Creonte y llevarle al curso intermedio? El ciego, el adivino Tiresias, que no aparece en la obra más que para conseguir esto. Entra en escena en el verso 988. Creonte le tiene mucho respeto, y dice de él: «Hasta ahora, en verdad, no me he apartado de tu buen juicio» (993). A lo que responde Tiresias: «Y así has dirigido el timón de esta ciudad por la recta senda» (994). Pues bien, Tiresias le advierte: «Sé consciente de que estás yendo en esta ocasión sobre el filo del destino» (996). Ante tal amonestación, Creonte reacciona: «¡Cómo tiemblo ante tus palabras!» (998). Tiresias sigue diciéndole: «La ciudad sufre estas cosas a causa de tu decisión» (1015). Y añade:

> Recapacita, pues, hijo, ya que el equivocarse es común para todos los hombres, pero, después que ha sucedido, no es hombre irreflexivo ni desdichado aquel que, caído en el mal pone remedio y no se muestra inflexible. La obstinación, ciertamente, incurre en insensatez. Así que haz una concesión al muerto y no fustigues a quien nada es ya. ¿Qué prueba de fuerza es matar de nuevo al que está muerto? Por tenerte consideración te doy buenos consejos. Muy grato es aprender de quien habla con razón, si ha de reportar provecho (1024-1033).

Como Creonte opone resistencia, Tiresias le advierte que «la mejor de las posesiones es la prudencia» (1050). Creonte se resiste de nuevo, diciéndole que en tanto que adivino se pone del lado de la piedad a los dioses, pero lesionando la justicia: «Tú eres un sabio adivino, pero amas la injusticia» (1059). Ante esta tozudez y falta de prudencia de Creonte, Tiresias le vaticina que el resultado será trágico. De ese modo, en vez de elegir un curso óptimo, Creonte elige un curso trágico.

En el diálogo de Tiresias con Creonte aparece otro tema, que también había salido antes a propósito del guardián. Se trata del dinero. Las dos veces que sale en la obra el dinero, es con sentido negativo. Los guardianes se dejan comprar (310-314), y los adivinos, también —«toda la raza de los adivinos está apegada al dinero» (1055)—. No hay duda que el dinero es un valor, el valor económico. Pero Sófocles tiene claro que se trata de un *valor instrumental,* no de un *valor intrínseco,* como lo son la piedad y la justicia, y que el valor instrumental puede corromper las decisiones sobre valores intrínsecos. El párrafo sobre el dinero es de antología:

> Ninguna institución ha surgido peor para los hombres que el dinero. Él saquea las ciudades y hace salir a los hombres de sus hogares. Él instruye y trastoca los pensamientos nobles de los hombres para convertirlos en vergonzosas acciones. Él enseñó a los hombres a cometer felonías y a conocer la impiedad de toda acción. Pero cuantos por una recompensa llevaron a cabo cosas tales concluyeron, tarde o temprano, pagando su castigo (295-303).

¿Curso óptimo o curso trágico? El curso óptimo se halla siempre entre los intermedios. Es fundamental no perder de vista que solo estamos legitimados para elegir un curso extremo cuando han fracasado todos los cursos intermedios. Aquí no es que hayan fracasado los cursos intermedios, es, simplemente, que no se han buscado. En cualquier caso, sucede a veces que todos los cursos

intermedios fallan. Cuando tal sucede, es preciso elegir entre los cursos extremos, y entonces surge el problema de cuál de los dos se elige. No está claro que el único moralmente justificable sea el elegido por Antígona. De hecho, Ismene no lo ve así, y el coro tampoco: «de ninguna manera se puede transgredir la autoridad de quien regenta el poder» (875-6).

Cuando se opta por un curso extremo, bien por falta de reflexión o bien porque no hay curso intermedio practicable, la tragedia está servida. Ello se debe a que hemos de perder completamente uno de los valores en juego, y esa pérdida irreparable de valor es lo que expresa el término tragedia. El curso extremo es siempre pésimo, y por tanto trágico. En esta obra no hay curso intermedio, dada la contumacia de Creonte. En vez de curso óptimo hay, pues, curso trágico. Es lo que vaticina a Creonte el ciego Tiresias:

> Entérate de que no se llevarán ya a término muchos rápidos giros solares antes de que tú mismo seas quien haya ofrecido, en compensación por los muertos, a uno nacido de tus entrañas a cambio de haber lanzado a los infiernos a uno de los vivos, habiendo albergado indecorosamente a un alma viva en la tumba, y de retener aquí, privado de los honores, insepulto y sacrílego, a un muerto que pertenece a los dioses infernales (1064-1071).

Tras este vaticinio de Tiresias, el Corifeo añade: «Necesario es ser prudente, hijo de Meneceo» (1098). Acto seguido se desarrolla el siguiente diálogo entre Creonte y el Corifeo:

> *Creonte:* ¿Qué debo hacer? Dime. Yo te obedeceré
> *Corifeo:* Ve y saca a la muchacha de la morada subterránea. Y eleva un túmulo para el que yace muerto
> *Creonte:* ¿Me aconsejas así y crees que debo concederlo?
> *Corifeo:* Y cuanto antes, señor. Pues los daños que mandan los dioses alcanzan pronto a los insensatos.
> *Creonte:* ¡Ay de mí! ¡Con trabajo desisto de mi orden, pero no se debe luchar en vano contra el destino! (1099-1006)

Pero ya es tarde. Se ha pasado el *kairós*. Al llegar Creonte a la gruta, encuentra, según relata el Mensajero:

> a la joven en el extremo de la tumba colgada por el cuello, suspendida con un lazo hecho del hilo de su velo, y a él [Hemón], adherido a ella, rodeándola por la cintura en un abrazo, lamentándose por la pérdida de su prometida muerta por las decisiones de su padre [...] Creonte, cuando lo vio, lanzando un espantoso

gemido, avanza al interior a su lado y le llama prorrumpiendo en sollozos: «Oh desdichado, ¿qué has hecho? ¿Qué resolución has tomado? Sal, hijo, te lo pido en actitud suplicante». Pero el hijo, mirándole con fieros ojos, le escupió en el rostro y, sin contestarle, tira de su espada de doble filo. No alcanzó a su padre, que había dado un salto hacia adelante para esquivarlo. Seguidamente, el infortunado, enfurecido consigo mismo como estaba, echó los brazos hacia adelante y hundió en su costado la mitad de la espada. Aún con conocimiento, estrecha a la muchacha en un lánguido abrazo y, respirando con esfuerzo, derrama un brusco reguero de gotas de sangre sobre su pálida faz. Yacen así, un cadáver sobre otro, después de haber obtenido sus ritos nupciales en la casa del Hades y después de mostrar que entre los hombres la irreflexión es, con mucho, el mayor de los males humanos (1220-1243).

La tragedia lleva también a Eurídice a la muerte: «Hiriéndose bajo el hígado a sí misma por propia mano, cuando se enteró del padecimiento digno de agudos lamentos de su hijo» (1315-16). Una conclusión se impone, que no deben oponerse justicia y piedad, sino integrar ambas.

2.4. Las pruebas de consistencia

¿Cabe aplicar las pruebas de consistencia a una decisión incorrecta y que acaba en tragedia? Por supuesto que sí. En tal caso sucederá, empero, que el resultado de las pruebas será negativo, es decir, que lejos de superarlas con éxito, ellas pondrán de relieve la imprudencia de la decisión tomada.

Prueba de la legalidad. El análisis que hemos llevado a cabo es estrictamente moral. Ahora, al término del proceso, hemos de ver si además es jurídicamente viable, porque por lo general no resulta prudente tomar decisiones contrarias al derecho. Esto es lo que sucede en el caso de Antígona, que ha transgredido la ley de la ciudad, institución humana y moral por antonomasia. El Coro le dice:

> Ser piadoso es una cierta forma de respeto, pero de ninguna manera se puede transgredir la autoridad de quien regenta el poder. Y, en tu caso, una pasión impulsiva te ha perdido (872-6).

Adviértase que el coro no se pone completamente del lado de Antígona, convirtiéndola en heroína, ni argumenta, como tantas veces se ha hecho desde entonces, que Antígona haya obrado correctamente al ser fiel a la ley natural incumpliendo la ley positiva, sino que el Coro dice que ha quebrantado la ley, y que eso no puede hacerse. La decisión tomada por Antígona no pasa la prueba de la legalidad, precisamente porque es un curso extremo. Esto es debido a su pasión, con lo cual tampoco pasaría la prueba del tiempo.

Prueba de la publicidad. Se trata de saber si habría argumentos para defender esa decisión públicamente. Ismene es consciente, al comienzo de la obra, de que la decisión de Antígona ha de permanecer secreta si quiere evitarse la tragedia. «No delates este propósito a nadie; mantenlo a escondidas, que yo también lo haré» (84-5). A lo que le responde Antígona: «¡Ah, grítalo! Mucho más odiosa me serás si callas, si no lo pregonas ante todos» (86).

Prueba del tiempo. Se trata de saber si la decisión tomada ha sido fruto de un arrebato emocional. Esta prueba no la pasan ni Creonte ni Antígona. Creonte ha obrado precipitadamente, dejándose llevar por el sentimiento de venganza hacia quien batalló en el bando contrario. Su ira aflora continuamente en el texto. El Coro, a través del Corifeo, duda de que la decisión de Creonte sea obra de los dioses, es decir, sea la correcta (278-9). Creonte le responde: «No sigas antes de llenarme de ira con tus palabras, no vayas a ser calificado de insensato a la vez que de viejo. Dices algo intolerable cuando manifiestas que los dioses sienten preocupación por este cuerpo» (280-284). También Antígona se ha dejado llevar por la emoción. Ismene se lo advierte: «Tienes el corazón ardiente para fríos asuntos» (87). Las emociones, finalmente, llevan a Hemón a la muerte. El Corifeo dice después de la disputa de Creonte con su hijo: «Se ha marchado, rey, presuroso a causa de la cólera. Un corazón que a esa edad sufre es terrible» (767).

2.5. Conclusión general

Si hay un hilo conductor en la obra de Sófocles, este es el que expresan los términos «sensatez», «prudencia», «cordura», «reflexión», «juicio», etc. Hay frases continuas en este sentido:

La razón *(phrénas)* en los hombres es el mayor de todos los bienes que existen (684-5)

No mantengas en ti mismo solo un punto de vista (705).

Los que creen que únicamente ellos son sensatos *(phroneîn)* o que poseen una lengua o una inteligencia cual ningún otro, estos, cuando quedan al descubierto, se muestran vacíos (706-8).

Es bueno que aprendas de los que hablan con moderación (723).

La obstinación incurre en insensatez (1028).

La mejor de las posesiones es la prudencia *(euboulía)* (1050).

No razonar *(mè phroneîn)* es el mayor perjuicio (1051).

Necesario es ser prudente *(euboulías)* (1097).

Entre los hombres la irreflexión *(aboulían).* es, con mucho, el mayor de los males humanos (1243).

La cordura *(phroneîn)* es con mucho el primer paso de la felicidad (1349)

El procedimiento para conseguir todo eso es la «deliberación». El término aparece en la obra en relación al Corifeo, que obviamente es la personificación del coro. Cuando el guardián anuncia que alguien ha enterrado el cuerpo de Polinices y que se avecina una tragedia, el Corifeo dice a Creonte: «Señor, mis pensamientos están, desde hace un rato, deliberando *(bouleúei)* si esto es obra de los dioses» (278-279). El corifeo delibera no solo en ese momento sino a todo lo largo de la obra, buscando siempre la decisión prudente. El término de la deliberación es, pues, decidir prudentemente. De hecho, cuando Tiresias vaticina el desastre que se cierne sobre Creonte, el Corifeo dice: «Necesario es ser prudente *(euboulías),* hijo de Meneceo» (1098). Esto le lleva a recomendar a Creonte que saque a la muchacha de la morada subterránea. Creonte le pregunta: «¿Me aconsejas así y crees que debo concederlo?» (1103). A lo que el Corifeo responde: «Y cuanto antes, señor. Pues los daños que mandan los dioses alcanzan pronto a los insensatos *(kakóphronas)*» (1104). Por fin, al término de la obra, Creonte reconoce su imprudencia, tras lo que el Corifeo dice: «Provechosos son tus consejos *(paraineîs),* si es que algún provecho hay en las desgracias» (1326).

Para deliberar es preciso reconocer el carácter *antinómico* de los valores y no entenderlos de modo absoluto, porque ello conduce a la *tiranía* axiológica, preludio de la tragedia. Esto es *hýbris,* desmesura, lo contrario del ideal clásico, aquel que Sófocles quiere promover, el ritmo, la medida, la mesura, el término medio. La tiranía de los valores lleva siempre a la «obstinación» y a la «insensatez».

La conclusión de toda la obra se encuentra en sus líneas finales. Ella se cierra con estas palabras del Corifeo:

La cordura *(phroneîn)* es con mucho el primer paso de la felicidad. No hay que cometer impiedades en las relaciones con los dioses [aquí se ve bien que el tema de la obra es la piedad, que representa Antígona, la protagonista de la tragedia, pero no se dice que esa piedad deba entenderse como una ley inquebrantable a la que haya que obedecer ciegamente; todo lo contrario, pues de otro modo no estaría hablando de la cordura y de la prudencia]. Las palabras arrogantes de los que se jactan en exceso, tras devolverles en pago grandes golpes, les enseñan en la vejez la cordura *(phroneîn)* (1349-1353).

BIBLIOGRAFÍA

Álvarez-Diaz, J. A. (2011): *La donación de embriones para pacientes latinoamericanos tratados con técnicas de reproducción humana asistida,* Tesis doctoral, Madrid, Universidad Complutense.

Aristóteles (1970a): *Ética a Nicómaco,* Madrid, Instituto de Estudios Políticos.

Aristóteles (1970b): *Política,* Madrid, Instituto de Estudios Políticos.

Aristóteles (1971): *Retórica,* Madrid, Instituto de Estudios Políticos.

Aristóteles (1974): *Poética,* Madrid, Gredos.

Aristóteles (1982): *Tratados de lógica,* 2 vols., Madrid, Gredos.

Casati, S. (2003): *La deliberazione etica e la pratica clinica,* Torino, C.G. Edicioni Medico Scientifiche.

Crisipo de Solos (2006): *Testimonios y fragmentos,* 2 vols., Madrid, Gredos.

Domingo Moratalla, T. (2011): *Bioética y cine: De la narración a la deliberación,* Madrid, San Pablo y Universidad Pontificia Comillas.

Dordoni, P. (2002): «La deliberazione in etica clinica: logica di un percorso formativo», *Tutor 1-2 (Feb-May): 44-50.*

Dordoni, P. (2005): *Bioética y pluralismo: el método socrático en la tradición de Leonard Nelson y Gustav Heckmann en medicina,* Tesis doctoral. Madrid, Universidad Complutense.

Dordoni, P. (2009): *Il dialogo socratico. Una sfida per un pluralismo sostenibile,* Milano, Apogeo.

Errandonea, I. (1962): *Sófocles: Teatro completo,* 2 vols., Madrid, Escelicer.

Euclides (1991): *Elementos,* 2 vols., Madrid, Gredos.

Feito Gande, L. (2009): *Ética y Enfermería,* Madrid, San Pablo y Universidad Pontificia Comillas.

Freud, S. (1948-1968): *Obras Completas,* 3 vols., Madrid, Biblioteca Nueva.

Gracia D. (2000): «La deliberación moral: El papel de las metodologías en ética clínica», en: Sarabia y Álvarezude, J. y Reyes López, M. de los (eds.): *Jornada de debate sobre Comités Asistenciales de Ética,* Madrid, Asociación de Bioética Fundamental y Clínica, pp. 21-41.

Gracia, D. (2001a): «History of medical ethics», In: Have, H. A. M. J. ten y Gordijn, B. (eds.): *Bioethics in a European perspective.* Kluwer Academic Publishers: Dordrecht/Boston/Londres, pp. 17-50.

Gracia, D. (2001b): «Moral deliberation: The role of methodologies in clinical ethics», *Medicine, Health Care and Philosophy, 4: 223-32.*

Gracia D. (2001c): «La deliberación moral», *Boletín de la Academia Chilena de Medicina, 38: 29-45.*

Gracia, D. (2003): «Ethical case deliberation and decision making», *Medicine, Health Care and Philosophy, 6:* 227-33.

Gracia, D. (2004): «La deliberación moral: el método de la ética clínica», en: Gracia, D. y Júdez, J. (eds.): *Ética en la práctica clínica,* Madrid, Triacastela, pp. 21-32.

Gracia D. (2005): «The Foundation of Medical Ethics in the Democratic Evolution of Modern Sociey», en: Viafora, C. (ed.): *Clinical Bioethics: A Search for the Foundations,* Dordrecht, Springer, pp. 33-40.

Gracia D. (2007): «Origen, fundamentación y método de la bioética», en: Gracia D. (ed.): *La Bioética en la educación secundaria,* Madrid, Ministerio de Educación y Ciencia, pp. 9-50.

Gracia D. (2008): «La construcción de la salud: Hechos, valores, deberes», en: Sanfeliú, I. (ed.): *Sujeto encarnado, sujeto desencarnado: Estudios psicosomáticos,* Madrid, Biblioteca Nueva, pp. 103-30.

Gracia, D. (2009): «Spanish bioethics comes into maturity: Personal reflections», *Cambridge Quarterly of Healthcare Ethics, 18:* 219-27.

Gracia D. (2010): «Philosophy: Ancient and Contemporary Approaches», en: Sugarman, J. y Sulmasy, D. P. (eds.): *Methods in Medical Ethics.* 2.ª ed., Washington, Georgetown University Press, pp. 55-71.

Gracia, D. (2011): «Deliberation and consensus», en: Chadwick, R.; ten Have, H. y Meslin, E. M. (eds.): *The SAGE Handbook of Health Care Ethics: Core and Emerging Issues,* Londres, SAGE Publications, pp. 84-94.

Los estoicos antiguos. 1996. Madrid, Gredos.

Los filósofos presocráticos. 1985. 3 vols. Madrid, Gredos.

Marco Aurelio (1994): *Meditaciones.* Madrid, Gredos.

Platón (1970): *El sofista,* Madrid, Instituto de Estudios Políticos.

Sófocles (1992): *Tragedias,* Madrid, Gredos.

Zoboli, E. L. C. P. (2010): *Deliberação: leque de possibilidades para compreender os conflitos de valores na prática clínica da atenção básica,* Tesis de Habilitación, São Paulo, Escola de Enfermagem.

7

Bioética: el arte de la interpretación y la deliberación

Henk ten HAVE*

1. La experiencia «Eureka» de Potter

La palabra «bioética» fue introducida en el discurso intelectual en los primeros años de la década de 1970. Warren Reich[1] llegó a la conclusión de que había tenido un nacimiento *bilocado,* al ser utilizada más o menos al mismo tiempo por Van Rensselaer Potter en sus publicaciones y por André Hellegers en el nombre inicial del Kennedy Institute. Es claro, sin embargo, que Potter ya había utilizado el término en una publicación de una revista en el otoño de 1970, meses antes de que su libro *Bioética: Puente hacia el Futuro* fuera publicado.[2] El libro precedía medio año a la apertura del Instituto Kennedy.

---

[1] Reich, W. T. (1994): «The word "bioethics": Its birth and the legacies of those who shaped it», *Kennedy Institute of Ethics Journal, 4(4):* 319-35.

[2] Potter, V. R. (1970): «Bioethics, the Science of survival. Perspectives», Biology and Medicine, 14: 127-53; Potter, V. R. (1971): *Bioethics: Bridge to the Future,* Englewood Cliffs, Prentice-Hall.

* Traducción: Lydia Feito Grande

Van Rensselaer Potter (1911-2001) trabajó durante más de 50 años como profesor de oncología en el McArdle Laboratory for Cancer Research en la Universidad de Wisconsin en Madison. Potter era un investigador científico entusiasta. La oncología, para Potter,[3] era esencialmente interdisciplinar; no podía centrarse meramente en la perspectiva individual y médica. En los años 60 comenzó a publicar sobre asuntos fuera de su ámbito inicial de investigación sobre el cáncer, como el concepto de progreso humano, la interrelación entre ciencia y sociedad, y el papel del individuo en la sociedad moderna. Estas publicaciones anteriores fueron incluidas como capítulos en su primer libro sobre bioética.[4] Esta ampliación de su campo se debió, por una parte, a las limitaciones del ámbito de la investigación a la que estaba completamente dedicado. Potter señaló que se habían hecho progresos, pero también era consciente de que el objetivo de eliminar el cáncer estaba muy lejos. Argumentó que debemos estar contentos con «pequeñas victorias» sin esperar un gran avance. Habrá algunos progresos limitados a nivel individual (en términos de alivio del sufrimiento y mejora del tratamiento), pero se puede lograr mucho más a nivel de la población (en términos de prevención del cáncer). Por otra parte, Potter señaló que su preocupación de largo tiempo respecto a la investigación del cáncer, le impidió darse cuenta de que había problemas más importantes. Se dio cuenta de que le había llevado mucho tiempo empezar a mirar alrededor y poner interés en «los mayores problemas de nuestro tiempo».[5] Aunque Potter no los discutió sistemáticamente, listó la prioridad de los problemas del modo siguiente: población, paz, polución, pobreza, política y progreso. Consideraba que estos problemas hacían peligrar la supervivencia de la humanidad, y su urgencia le indujo a una creciente preocupación en relación al futuro. Lo que era necesario, por tanto, según Potter, era una nueva ciencia de la supervivencia, una nueva disciplina llamada bioética.

En una entrevista en 1992, Potter indica que la palabra «bioética» le advino como un «sentimiento Eureka».[6] Anteriormente, el mismo Potter había analizado el «sentimiento Eureka» en conexión con la bioética.[7] Cuando una nueva idea, concepto, percepción, plan de acción o aproximación experimental se forma de modo subconsciente y entonces aflora en nuestra conciencia, el resultado

---

[3] Potter, V. R. (1975): «Humility with responsibility. A bioethic for oncologists: Presidential Address», *Cancer Research, 35:* 2297-306.

[4] Potter, 1971, *op. cit.* nota 2.

[5] Ibídem, p. 150.

[6] Reich, 1994. *Op. cit.* nota 1.

[7] Potter, 1971. *Op. cit.* nota 3.

es denominado «sentimiento Eureka». Este sentimiento tiene tres propiedades: a) es repentino: no puede ser generado voluntariamente y es impredecible si ocurrirá o no, y cuándo ocurrirá; b) euforia: se acompaña de un sentimiento de elación; y c) falibilidad: tiene la posibilidad inherente del error; la nueva idea puede ser útil y sobrevivir, o puede ser errónea y desaparecerá. La segunda propiedad explica por qué las nuevas ideas funcionan. La euforia que las acompaña invita a la acción, la acción conduce a la experiencia, y la experiencia puede llevar a la sabiduría. Las propiedades primera y tercera conducen al reconocimiento de que la característica básica de la bioética es, como lo formula Potter: «humildad con responsabilidad».[8] Dado que siempre existe la posibilidad del error, los científicos no deberían asumir que su propia área como expertos proporcionará las respuestas. En orden a hacer recomendaciones para la política pública, los científicos deben desarrollar una comprensión realista del conocimiento biológico, intentando adoptar un curso de acción entre las evaluaciones optimistas y pesimistas, de modo que resulte la política más viable. También deberían estar continuamente alerta antes las limitaciones de tal conocimiento en la medida en que siempre hay tendencias construidas en el error.

2. UNA NUEVA DISCIPLINA

Para Potter, «bioética» era el nombre de una nueva disciplina que combinaría la ciencia y la filosofía. La meta de esta disciplina sería la sabiduría. Ya en su primera publicación sobre bioética, definía la sabiduría como «el conocimiento de cómo usar el conocimiento» para la supervivencia humana y para la mejora de la calidad de vida.[9] El conocimiento a unir era, por una parte, el conocimiento biológico o la ciencia de los sistemas vivos (de ahí «bio») y por la otra, el conocimiento de los sistemas de valores humanos (de ahí «ética»). La sabiduría está orientada a la acción; es una guía para la acción. Cuando hay decisiones sobre posibles políticas en competencia y cuando es incierto qué hay que hacer o qué tiene prioridad, el conocimiento biológico debe combinarse con los juicios de valor. En estas circunstancias, uno solo puede proceder con humildad. Pero al mismo tiempo la cautela requiere mecanismos de evaluación y retroalimentación, de modo que uno aprende de las experiencias. La bioética es una ciencia (la ciencia de la supervivencia) porque utiliza la aproximación científica de probar las ideas, es decir, confron-

[8] Ibídem.
[9] Potter, 1970. *Op. cit.* nota 2, p. 127.

tarlas en grupos de colegas, en experimentos, y con lo que se ha aprendido de la investigación previa. Las ideas deben ser probadas y verificadas. Ya no pueden estar basadas solo en la introspección o la lógica. Lo que es nuevo en la bioética es la interdisciplinariedad de esta aproximación. Deberíamos cruzar los límites entre las disciplinas para buscar ideas «que sean susceptibles de una verificación objetiva en términos de la supervivencia futura de los hombres y de la mejora en la calidad de vida de las futuras generaciones», como formula Potter la misión de la bioética.[10]

Ya en la frase de apertura del prefacio de su primer libro, Potter enfatizaba que quería contribuir al futuro de la especie humana. Observaba que parte de la razón por la que el futuro estaba en peligro era que las dos culturas de la sociedad moderna, a saber, las ciencias y las humanidades, no se comunicaban. Este concepto había sido desarrollado en la conferencia ampliamente leída y discutida «Las dos culturas» del físico británico y novelista Charles Percy Snow.[11] En la sociedad moderna occidental se había perdido una cultura común. Esto hacía difícil resolver los problemas a los que la gente se enfrentaba y ponía en peligro el futuro. Con su libro, Potter intentaba dar una respuesta a este reto. La creación de la nueva disciplina de la bioética podría proporcionar un puente entre las dos culturas.

3. Medicina y filosofía

La idea de que había un hiato entre las dos culturas se sentía especialmente en el contexto de la medicina en los años 60 del siglo XX. La educación universitaria en general estaba sufriendo una reforma bajo la presión de los movimientos de estudiantes. La educación médica en particular era criticada por estar demasiado orientada hacia las ciencias naturales. En la escuela médica de Leiden (Holanda), donde yo estudié, el *curriculum* había acabado de ser reformado con menos énfasis en las ciencias naturales. Para los estudiantes, sin embargo, la reforma no era suficiente; querían más enseñanza en materias sociales y psicológicas, así como ejercicios prácticos más tempranamente en el *curriculum* para mostrar su relevancia para la práctica médica posterior. En retrospectiva, lo que estábamos experimentando en estos primeros años de educación médica era el desengaño (aprendimos tarde lo que ha sido bien descrito por los sociólogos como el desarrollo institucional del cinismo). Muchos de

---

[10] Potter, 1970. *Op. cit.* nota 2, p. 132.

[11] Snow, C.P. (1959): *The two cultures,* Cambridge, Cambridge University Press.

nosotros habíamos elegido entrar en Medicina por motivos idealistas; queríamos cuidar de otros seres humanos aunque la profesión no era, ciertamente, la mejor pagada y la carrera educativa era excepcionalmente larga. El idealismo personal de querer ayudar a la gente se confrontaba, sin embargo, con estructuras impersonales, aproximaciones procedimentales y desapego psicológico. El primer año del *curriculum* se centraba primariamente en estadística, física, química y biología. El programa intensivo de cursos no proporcionaba la impresión de que la medicina tuviera algo que ver con los seres humanos en condiciones específicas y con escenarios sociales y culturales diferentes. Los estudiantes activistas protestaron para presionar a la Facultad para revisar el *curriculum* más sustancialmente. Pero estaba claro para algunos de ellos que, de hecho, se había perdido una concepción de conjunto de la medicina y sus propósitos, una aproximación más filosófica. Por la misma época, la reputación de los profesores de filosofía se estaba extendiendo entre los estudiantes. Un número considerable de estudiantes de Medicina decidieron solo por curiosidad asistir a las lecciones públicas de los profesores de Filosofía. Estos profesores excepcionales crearon un interés real por los asuntos filosóficos entre sus estudiantes. Al mismo tiempo, era obvio que no se referían a cuestiones fundamentales en relación con la medicina y la atención sanitaria, al menos no directamente. La reflexión filosófica, sin embargo, pretende en última instancia elucidar interrogantes básicos relativos a la existencia humana. Los cursos de filosofía demostraron que la ciencia no es una actividad mecánica de reproducir conocimiento, sino un desafío crítico, analítico y reflexivo para el intelecto. Los estudiantes de Medicina de todo el país decidieron combinar el estudio de la filosofía con el de la medicina. Cuando más tarde, en 1982, se tomó la iniciativa de establecer la Dutch Society for Philosophy and Medicine, resultó que había aproximadamente 100 personas interesadas con una doble licenciatura.

Es interesante que en muchos países en ese tiempo no era inusual la combinación de medicina y filosofía. Diego Gracia[12] ha señalado que él estaba estudiando Filosofía en la primera mitad de los años 60 y Medicina, especialmente Psiquiatría, en la segunda mitad. Entonces se interesó por la historia de la medicina y la antropología médica. Bendecido con dos soberbios mentores, Pedro Laín Entralgo y Xavier Zubiri, se fue impregnando de la idea de que el conocimiento humano siempre trasciende los límites de las disciplinas científicas establecidas, exactamente como él mismo demostraría en su trabajo académico. La medicina y la filosofía tienen la mayor parte de sus historias íntimamente

---

[12] Gracia, D. (2009): «Spanish bioethics comes into maturity: Personal reflections», *Cambridge Quarterly of Healthcare Ethics, 18:* 219-27.

relacionadas.[13] Solo recientemente, con la emergencia de la medicina como ciencia natural, se han separado. La advertencia del psiquiatra suizo Eugen Bleuler[14] de que la medicina y la filosofía deberían mantenerse apartadas, pues de otro modo uno terminaría con una mezcla de chocolate y ajo, se tomó en serio. La medicina es una ciencia natural; la especulación filosófica no solo es inútil, sino también peligrosa para su desarrollo. La filosofía solo ha producido un cementerio de sistemas de ideas muertos.

Lo que comenzó como una búsqueda personal de la reflexión filosófica sobre la medicina se transformó rápidamente, en diferentes lugares, en una exploración sistemática y académica de un nuevo campo de la investigación científica: la filosofía de la medicina. La aparición de revistas especializadas como *The Journal of Medicine and Philosophy* (desde 1976) y *Metamed* (1977) — renombrada *Metamedicine* desde 1980, *Theoretical Medicine* desde 1983, de nuevo *Theoretical Medicine and Bioethics* desde 1998—, además de la serie de libros *Philosophy and Medicine* (desde 1975) mostró que en muchos países, en más o menos el mismo período de tiempo, la reflexión filosófica sobre la medicina estaba emergiendo. Pero había dos corrientes en el desarrollo de la filosofía médica: la ética médica practicada por los teólogos y los filósofos morales, y los estudios filosóficos centrados en conceptos, teorías y metodologías de la medicina, por los médicos. Solo a mediados de los años 80 estas corrientes confluyeron con un creciente dominio de la corriente ética. De hecho, este movimiento intelectual hacia la bioética fue facilitado por dos reducciones. La noción de bioética introducida en 1970 había sido reducida de su ámbito más amplio inicial propuesto por Potter a uno más limitado, centrado en una versión agrandada de la ética médica. Además, el debate fundamental y crítico sobre la asistencia sanitaria se redujo a la discusión de los asuntos normativos, y primariamente a la cuestión de qué individuos deberían decidir. La bioética devino *pars pro toto* del movimiento más amplio de la reflexión filosófica. Estas dos reducciones implican que preocupaciones y cuestiones importantes han desaparecido de la agenda del debate bioético. En relación con esto es importante clarificar el contexto de la filosofía de la medicina en que había nacido la bioética. Este contexto es particularmente relevante para las aproximaciones europeas en bioética. Explica por qué la bioética no es un movimiento norteamericano sino que ha nacido y renacido en varios lugares.

---

[13] Have, H. ten (1980): «Wijsbegeerte der geneeskunde», *Algemeen Nederlands Tijdschrift voor Wijsbegeerte, 72:* 242-63.

[14] Bleuler, E. (1921): *Naturgeschichte der Seele und ihres Bewustwerdens. Eine Elementarpsychologie,* Berlín, Springer.

4. La emergencia de la filosofía de la medicina

La reflexión crítica estaba estrechamente ligada al progreso de la ciencia médica en los años 50 y 60. En varios países europeos la evolución de la filosofía de la medicina estaba relacionada con la tradición de la medicina antropológica y la práctica general, a las que se les solicitaba centrarse en el paciente como una persona completa y, por tanto, con una metodología más holística, además de la tradición de la historia de la medicina.[15] La primera fase del criticismo estaba caracterizada por la identificación y crítica del «poder médico». Particularmente influyente en Holanda fue un librito de Van den Berg[16] escandalizando el poder sin precedentes de la medicina. Dentro del mismo discurso médico, se argüía que el papel y la eficacia de la medicina eran frecuentemente sobrestimados.[17] La segunda fase se centró específicamente en el impacto negativo del poder médico. Este poder, ejercitado por los profesionales, se asocia con frecuencia con un comportamiento arrogante y paternalista, además de con una tendencia a la expansión en otras áreas de la vida humana y social. Los conceptos de «medicalización» e «iatrogénesis», introducidos por Zola e Illich,[18] parecieron particularmente fructíferos. Muchos estudios enfatizaron la interrelación entre la medicina, la sociedad y la cultura, y pudieron ser fácilmente conectados con la crítica filosófica del estructuralismo (Foucault) y la teoría crítica (Adorno, Habermas). Tal crítica condujo a la tercera fase de contrapeso del poder médico, ya por imposición de límites a través de la legislación y el énfasis en los derechos del paciente, o por articulación de la autonomía individual y la toma de decisiones, o por la creación y utilización de sistemas alternativos tales como las medicinas complementaria, holística, y humanística, y la autoayuda.

Las diversas actividades de análisis crítico de la atención sanitaria actual promovieron un examen más amplio de los presupuestos, fundamentos, métodos, conceptos y valores en la moderna medicina. Las aproximaciones y asunciones usuales no podían darse por garantizadas durante más tiempo. Repensar la filosofía de la medicina estaba motivado aparentemente por la

---

[15] Gracia, 2009. *Op. cit.* nota 12; Have, H. ten y Arend, A. van der (1985): «Philosophy of medicine in the Netherlands», *Theoretical Medicine, 6:* 1-42.

[16] Berg, J. H. van den (1969): *Medische macht en medische ethiek,* Callenbach, Nijkerk.

[17] McKeown, T. (1976): *The role of medicine. Dream, mirage or nemesis?,* Londres, The Nuffield Provincial Hospitals Trust.

[18] Zola, I. K. (1973): *De medische macht,* Meppel, Boom; Illich, I. (1975): *Medical nemesis,* Londres, Calder & Boyars.

necesidad de clarificar la imagen del ser humano, no solo presupuesta en la actividad médica, sino también estimulada y reforzada por la ciencia médica. Como filosofía en acción, la medicina intenta rehacer al hombre y la realidad.[19] La medicina siempre actúa con ciertas ideas implícitas sobre qué son y qué deberían ser los seres humanos. Esta motivación está conectada con movimientos sociales para *humanizar* la medicina y para hacerla más *holística*. Otra motivación para el análisis filosófico era la necesidad de clarificar el carácter científico de la medicina, reflexionar sobre los métodos del juicio clínico y de la toma de decisiones clínicas.[20] Elucidar el así llamado modelo médico era especialmente imperativo en las discusiones con los protagonistas de la antipsiquiatría y la medicina alternativa. La teoría de los paradigmas del desarrollo científico de Kuhn se aplicó a la medicina[21] para determinar la demarcación entre la ciencia y la no ciencia, pero también para descubrir la especial naturaleza de la práctica general y la medicina de familia. En conexión con la metodología médica, conceptos básicos como salud, enfermedad, normalidad, dolencia y sufrimiento se discutieron intensivamente.[22] Una tercera motivación para involucrarse en la filosofía de la medicina fue creada por los problemas morales del progreso médico. No es simplemente que hay problemas nuevos o diferentes, sino que la ética médica en sí misma está en una crisis. Una primera propuesta para redefinir la ética médica, basada en el concepto de dignidad humana y en una imagen más amplia del hombre como ser relacional, fue publicada por Paul Sporken,[23] quien también fue designado como el primer profesor de ética médica en una facultad de Medicina (en 1974 en Maastricht). Durante los años 80 la bioética en Holanda fue rápidamente institucionalizada; el total de las ocho escuelas de medicina del país crearon cátedras y departamentos específicos o centros de medicina o bioética con la enseñanza de la ética como componente obligatorio del *curriculum*.

---

[19] Pellegrino, E. D. (1976): «Philosophy of Medicine: problematic and potential», *Journal of Medicine and Philosophy, 1(1):* 5-31.

[20] Wulff, H. R. (1976): *Rational diagnosis and treatment,* Oxford, Blackwell.

[21] Verbrugh, H. S. (1978): *Paradigma's en begripsontwikkeling in de ziekteleer,* Haarlem, De Toorts.

[22] Have, H. ten (1984): «Ziekte als wijsgerig probleem», *Wijsgerig Perspectief, 25:* 5-12.

[23] Sporken, P. (1969): *Voorlopige diagnose. Inleiding tot een medische ethiek,* Bilthoven Ambo.

5. DE LA MORALIDAD INTERNA A LA EXTERNA

La rápida emergencia de la bioética se puede explicar como la transformación desde la moralidad interna a la externa en el área de la atención sanitaria. Tradicionalmente, la ética médica se refería a la deontología de la profesión médica. La deontología expresaba la moralidad interna de la medicina, es decir, los valores, normas y reglas específicos intrínsecos a la práctica real de la atención médica. Definen implícitamente la buena práctica clínica y determinan lo que es un buen profesional. El poder creciente de la medicina de posguerra desacreditó esta noción de moralidad interna y la sustituyó rápidamente con valores, reglas y normas externas a la medicina.[24] Estos determinantes normativos eran prevalentes en las tradiciones sociales, culturales y religiosas que influyen en el contexto en que la medicina era practicada. Había un creciente contexto en que estos determinantes deberían ser más importantes en la regulación de la práctica médica que los habituales internos. La nueva bioética enfatizaba primariamente la moralidad externa, con nociones morales tales como «autonomía individual» y «justicia social».[25]

El cambio de la moralidad interna a la externa tuvo consecuencias significativas. Fue el instrumento para crear una profesión definida de bioeticistas, pero también promovió el desarrollo de una legislación sobre asistencia sanitaria (en algunos países como Francia específicamente etiquetadas como «leyes bioéticas»), instituciones separadas (comités de bioética), y programas educativos y de entrenamiento (másters en bioética). Sin embargo, el énfasis primario en la moralidad externa también fomentó una perspectiva peculiar de la medicina como transacción neutral, una empresa, incluso comercio o negocio, cuyo objetivo es intercambiar asistencia tecnológica y conocimiento experto con las demandas y necesidades de las personas autónomas (clientes o consumidores). Desarrollándose como una disciplina autónoma que ayuda a la práctica sanitaria, la bioética tiene que convertirse, al mismo tiempo, en un componente del orden tecnológico. Ha sido dominada por un modelo ingenieril de razonamiento moral que utiliza la idea de racionalidad tecnológica para afrontar un conjunto concreto de problemas prácticos a través de la aplicación de principios

[24] Gracia, D. (2001): «History of medical ethics», en: Have, H. ten y Gordijn, B. (eds.): *Bioethics in a European perspective,* Dordrecht/Boston/Londres, Kluwer Academic Publishers: pp. 17-50.

[25] Have, H. ten (2001): «Theoretical models and approaches to ethics», en: Have, H. ten y Gordijn, B. (eds.): *Bioethics in a European perspective,* Dordrecht/Boston/Londres, Kluwer Academic Publishers, pp. 51-82.

morales. En esta aproximación, la bioética es una tecnología sofisticada para hacer manejables y controlables un conjunto particular de (potenciales) problemas. Usualmente, el centro del análisis ético es angosto y no demasiado crítico. Por ejemplo, la revisión ética de los protocolos de investigación se centra en el consentimiento informado, no en la relevancia social de la investigación; la evaluación de nuevas tecnologías se concentra en la seguridad, la efectividad y los costes, no en las implicaciones sociales y éticas. Si la bioética como nueva disciplina científica y discurso público ha emergido a causa del desarrollo de los problemas morales debidos a los avances tecnológicos que están cambiando la atención médica y el tratamiento, entonces el resultado de esta evolución es bastante paradójico. De acuerdo con filósofos como Habermas, Foucault e Illich, la tecnología nos confronta con problemas morales en la medida en que nuestro mundo de la vida ha sido penetrado, dominado o incluso *colonizado* por la ciencia y la tecnología. Pero cuando la bioética puede ser considerada ella misma como una tecnología específica, orientada a resolver o al menos *pacificar* las consecuencias morales del uso de las tecnologías médicas, es obvio que la respuesta a tales problemas no puede ser ofrecida por una ética que está, ella misma, orientada tecnológicamente. De hecho, un tipo de bioética que se aproxima a los problemas morales de un modo ingenieril, aplicando técnicamente los principios a los casos y los dilemas, se ha convertido ella misma en otra manifestación del mismo problema básico. La bioética se ha convertido en otra expresión de la racionalidad técnica que ha sido en primer lugar la fuente de las preocupaciones morales.

6. RESITUAR LA BIOÉTICA

El diagnóstico del desarrollo de la bioética implica que la bioética surgió como la respuesta predominante a la crítica de la medicina contemporánea y a los problemas creados por la ciencia y la tecnología. Pero también demuestra que la bioética no proporciona una cura, sino que actúa meramente como un paliativo. En lugar de dirigirse seriamente a los interrogantes filosóficos suscitados dentro del movimiento crítico, la bioética está preocupada primariamente por proponer respuestas y soluciones prácticas.[26] La separación de la moralidad interna, como se discutió anteriormente, estuvo facilitada por la autoconcepción de la bioética como «ética aplicada». Dentro de la tradición de la ética esta noción parece una tautología en la medida en que la ética siempre ha sido considerada filoso-

[26] Gracia, 2001. *Op. cit.* nota 25.

fía práctica. No obstante, como ha defendido Stephen Toulmin en una famosa publicación,[27] la ética ha sido marginada como una disciplina estéril, académica y analítica. Solo a través de la emergencia de los problemas morales en el ámbito médico ha revivido. Enfatizar la «aplicación» tiene una doble connotación: indica que la ética está disponible para lo que hacemos habitualmente, se aplica a nuestros problemas diarios; pero la ética también es útil, práctica, en el sentido de que es algo que hacer, trabaja para resolver nuestros problemas. La concepción de la bioética como ética aplicada no solo demuestra su utilidad (más allá de meros intereses teóricos y académicos) sino también su relevancia. Fue canonizada en el igualmente famoso libro de Beauchamp y Childress[28] que definía la ética biomédica como la aplicación de teorías éticas generales, principios y reglas a problemas específicos que pueden surgir en la atención sanitaria, la investigación y la práctica terapéutica. El objetivo de las contribuciones éticas es analizar estos problemas y ofrecer soluciones que estén moralmente justificadas. El principal instrumento de esta aproximación es un conjunto de principios morales. Habitualmente se usan tres o cuatro principios: respeto por la autonomía, beneficencia, no maleficencia (que a veces es incluida en la beneficencia) y justicia. Estos principios se consideran básicos, porque son juicios generales que sirven como justificación para prescripciones y evaluaciones particulares de las acciones humanas. Los principios son generalizaciones normativas que guían las acciones. Desde los principios se pueden derivar directrices y reglas éticas. La ventaja de los (cuatro) principios es que son defendibles desde una variedad de perspectivas morales teóricas. Proporcionan un marco analítico, una herramienta universal, para clarificar y resolver los asuntos morales. La aproximación de los principios para analizar los problemas morales es habitualmente muy útil en la identificación y planificación de las consideraciones morales relevantes relativas a las tecnologías y servicios médicos; también es instructiva porque señala dónde se requieren ulteriores estudios.

7. Remedios

Durante los años 90 hubo un intensivo debate sobre las metodologías y aproximaciones en bioética. Por un lado se defendía que era necesario prestar más

[27] Toulmin, S. (1982): «How medicine saved the life of ethics», *Perspectives in Biology and Medicine, 25:* 736-50.

[28] Beauchamp, T. L. y Childress, J. F. (1983): *Principles of biomedical ethics,* 2.ª ed., Nueva York/Oxford, Oxford University Press.

atención al análisis de la moralidad interna de las prácticas médicas. Efectivamente, se han desarrollado nuevas aproximaciones a la bioética centradas en las particularidades de tales prácticas, como la ética fenomenológica, la ética narrativa, y la ética del cuidado. Más aún, las concepciones tradicionales han revitalizado de modo notable la nueva casuística (trazada a partir del modo casuístico clásico de razonamiento moral) y la aproximación de la virtud, enfatizando cualidades del carácter tanto en los individuos como en las comunidades. Lo que es particularmente destacado es el creciente interés en la así llamada ética empírica. El foco de la investigación ética se está desplazando de la aplicación de la ética ya-preparada hacia el estudio de la ética-en-acción. Se utiliza una variedad de métodos de investigación: observación participada, cuestionarios y entrevistas, análisis de la decisión, evaluación cualitativa, sondeos de preferencias. El denominador común es que los datos cualitativos y cuantitativos se recogen por medio del estudio empírico de las cuestiones éticas. Muchos de estos estudios son fascinantes porque muestran los patrones de valores subyacentes a prácticas específicas y las normas intrínsecas que son operativas en el trabajo clínico, por ejemplo en cirugía,[29] consejo genético,[30] cuidados intensivos,[31] y cuidado neonatal.[32] Especialmente el trabajo de Bosk ha sido capital porque introdujo los métodos de la antropología y la sociología en la bioética.[33] Aunque la investigación empírica en ética puede proporcionar nuevos y útiles entendimientos, y pueden considerarse complementarios de las aproximaciones filosóficas, también afronta problemas fundamentales.[34] Una de las cuestiones básicas se refiere a la relevancia moral de los datos empíricos. La investigación empírica puede ayudar a explicar y comprender las actitudes, razonamiento y motivaciones de los varios actores en el escenario de la atención sanitaria, pero los datos empíricos en sí mismos no pueden justificar cómo

---

[29] Bosk, C. L. (1979): *Forgive and remember. Managing medical failure,* Chicago/Londres, The University of Chicago Press.

[30] Bosk, C. L. (1992): *All God's mistakes. Genetic counseling in a pediatric hospital,* Chicago/Londres, The University of Chicago Press.

[31] Zussman, R. (1992): *Intensive care. Medical ethics and the medical profession,* Chicago/ Londres, The University of Chicago Press.

[32] Anspach, R. R. (1993): *Deciding who lives. Fateful choices in the intensive-care nursery,* Berkeley, University of California Press.

[33] Bosk, C. L. (2008): *What would you do? Juggling bioethics and ethnography,* Chicago, University of Chicago Press.

[34] Have, H. ten y Lelie, A. (1998): «Medical ethics research between theory and practice», *Theoretical Medicine and Bioethics, 19:* 263-76.

deberían comportarse los actores, o qué clase de decisiones están moralmente justificadas.[35]

Por otro lado, la moralidad externa no puede ser asumida simplemente en el discurso bioético, sino que debería ser revisitada críticamente. En orden a obtener una mejor comprensión de la interacción de ambas moralidades —interna y externa—, es necesario establecer un marco teórico relevante para la práctica médica de un modo adecuado para dar cuenta de las normas y valores inherentes a la práctica de la medicina, pero esto requiere al mismo tiempo suficiente distancia para proporcionar una perspectiva normativa crítica de la práctica médica. Esto no es verdad solo para los principios que se apliquen —como el principio de respeto a la autonomía que se asume frecuentemente como la noción básica para el discurso ético (con la toma de decisiones individual como antídoto del paternalismo médico)—, sino que parece ser verdad también para el énfasis en la aplicación en general. Cuando el análisis bioético se concentra en cómo justificar moralmente la aplicación de la ciencia y la tecnología en el contexto de la atención sanitaria, es frecuente que esté tan completamente inmerso en el objeto de análisis mismo que no se coloca una distancia crítica de los desarrollos científicos y tecnológicos. Entonces ya no comprendemos cómo crean encrucijadas morales. La reflexión crítica sobre los presupuestos e implicaciones de los desarrollos científicos y tecnológicos puede clarificar cómo emergen los problemas morales, por qué algunos problemas surgen y otros no, y cómo se afrontan tales problemas. La bioética necesita, por tanto, ir más allá del marco de la ciencia y la tecnología, cuestionando si el nuevo conocimiento o la tecnología específica, como tal, se justifica a la luz de los valores morales. Aquí el análisis ético no da por hecha, a priori, la ciencia y la tecnología. Comienza desde una perspectiva crítica, asumiendo que, por ejemplo, las tecnologías no son axiológicamente neutras sino que incorporan valores concretos. Las tecnologías son expresiones de valores tales como los valores de la búsqueda del conocimiento, tener descendencia, o aliviar el sufrimiento. Sin embargo, estos valores están frecuentemente dados de modo implícito y no articulados. La investigación ética ahora los toma como punto de partida para un debate sobre (otros) valores motivadores en la sociedad. Este tipo de investigación se centra en los valores subyacentes o incrustados en el desarrollo de la tecnología misma. Por ejemplo, los estudios en esta categoría no darán por sentado que el progreso de las tecnologías de trasplante sea beneficioso. Cuestionarán el marco específico de nociones como la integridad personal, el altruismo, la muerte,

---

[35] Pellegrino, E. D. (1995): «The limitations of empirical research in ethics», *Journal of Clinical Ethics, 6:* 161-2.

y el cuerpo, que están asociadas con estas tecnologías emergentes. Examinarán críticamente la noción implicada de «propiedad del cuerpo», donde el principio moral de respeto a la autonomía es efectivamente útil para facilitar la donación de órganos, pero al mismo tiempo reitera la imagen dualística tradicional de la persona humana: un sujeto autónomo con un cuerpo material como propiedad suya. Estos estudios también explorarán la reciente expansión de estas tecnologías con el trasplante de células y genes. Llamarán la atención sobre las reclamaciones de perfectibilidad e inmortalidad, frecuentemente implícitas en el desconcertante progreso de las tecnologías de células madre, y relacionarán tales afirmaciones con un cuerpo de conocimiento filosófico y, en ocasiones, utópico.[36] La metodología de tales estudios es histórica además de sintética. Intentan proporcionar una perspectiva diacrónica y sincrónica: los valores incorporados en las tecnologías actuales se explican en conexión con valores similares en la historia, pero también se clarifican en conexión con los desarrollos en otras disciplinas científicas, mirando así más allá del marco del tiempo presente y de las disciplinas existentes. El presupuesto de este tipo de investigación ética es que la ética es, antes de todo, el esfuerzo filosófico por comprendernos a nosotros mismos y nuestra existencia en términos de lo que es deseable o indeseable, soportable o condenable, bueno o malo.

8. BIOÉTICA: DE LA APLICACIÓN A LA INTERPRETACIÓN

Las complejas interacciones entre la moralidad interna y externa de las prácticas de la asistencia sanitaria nos recuerdan que la bioética es, antes que nada, una actividad filosófica. Como dominio particular de la filosofía, la ética procede desde el conocimiento empírico, verbigracia, la experiencia moral. La dimensión moral del mundo es la experimentada en primer lugar. La ética es la interpretación y explicación de esta comprensión primordial. Antes de actuar moralmente debemos saber, al menos hasta un cierto punto, qué es moralmente deseable o correcto. De otro modo, no reconoceríamos lo que es atrayente en un sentido moral. Por otro lado, lo que reconocemos en nuestra experiencia es típicamente poco claro y está necesitado de una ulterior elucidación e interpretación.

A causa de la importancia de la interpretación se ha defendido que la ética debe ser considerada mejor como una disciplina hermenéutica.[37] La ética puede

---

[36] Gordijn, B. (2003): *Die medizinische Utopie. Eine Kritik aus ethischer Sicht,* Nijmegen, Dissertation.

[37] Have, 2001. *Op. cit.* nota 26.

definirse como la hermenéutica de la experiencia moral. Los problemas bioéticos en particular deben ser comprendidos dentro del marco más amplio de una teoría filosófica interpretativa. La bioética como interpretación, más que como aplicación, requiere un nuevo acercamiento entre la ética y la antropología filosófica.[38] Particularmente en la medicina y en la atención sanitaria, las teorías morales y las aproximaciones normativas están íntimamente conectadas con imágenes del ser humano. En el entorno médico, donde estamos tratando básicamente con la precaria existencia humana, no podemos escapar a la cuestión: ¿qué clase de ser humano queremos realizar en las actividades médicas?, ¿qué clase de persona deseamos respetar, sanar, informar, confortar en la asistencia sanitaria?

La imagen de la persona humana que subyace, justifica y estimula la mayor parte de la medicina cotidiana es una imagen universalista y reduccionista. En esta imagen, los seres humanos se comprenden analizando y estudiando las estructuras anatómicas, las funciones fisiológicas, las aberraciones patológicas, las complejidades bioquímicas o las locaciones y dislocaciones genéticas. La imagen más dominante en la moderna medicina es el hombre como mecanismo. La imagen mecanicista de hombre subyacente en un modo prototípico de la medicina clínica y curativa es de hecho la herencia cartesiana, incluso aunque esta imagen sea actualmente extremadamente sofisticada y complicada, comparada con la del siglo XVII. Considerar el cuerpo humano como parte de una realidad material ha sido un paradigma fructífero para la medicina moderna. Es importante reconocer que la bioética del presente ha emergido desde las críticas del ser humano como mecanismo.[39] Es la perspectiva unilateral de esta imagen lo que da lugar a muchos problemas *bio-éticos*. Los asuntos morales surgen de una orientación casi exclusivamente tecnológica del mundo y una conceptualización predominantemente científica de la vida humana. Esto es porque los seres humanos resisten la tendencia de la medicina a centrarse primariamente en sus cuerpos y existencia biológica. Protestan contra el aplastante poder de los profesionales de la salud y las instituciones sanitarias, reduciendo los pacientes a casos, números y objetos. Objetan a la pérdida de implicación de los seres individuales dentro del proceso de toma de decisiones, además de la falta de respeto por la autenticidad

[38] Have, H. ten. (1998): «Images of man in philosophy of medicine», en: Evans, M. (ed.): *Critical reflection on medical ethics,* Stamford, JAI Press, pp. 173-93.

[39] Have, H. ten (2000): «The zapping animal. Oscillating images of the human person in modern medicine», en: Tymieniecka, A. T. y Zalewski, Z. (eds.): *Life - The human being between life and death,* Analecta Husserliana LXIV, Dordrecht, Kluwer Academic Publishers, pp. 115-23.

y subjetividad individual. La bioética ha surgido como un movimiento para reintroducir el sujeto del paciente individual en el marco sanitario, enfatizando los derechos de los pacientes, el respeto por la autonomía individual, y la necesidad de establecer límites al poder médico. La paradoja, sin embargo, es que intentamos tratar los asuntos morales de la medicina con una concepción de la ética que en sí misma está impregnada de racionalidad científico-técnica. La perspectiva única de la bioética como «ética aplicada» o «principialismo» que surgió durante los años 70 y 80 parece reforzar la visión dominante del ser humano como mecanismo, aunque la bioética en sí misma se haya desarrollado a partir de las críticas a esta imagen del hombre.

9. BIOÉTICA: DE LA INTERPRETACIÓN A LA DELIBERACIÓN

La interacción dialéctica de antropología y ética, como se enfatiza particularmente en la concepción de la bioética como ética interpretativa, puede ayudarnos a recuperar una perspectiva del hombre como ser social, y por tanto restaurar la idea de comunidad moral.[40] Nuestro yo se constituye a través de las prácticas de la comunidad. El contexto cultural y la comunidad son constitutivos de los valores y metas de los individuos. La relación comunal falsea por tanto la idea del yo «no recargado», la idea de la autoposesión que asume que el individuo como una entidad existe antes de los fines con los que se afirma. La perspectiva de que el yo diseña autónomamente su proyecto de vida desde una posición asocial o presocial, y subsiguientemente participa en la comunidad, es contraproducente. Sin cultura social, nuestro potencial para la autodeterminación quedará vacío. La reflexión ética se necesita primariamente para articular la incrustación social y cultural de los seres humanos y para interpretar la narrativa de cada vida individual.

La interpretación presupone un universo de comprensión. Esto es consecuencia del así llamado círculo hermenéutico; en orden a interpretar el significado de un texto, el intérprete debe estar familiarizado con el vocabulario y la gramática del texto, y tener alguna idea de lo que el texto podría significar. Para el hombre como ser social, la comprensión siempre es un fenómeno de comunidad: comprender en comunicación con otros. La perspectiva de la bioética como ética interpretativa implica por tanto la significación de la deliberación. Para comprender lo que ocurre y lo que necesitamos hacer, tenemos que impli-

---

[40] Kuczewski, M. G. (1997): *Fragmentation and consensus. Communitarian and casuist bioethics,* Washington, D.C., Georgetown University Press.

carnos en la comunicación, es decir, involucrarnos en la comunidad con otros y entrar en diálogo con los pacientes, los colegas y otros profesionales de la salud, para descubrir las particularidades de nuestra propia comprensión, y a través de eso, alcanzar un nivel más general de entendimiento. La necesidad de deliberación es así subrayada porque las experiencias morales son complejas y versátiles. Toda interpretación es por tanto tentativa. Si la ética tiene como objetivo primariamente interpretar y comprender la experiencia moral, la deliberación es necesaria para abrir posibles perspectivas.

Sin embargo, hay diferentes nociones de deliberación. Las diferencias se pueden observar por ejemplo en los procedimientos y actividades de los comités de bioética.[41] La primera es la *deliberación forense*. Esto es el intercambio de perspectivas como en el sistema legal. El modelo es la sala de un tribunal. Hay partes en disputa cuyos intereses son opuestos. Sus perspectivas son defendidas en público. Después del intercambio de testimonios y argumentos, finalmente solo una de ellas será refrendada por el veredicto. Esta noción de deliberación refleja lo que Diego Gracia[42] ha llamado aproximación «dilemática» a los problemas bioéticos. Es característica del modelo *ingenieril* de la bioética.[43] El bioeticista es un «ingeniero ético»: tiene un conocimiento experto específico para manejar problemas morales concretos. Puede presentar ambos lados de un asunto, proporcionar todos los argumentos y después juzgar entre dos perspectivas en competencia para alcanzar una decisión. La ética práctica se centra en resolver problemas. Es ilusorio argumentar que la ética debería estar preocupada primariamente con problemas fundamentales. La filosofía contemporánea ya no puede responder a problemas fundamentales. Cualquier distinción entre problemas fundamentales y concretos desaparece en la medida en que los problemas concretos conciernen a cuestiones esenciales de las situaciones de la vida real que piden elecciones y decisiones concretas, no especulación ni reflexión. En esta aproximación, la bioética como ética práctica se ha emancipado de la filosofía y es una disciplina en sí misma efectiva y útil.

La segunda noción de deliberación es la *deliberación académica*. Es el debate metódico de una cuestión o asunto específico. El modelo es la práctica medieval de la *disputatio*. El punto de partida no es un conflicto sino una duda,

---

[41] Kaveny, M. C. (2006): «Diversity and deliberation. Bioethics commissions and moral reasoning», *Journal of Religious Ethics, 34(2):* 311-37.

[42] Gracia, D. (2001): «Moral deliberation: The role of methodologies in clinical ethics», *Medicine, Health Care and Philosophy, 4:* 223-32.

[43] Caplan, A.L. (1983): «Can applied ethics be effective in health care and should it strive to be?», *Ethics, 93:* 311-19.

algo oscuro o un problema que está poco claro. Los eruditos se embarcan en una disputa científica con un proponente que defiende una tesis en contra de un oponente. Es un método de investigación, especialmente en la filosofía y la teología, en la medida en que la duda inicial conducirá a un examen y exploración, y finalmente al conocimiento y la claridad. La deliberación sigue un esquema dialéctico: primero la *questio,* el problema o cuestión a tratar, segundo la formulación de las objeciones por el *defensor,* tercero los contraargumentos presentados por el *respondens,* y finalmente cuando todos los argumentos se han agotado, la *determinatio* por el experto o maestro. El resultado no es una decisión o una respuesta que resuelva la cuestión, sino la presentación de un marco que ofrece orden a los varios pros y contras, y que sintetiza los asuntos relevantes. Este tipo de deliberación proporciona una perspectiva para análisis y discusiones subsiguientes. Presenta, en el lenguaje de Diego Gracia,[44] la aproximación «problemática» a la bioética, porque enfatiza el procedimiento más que la conclusión, el reconocimiento de que los problemas morales son ambiguos más que resolubles.

Mientras que la primera noción de deliberación aspira a las decisiones, el segundo aspira a la comprensión. La deliberación forense como intercambio de perspectivas en competencia asume que el rol de la bioética es estructurar el proceso de la deliberación y facilitar la toma de decisiones a través de un análisis y una metodología rigurosa. Esta visión de la *ingeniería ética,* no obstante, parece reducir las preocupaciones morales en la asistencia sanitaria a problemas que necesitan ser resueltos. Al mismo tiempo, reduce *vivir* a *actuar,* como si la vida fuera una concatenación de decisiones a realizar y de acciones a ejecutar. Por contra, la segunda noción de deliberación como exploración de todos los argumentos relevantes es, de hecho, demasiado académica. Asume que el papel de la bioética es presentar los marcos dentro de los cuales pueden considerarse y examinarse los diversos argumentos. Esta perspectiva de la bioética como *disputatio* reduce los problemas morales a asuntos a discutir.

Sin embargo, desde mi punto de vista, el papel de la bioética no puede reducirse ni a la toma de decisiones ni a la disputa de problemas. La bioética es más que deliberar sobre problemas. Una tercera noción de deliberación es útil aquí para demostrar la naturaleza específica de la bioética: la *deliberación política.* Incluso si es imposible proporcionar decisiones claras, la bioética necesita hacer más que disputa y examen filosófico. Necesita proporcionar guía. La nueva disciplina de la bioética, en la visión de Potter, debería producir sabiduría, pero la sabiduría es la guía para la acción. Los problemas básicos de la humanidad

---

[44] Gracia, 2001. *Op. cit.* nota 43.

son tan fundamentales que no pueden ser únicamente analizados e interpretados. Su naturaleza fundamental hace que no puedan ser resueltos y eliminados por medidas simples. Pero al mismo tiempo, esta naturaleza fundamental nos necesita para formular modos de afrontarlos y abrir alternativas. No son retos intelectuales sino que requieren respuestas políticas.

10. EVALUACIÓN

No estoy seguro de la posición de Diego Gracia a este respecto. Al promover la noción de deliberación como tal, evidentemente rechaza la noción de deliberación forense y defiende la de deliberación académica, diciendo que no hay razón «por la que la deliberación ética debiera ser diferente de otras clases de deliberación».[45] Es comprensible, a la luz de su trayectoria académica, que critique el énfasis en la resolución de conflictos en bioética, y el desplazamiento hacia consideraciones que examinan los fundamentos, su «vuelta a los fundamentos».[46] En otros lugares, sin embargo subraya la conexión de la ética y la política, argumentando que la bioética no puede quedar confinada al dominio de la universidad y de las instituciones sanitarias.[47] Más recientemente, ha defendido que la bioética no se refiere solo al proceso de la deliberación, sino también a la meta de ese proceso: decisiones sabias.[48] La deliberación debería permitirnos tomar decisiones sabias. La bioética necesitará inevitablemente algo más que deliberación académica si quiere criticar el énfasis en el discurso ético sobre la primacía del individuo autónomo y contra la superioridad del poder y la tecnología médica. Ahora que la noción original de la bioética iniciada por Potter[49] ha revivido como «bioética global», hay muchos asuntos nuevos en la agenda, que requieren análisis e investigación, pero además una acción y política más internacional —nuevos asuntos como la corrupción, la violencia, los conflictos de intereses, el uso doble (militar y civil), la justicia social, las generaciones futuras, y también los problemas ecológicos como la polución y

[45] Gracia, D. (2003): «Ethical case deliberation and decision making», *Medicine, Health Care and Philosophy, 6:* 227-33, p. 232.

[46] Gracia, 2009. *Op. cit.* nota 12.

[47] Gracia, 2001. *Op. cit.* nota 43.

[48] Gracia, D. (2011): «Deliberation and consensus», en: Chadwick, R.; Have, H. ten y Meslin, E. M. (eds.): *The SAGE Handbook of Health Care Ethics: Core and Emerging Issues,* Londres, SAGE Publications, p. 84-94.

[49] Potter, 1971. *Op. cit.* nota 2.

el cambio climático—. El discurso bioético no puede centrarse ya en los dilemas de los países ricos, sino que tiene que enfocarse hacia los problemas de los países en vías de desarrollo. Este renacimiento de la bioética global también subraya que la bioética ya no es únicamente una disciplina académica, sino también un discurso público y una preocupación política.

8

Paradigmas de investigación en bioética: lo cualitativo, el giro pragmático y la investigación-acción

ABEL JAIME NOVOA

1. CIENCIAS DE LA NATURALEZA Y CIENCIAS DEL ESPÍRITU

Decía Ortega: «La perspectiva es uno de los componentes de la realidad. Lejos de ser su deformación, es su organización».[1] La investigación pretende ser una perspectiva más —distinta del sentido común de la experiencia, la expresión artística o la reflexión metafísica—, para enfrentarse a la realidad, para conocerla, comprenderla, organizarla y transformarla. La diferencia con otras formas de conocer y comprender es que la investigación utiliza un método, es decir, un proceso ordenado de proceder con el fin de adquirir conocimiento válido. La importante reflexión epistemológica de principio del siglo XX, desde la Escuela de Viena a Popper, asumió que la ciencia contaba con un único

---

[1] Ortega y Gasset, J. (1962): «El tema de nuestro tiempo», en: *Obras Completas,* vol. III, Madrid, Revista de Occidente, p. 1999.

Tabla 8.1. Diferencias entre los contextos de aprendizaje
utilizados en la formación académica y los clínicos reales

Ciencia convencional académica	Problemas reales clínicos

Sistemas cerrados:
  Variables definidas e independientes.
	Sistemas abiertos:
	  Variables no definidas y dependientes.

Valores relevantes:
  Coherencia y Simplicidad.
	Valores relevantes:
	  Idoneidad y Complejidad.

Situaciones claras:
  El enmarque del problema viene predeterminado por la propia formulación del mismo.
	Situaciones confusas:
	  El enmarque debe ser elegido por el profesional; no viene predeterminado.

Adaptado de Claxton[3]

método de investigación, el método cuantitativo, que funcionaba de maravilla dentro del paradigma empírico (el conocimiento emana de la experiencia) y realista (el conocimiento científico nos muestra la naturaleza tal cual es) preponderante en las ciencias físicas. El método, además, actuaba como *criterio de demarcación:* si un conocimiento era obtenido mediante «el método de la ciencia», era científico o válido; si no, podía ser conocimiento, pero no científico y tenía una validez limitada. La perspectiva empírico-realista (o explicativo-positivista) de la investigación influyó poderosamente en el desarrollo de todas las disciplinas «científicas» durante el siglo pasado, y por supuesto, en el desarrollo de la medicina; pero no solo en lo que a generación de conocimiento y su aplicación técnica se refiere sino también en la definición progresiva del modelo de desempeño competente de la profesión sanitaria, aquella llevada a cabo por un profesional con las características de un científico: neutralidad afectiva y axiológica, acumulación de conocimiento especializado y objetividad (libre de sesgos). Este modelo profesional, trasmitido de generación en generación a través de una formación académica positivista[2] y epistemológicamente *naive*[3] (tabla 8.1), ha condicionado una cierta reserva del profesional sanitario ante aspectos de la práctica clínica «no científicos» —como valores, actitudes, creencias, etc. que los bioeticistas conocemos bien— y, ante todo, conocimiento no

[2] Pozo Municio, J. I. y Gómez Crespo, M. A. (1998): *Aprender y enseñar ciencia,* Madrid, Morata.

[3] Claxton, G. (1994): *Educar mentes curiosas: el reto de la ciencia en la escuela,* Madrid, Visor.

generado mediante metodologías cuantitativas[4] —que disciplinas que se acercan al territorio de la medicina con otros enfoques, más acostumbradas a la metodología cualitativa, como la psicología, la sociología, la antropología o la misma enfermería, conocen bien—.

Dilthey, que tanto influyó en Ortega, se planteó que debería existir una reflexión epistemológica diferenciada de la preponderante de las ciencias de la naturaleza para las ciencias sociales. Dilthey creía que la tarea específica de las ciencias de la cultura era la comprensión de valores;[5] a la idea, acariciada por los neopositivistas vieneses, de un saber unificado en métodos y en contenidos, oponía un dualismo epistemológico que expresaba con su famosa distinción entre *ciencias de la naturaleza* y *ciencias del espíritu.* Dilthey asignaba diferente metodología a cada uno de los saberes: el método analítico-explicativo para las *ciencias de la naturaleza;* el método comprensivo-interpretativo para las *ciencias del espíritu.* Lo que el hombre hace con la naturaleza es explicarla; lo que hace con la vida es comprenderla (tabla 8.2).[6]

El mismo Dilthey y, posteriormente, Kuhn[7] o la crítica postmoderna,[8] postularían «la vida como un *a priori»,* el concepto de «paradigma» y el «metarelato», respectivamente, negando la posibilidad de un conocimiento objetivo, puesto que los procedimientos de investigación estarían integrados en una comprensión del mundo dada con antelación y serían, por tanto, contextuales. Contemplar las mismas ciencias de la naturaleza como productos culturales e históricos, surgidos del fenómeno de la vida, supuso la reivindicación del primado de las *ciencias del espíritu* sobre las primeras, produciéndose el fin de la hegemonía del naturalismo científico (epistemológicamente hablando, que no en la práctica) y su intrusismo metodológico. Finalmente Habermas hablaría del «interés»[9] como el principio constitutivo de la objetividad: *interés*

---

[4] Arteaga, O. (2006): «Investigación en Salud y Métodos Cualitativos», *Ciencia y Trabajo, 8(21):* 151-3.

[5] García Gómez-Heras, J. M.: «Método hermenéutico y comprensión del mundo histórico (W. Dilthey)», en: Valor, J. A. (ed.) (2002): *Introducción a la metodología,* Madrid, Machado Libros.

[6] Calventus, J. (2000): «Acerca de la relación entre el fundamento epistemológico y el enfoque metodológico en la investigación social: la controversia cualitativo vs. cuantitativo», *Revista de ciencias sociales, 1.* [Accesible en http://www.postgrado.unesr.edu.ve/acontece/es/todosnumeros/num07/01_06/Cualicuanti.pdf].

[7] Kuhn, T. (1971): *La estructura de las revoluciones científicas,* México, Fondo de Cultura Económica.

[8] Lyotard, J. (1987): *La Condición postmoderna,* Madrid, Ediciones Cátedra.

[9] Habermas, J. (1971): *Conocimiento e interés,* Madrid, Taurus.

Tabla 8.2: Características epistemológicas
de los paradigmas explicativo-positivista y comprensivo-hermenéutico

Paradigma explicativo-positivista (ciencias de la naturaleza)	Paradigma comprensivo-hermenéutico (ciencias del espíritu)
Realismo ontológico: realidad fáctica, externa y objetiva (fenómenos observables), independiente del sujeto investigador.	Idealismo ontológico: realidad simbólica, construida socialmente (significados e interpretaciones), no independiente del investigador.
Objeto de estudio reactivo.	Objeto de estudio activo.
Concepción estática de la realidad, a-histórica.	Concepción dinámica de la realidad, histórica.
Concepción de la realidad atomizada (puede fragmentarse).	Concepción de la realidad holística (como un todo unificado).
Punto de vista externo *(etic)* de la realidad.	Punto de vista interno *(emic)* de la realidad.
Separación sujeto-objeto durante el proceso de producción del conocimiento (no participativo).	Interacción empática sujeto-objeto durante el proceso de producción del conocimiento (participativo).
Neutralidad axiológica e ideológica (apolítica) del investigador. Separación entre valores y hechos en el proceso de investigación.	Compromiso ideológico (político) del investigador. Hechos y valores entrelazados en el proceso de investigación.
La realidad es estructurada (reificada) por una formalización externa que produce datos.	La realidad es estructurada (interpretada) por unos significados y símbolos internos que producen discursos.
Proceso investigativo de carácter explicativo, causal y predictivo. Empíricamente extensivo.	Proceso investigativo de carácter descriptivo, comprensivo e interpretativo. Empíricamente intensivo.

Calventus[6]

técnico, en las ciencias de la naturaleza; *interés práctico,* en las ciencias del espíritu, así como de un interés superior a estos dos, el *interés emancipador* o de auto-reflexión, el punto más elevado para entender el uso de la razón y explicar las relaciones entre conocimiento y acción, teoría y praxis, ciencia y filosofía.[10] Es la culminación de una visión más antropológica del saber en donde la subjetividad sale en reivindicación de sus propios derechos.

La bioética es un campo multidisciplinar donde las *ciencias de la naturaleza* y las *ciencias del espíritu* interaccionan. A pesar de la diversidad de planteamientos epistemológicos aplicados a la bioética,[11] hasta ahora, el enfoque general de la investigación se ha insertado en el paradigma de las ciencias naturales y no ha alcanzado el nivel de conocimiento emancipador que, en mi opinión, le correspondería. Intentaré desarrollar esta idea más adelante.

2. EL GIRO PRAGMÁTICO

El pragmatismo fue un movimiento filosófico surgido en Estados Unidos en torno a la década de 1880 a partir de dos pensadores de muy distinta orientación, Charles Peirce y William James, que debe a John Dewey y a George Mead su consolidación y que, a pesar de su falta de homogeneidad, tenía un espíritu común: «recuperar para la razón y los valores humanos el dominio sobre la acción irreflexiva y opaca que, sobre todo en la cultura moderna, amenaza con imponer a los individuos su propia lógica deshumanizada, y en restituir al mismo tiempo a la práctica, entendida latamente como las diversas formas de experiencia real y concreta, en el lugar que le corresponde como destino último y verdadero juez de los productos del pensamiento».[12]

En los últimos años, tras décadas de relativo olvido, incluso en su país de origen, se está recuperando el pragmatismo, existe un «giro pragmático»[13] en la filosofía, por utilizar la expresión de Habermas,[14] creo que debido a su validez para el contexto postmoderno: la construcción de una nueva racionalidad, que se presenta como falible, plural y permeable al trabajo de la experiencia. Aunque es una razón que se critica a sí misma, también establece juicios de valor y una reflexión sobre los fines últimos, tanto en el plano teórico

---

[10] Arce Carrascoso, J. L. (1999): *Teoría del conocimiento,* Madrid, Síntesis, p. 217.

[11] Garrafa, V.; Kottow, M. y Saada, A. (coord.) (2005): *Estatuto epistemológico de la bioética,* México, Universidad Nacional Autónoma de México. [Accesible desde http://www.bibliojuridica.org/libros/libro.htm?l=1666]

[12] Faerna, A. M. (1996): *Introducción a la teoría pragmatista del conocimiento,* Madrid, Siglo XXI, p. 2.

[13] Penelas, F.; Tozzi, V. y Cabanchik, S. (comp.) (2003): *El giro pragmático,* Madrid, Gedisa.

[14] Habermas, J. (1997): «El giro pragmático de Rorty», *Isegoría: Revista de filosofía moral y política, 17:* 5-36.

como práctico. Su desafío es evitar el «todo vale» y mantener sin embargo su pluralismo y su flexibilidad. Tanto en el ámbito de la toma de decisiones clínicas[15] en bioética,[16] como en el terreno de la reflexión acerca de la investigación en bioética,[17] existe, como digo, una recuperación del pragmatismo que, en mi opinión, establece una crítica epistemológica relevante para el tema que nos ocupa: «Incluso la idea de que hechos y valores pueden distinguirse es dudosa, teniendo en cuenta que los hechos son frecuentemente, sino siempre, *value laden,* y que los valores están casi siempre informados por los hechos»[18] (énfasis nuestro). En efecto, la bioética sigue, en general, aceptando la objetividad de los hechos y la subjetividad de los valores y, por tanto, su alcance sigue limitado a ese campo «devaluado» que son los sentimientos, los valores, en definitiva, «lo cualitativo».

Creo que los interrogantes acerca de «cómo es posible el conocimiento en bioética» deberían ser sustituidos por aquellos referidos a cuál es la forma o mediante qué procesos la bioética puede pasar de un conocimiento limitado o insuficiente, que no se ha mostrado capaz de dar respuesta a los retos de sociedades en desarrollo o a cambiar realmente las prácticas (ni a los profesionales ni a las organizaciones), a un conocimiento considerado superior, no por ser aplicado a mayor número de objetos o ser «científicamente» más válido, sino, en un giro pragmático, por tener capacidad de introducir cambios efectivos en la práctica, comprendiendo más profundamente las peculiaridades de los fenómenos, de las personas y de los contextos.

3. LA INVESTIGACIÓN CUALITATIVA

Cuando se investiga, sobre todo en el territorio conflictivo de las ciencias del espíritu, es necesario tener conciencia de las dimensiones y opciones que vamos eligiendo porque finalmente caracterizarán, definirán y condicionarán el proceso investigador. En la investigación clínica esta toma de conciencia es menos

[15] Novoa Jurado, A. J.; Molina Durán, F. y Luna Maldonado, A. (2004): «Reconstrucción del pensamiento médico: fundamentos del pragmatismo clínico», *Medicina Clínica, 123:* 345-7.

[16] McGee, G. (ed.) (2003): *Pragmatic Bioethics,* 2.ª ed., Cambridge, The MIT Press.

[17] Shelton, W.: «The role of empirical data in bioethics: a philosopher's view», en: Jacoby, L.; Siminoff. L. A. (ed.) (2008): *Empirical methods for bioethics: a primer,* vol. 11, Oxford, Elsevier, pp. 13-20.

[18] Moreno, J. D.: «Bioethics is a Naturalism», en: McGee, G. (ed) (2003): *Pragmatic Bioethics,* 2.ª ed., Cambridge, The MIT Press, p. 9.

relevante ya que se acepta la existencia de una única metodología (epidemiología clínica, epidemiología de poblaciones, ensayo clínico, estudios de cohortes, etc.). En la investigación cualitativa, por el contrario, este *a priori* es esencial. La reflexión epistemológica está presente en la actividad cotidiana de investigación, aunque el investigador la lleve a cabo sin darle este nombre, pero es importante hacerla explícita. Como afirma Piaget: «La epistemología contemporánea es, cada vez en mayor medida, obra de los propios científicos, que tienden a ligar los problemas de fundamentación al ejercicio de sus disciplinas».[19]

El *nivel epistemológico* constituye la mirada más distante en el proceso de producción de conocimiento en bioética. Este nivel es desde el que se inicia toda investigación. Para ello necesitamos definir: qué pretendemos conocer; cómo lo conoceremos; qué tipo de relación estableceremos con el objeto para conocerlo; nuestras intenciones; para qué servirá la investigación (su relevancia), y para quién se hace lo que se hace. Todas estas preguntas —que deberíamos plantearnos al inicio de cualquier investigación pero sobre todo si hablamos de investigación cualitativa y, más aún, si esta investigación se realiza en el campo de la bioética— las responderemos a partir de nuestra particular posición dentro de la realidad. Es en la dimensión epistemológica del proceso investigativo cualitativo en bioética donde se hallan sus planteamientos básicos o, sin que sea redundante, éticos. No es lo mismo que el investigador se declare católico, contrario al aborto y esté asalariado de una institución académica o asistencial confesional que además ha financiado el proyecto, a que se declare agnóstico, respetuoso en relación con el aborto y haya obtenido los fondos para el proyecto a través de convocatorias competitivas, a la hora de evaluar los resultados, por ejemplo, de un trabajo de investigación que examina las necesidades y expectativas de madres adolescentes. Negar o eludir estos *a priori* aleja a la bioética como disciplina de esa dimensión emancipadora de la que hablaba Habermas. Los sesgos, a diferencia de lo que pasa en la investigación cuantitativa, no devalúan la investigación sino que la completan, siempre y cuando se expliciten. Pero si los *a priori* mencionados son más o menos evidentes como conflictos de interés, no lo son tanto los relacionados con los distintos modos de relación sujeto-objeto que subyacen al proceso de producción del conocimiento. Es imprescindible tener conciencia de la *opción paradigmática* (tabla 8.2) desde la que (nos) planteamos la investigación cualitativa en bioética dado el carácter reflexivo y recursivo que se vive en el interior del proceso de producción del conocimiento en las ciencias sociales, en el que el objeto de estudio (a diferencia de lo que ocurre en las ciencias naturales) incluye también al sujeto y a su quehacer científico.

---

[19] Piaget, J. (1981): *Psicología y epistemología,* Barcelona, Ariel, p. 39.

Tabla 8.3. Consecuencias metodológicas para la investigación según el paradigma

Paradigma explicativo-positivista	Paradigma comprensivo-hermenéutico
Conceptualización y significación de la realidad «a priori» (a través de variables teóricas).	Conceptualización y significación de la realidad durante el proceso de producción de conocimiento.
Verificación y confirmación de teorías.	Descubrimiento y generación de teorías.
Observación controlada de la realidad (experimentación).	Observación naturalista de la realidad.
Unicidad de método (monismo metodológico).	Pluralidad metodológica.
Primacía del método: el objeto de estudio se adecua al método (reduccionismo metodológico).	Primacía del objeto de estudio: el método se adecua al objeto de estudio.
Método explicativo-causal, confirmatorio, hipotético-deductivo e inferencial.	Método descriptivo-comprensivo, exploratorio e iluminativo.
Método orientado por la fiabilidad y validez.	Método orientado por la relevancia.
Estudio de casos múltiples (nomotético): análisis cuantitativo para establecer leyes generales.	Estudio de casos particulares (idiográfico): interpretación cualitativa de significados
Estudios orientados fundamentalmente a las variables.	Estudios dirigidos esencialmente a los casos.
Uso de instrumentos formales para recolectar datos.	El investigador como instrumento para recolectar datos.
Acostumbra a obtener datos de naturaleza cuantitativa.	Acostumbra a obtener datos de naturaleza cualitativa

Tomado de Calventus[6]

El *nivel metodológico* ocuparía un segundo nivel o dimensión de análisis del proceso de investigación, de un orden lógico inferior al anterior (y cronológicamente posterior). Hace referencia a la metodología o, más concretamente, al método de investigación, entendido este como el «conjunto de operaciones o actividades que, dentro de un proceso preestablecido, se realizan de una manera sistemática para conocer y actuar sobre la realidad».[20] Es en este nivel (y momento) del proceso investigador donde (y cuando) se define la estrategia que se seguirá. Aquí se responderá a la pregunta de «por qué se hacen las cosas así y no de otra manera»[21] (ver tabla 8.3). La elección de un método de investigación supone una decisión a favor del paradigma que incluye a esa estrategia o a ese instrumento como forma posible de acceso a la realidad, es decir, que los métodos de investigación «representan a los diferentes medios de operar sobre el contexto del científico».[22]

El *nivel técnico,* dimensión incluida en la anterior, está asociado a las acciones más concretas del quehacer científico. Este nivel está integrado por todo un conjunto de procedimientos, recursos y herramientas utilizadas por el investigador para obtener y analizar los datos de la realidad. Las técnicas cualitativas implican un compromiso con el trabajo de campo definido positivamente por su propia historia y no negativamente por la carencia de cifras. Sus diferentes expresiones incluyen la inducción analítica, el análisis de contenido,[23] la hermenéutica, el análisis lingüístico de textos, las entrevistas,[24] las historias de vida, el estudio de casos,[25] ciertas manipulaciones de archivos, las técnicas focales,[26] etc. Las técnicas cualitativas se nutren de los criterios de investigación de la etnografía[27] cuyo núcleo central es «la preocupación por captar el significado de las acciones y de los sucesos para los actores».[28]

---

[20] Pérez, G. (1994): *Investigación cualitativa. Retos e interrogantes,* vol. 1, Madrid, La Muralla, p. 18.

[21] Galindo, L. J. (1998): *Técnicas de investigación en sociedad, cultura y comunicación.* México: Addison Wesley Longman, p 23.

[22] Denzin K. D. (1978): *The research Act,* Nueva York, McGraw-Hill, p. 291

[23] Forman, J. y Damschroeder, L.: «Qualitative content analysis», en: Jacoby, L. y Siminoff. L. A. (ed.) (2008): *Empirical methods for bioethics: a primer,* vol. 11, Oxford, Elsevier, pp. 39-62.

[24] Sankar, P. y Jones, N. L.: «Semi-structured interviews in bioethics research», en: Jacoby, L. y Siminoff. L. A. (ed.) (2008): *Empirical methods for bioethics: a primer,* vol. 11, Oxford, Elsevier, pp. 117-36.

[25] Stake, R. E. (1999): *Investigación con estudio de casos,* Morata, Madrid.

[26] Simon, C. M. y Mosavel, M.: «Ethical design and conduct of focus groups in bioethics research», en: Jacoby, L. y Siminoff. L. A. (ed.) (2008): *Empirical methods for bioethics: a primer,* vol. 11, Oxford, Elsevier, pp. 63-81.

[27] Gordon, E. J. y Levin, B. W.: «Contextualizing ethical dilemmas: ethnography for bioethics», en: Jacoby, L. y Siminoff. L. A. (ed.) (2008): *Empirical methods for bioethics: a primer,* vol. 11, Oxford, Elsevier, pp. 83-116.

[28] Spradley, J. P. (1979): *The ethnographic interview,* Nueva York, Holt, Rinehart and Winston.

4. LA COMPATIBILIDAD DE PARADIGMAS

Comúnmente confundimos metodología de investigación con paradigma de investigación. Pero las cuestiones de método son secundarias a las de paradigma.[29] Definimos paradigma como el sistema básico de creencias o visión del mundo que guía al investigador. Como hemos dicho más arriba, la ciencia ha puesto un gran énfasis en la cuantificación. La matemática ha sido la «reina de las ciencias», y la física y la química, que necesitan especialmente del lenguaje matemático, han sido reconocidas como «ciencias duras». En contraste, disciplinas menos cuantificables como la medicina o la sociología son conocidas como «ciencias blandas», para señalar su imprecisión y falta de confiabilidad respecto a las primeras. Se suele dar por sentado que la madurez científica es proporcional al grado de cuantificación dentro de un campo dado. Una cierta perspectiva en medicina ha perseguido y persigue alcanzar el elevado estatuto científico de la física. La medicina moderna está basada en la metáfora mecanicista de la biología y, aunque la reducción confiere indudables beneficios al disminuir el número de principios explicativos, esta puede verse generalizada en reduccionismos[30] como la metáfora dinámica de los organismos como máquinas, o la metáfora informativa de la vida como un texto escrito en el ADN.[31] Si la introducción de la cuantificación en la biología aplicada a la medicina científica es problemática, todavía más lo es cuando se aplica a la clínica a través de metodologías como el ensayo clínico[32] o correlatos como la medicina basada en la evidencia[33] (tabla 8.4).[34]

[29] Guba, E. y Lincoln, Y. : «Paradigmas en competencia en la investigación cualitativa», en: Denman, G. y Haro, J. A. (comp.) (2002): *Por los rincones. Antología de métodos cualitativos en la investigación social,* Sonora, Hermosillo, pp. 113-45. [Consultado el 10 de abril de 2011 en http://investigacioncualitativa.cl/2008/01/paradigmas-teoras-enfoques.html].

[30] Foss, L. (1994): «The biomedical paradigm, psychoneuroimmunology and the black four of hearts», *Advances, 10(1):* 32-44.

[31] Yates, F. E.: «Self-organizing systems» en: Boyd, C. A. R. y Noble D. (eds) (1993): *The Logic of Life: The challenge of integrative physiology,* Oxford, Oxford. [Citado por Mc Whynney en *Orígenes de la Medicina Familiar.* Accesible en http://www.intramed.net/UserFiles/origenes].

[32] Mathews, J. R. (2007): *La búsqueda de la certeza: la cuantificación en medicina,* Madrid, Triacastela.

[33] Miles, A.; Loughlin, M. y Polychronis, A. (2007): «Medicine and evidence: knowledge and action in clinical practice», *Journal of Evaluation in Clinical Practice, 13:* 481-503

[34] McWhinney, I. R. (1995): *Medicina de Familia,* Barcelona, Doyma.

Tabla 8.4: Anomalías del paradigma biomédico

La anomalía dolencia-enfermedad
La anomalía de la etiología específica
La anomalía mente/cuerpo
La anomalía del efecto placebo

Tomado de McWhynney[34]

El hecho es que existe una insatisfacción cada vez mayor con la investigación biomédica en diversos campos pero sobre todo en aquellos más comprometidos con la práctica.[35] Lo fundamental de la investigación es descubrir un nuevo conocimiento suficientemente consistente para que sus consecuencias tengan un efecto fundamental en la naturaleza de la práctica diaria.[36] Ciertamente puede detectarse una serie frecuente de errores metodológicos en los artículos publicados, pero el problema crucial es otro: no se considera un indicador básico que la investigación tenga relevancia social y práctica.[37] Es probable que la verdadera investigación, la que puede suponer novedades y desarrollos, no se esté publicando y permanezca oculta.[38] No somos capaces de sacar experiencias de la nuestra propia, ni de tomar conciencia de cómo puede construirse la investigación en bioética. Hasta ahora el paradigma dominante ha sido el explicativo-positivista pero, especialmente en bioética, la investigación inscrita en este paradigma está siendo, en mi opinión, poco relevante, ya que tiene como consecuencia una incapacidad para captar el sentido de cualquier acción humana, que es lo que debe proponerse la bioética. Los métodos de investigación a desarrollar en un determinado contexto han de ser compatibles con los principios y la práctica de dicho contexto para poder generar verdaderamente

[35] Hicks, C. y Hennessy, D. (1997): «Mixed messages in nursing research: their contribution to the persisting hiatus between evidence and practice», *Journal of Advancded Nursing, 25:* 595-601.

[36] Learmonth, A. L. (2000): «Utilizing research in practice and generating evidence from practice», *Health Education Research, 15:* 743-56.

[37] Turabián Fernández, J. L. y Pérez Franco, B. (2003): «¿Investigación irrelevante en atención primaria? ¿Se utiliza la investigación clínica para generar evidencia desde la práctica?», *Atención Primaria, 32(4):* 259-60.

[38] Turabián Fernández, J. L. y Pérez Franco, B. (2001): «El futuro de la medicina de familia», *Atencion Primaria, 28:* 657-61.

Tabla 8.5. Categorías para clasificar la investigación empírica en bioética

Categoría	Definición	Metodología y Objetivos	Ejemplos
Lay of the Land	Estudios de investigación que buscan describir las actuales prácticas, opiniones, creencias u otros aspectos que pueden considerarse el status quo.	Estudios descriptivos cuantitativos o cualitativos que establecen la base para posteriores trabajos.	Descripción de: 1) composición y funcionamiento de los Comités de Ética;[1] 2) actitudes, creencias o expectativas de profesionales, pacientes o familiares al final de la vida;[2,3] 3) calidad de vida (objetiva o percibida) de diferentes condiciones.[4]
Ideal vs Reality	Estudios de investigación que parten de un estándar o premisa y buscan conocer hasta qué punto se respeta en la realidad ese ideal.	Estudios cuantitativos o cualitativos, descriptivos y comparativos, que serán la base para el diseño de intervenciones de mejora.	Estudios que describen discriminación de minorías raciales en su atención,[5] calidad del consentimiento en los sujetos que participan en proyectos de investigación,[6] falta de transparencia con los pacientes de los médicos que cometen fallos.[7]
Improving Care	Estudios de intervención que buscan solucionar problemas identificados por los estudios Ideal vs Reality.	Estudios cuantitativos que pretenden validar herramientas o intervenciones de mejora.	Estudios que pretenden demostrar la mejora de los estándares de atención tras determinadas intervenciones.[8,9,10,11]
Changing Ethical Norms	Estudios de revisión y reflexión que se apoyan en los resultados de los estudios encuadrados en las tres categorías anteriores.	Estudios o documentos en forma de Conferencias de consenso o Políticas que evalúan otros trabajos y mediante la reflexión argumentan para cambiar alguna norma ética vigente hasta el momento.	Por ejemplo, los trabajos que permitieron el cambio de paradigma en la toma de decisiones clínicas y su posterior modulación.[12]

[1] Fox et al. (2007): «Ethics consultation in U.S. hospitals: A national survey», *Am J Bioethics*, 7(2):13-25. [2] Rurup et al. (2006): «Attitudes of physicians; nurses and relatives towards end-of-life decisions concerning nursing home patients with dementia», *Patient Education and Counseling* 61(3): 372-80. [3] Sprung et al. (2007): «Attitudes of European physicians; nurses; patients; and families regarding end-of-life decisions: The ETHICATT study», *Intensive Care Medicine*, 33(1):104-10. [4] Abrantes-Pais et al. (2007): «Psychological or physiological: Why are tetraplegic patients content?», *Neurology*, 69(3): 261-7. [5] Fiscella et al. (2000): «Inequality in quality: Addressing socioeconomic; racial; and ethnic disparities in health care», *JAMA*, 283(9): 2579-84. [6] Criscione et al. (2003): «Informed consent in a clinical trial of a novel treatment for rheumatoid arthritis», *Arthritis and Rheumatism*,49(3): 361-7. [7] Luk et al. (2008): «Nursing management of medication errors», *Nursing Ethics*, 15(1): 28-39. [8] Abraham et al. (2007): «Decrease in racial disparities in staging evaluation for prostate cancer after publication of staging guidelines», *Journal of Urology*, 178(1): 82-7. [9] Beach et al. (2007): «Can patient-centered attitudes reduce racial and ethnic disparities in care?», *Academic Medicine*, 82(2):193-8. [10] SUPPORT (1995): «A controlled trial to improve care for seriously ill hospitalized patients. The study to understand prognoses and preferences for outcomes and risks of treatments», *JAMA*, 274(20):1591-8. [11] Campbell et al. (2004): «The effect of format modifications and reading comprehension on recall of informed consent information by low-income parents: A comparison of print; video; and computer-based presentations», *Patient Education and Counseling*, 53(2): 205-6. [12] Thompson et al. (2003): «Challenges in end-of-life care in the ICU: Statement of the 5th International Consensus Conference in Critical Care», *Critical Care Medicine*, 32(8):1781-4.

nuevos conocimientos y que estos puedan trasladarse de forma pertinente a la práctica.

Para solucionar los problemas inherentes a la insuficiencia explicativa y las consecuencias del reduccionismo metodológico y conceptual de la investigación cuantitativa, las críticas intra-paradigma recomiendan recurrir a la investigación cualitativa que actuaría como complementaria de la cuantitativa pero dentro del mismo paradigma explicativo-positivista. Por ejemplo, recientemente se ha descrito un interesante constructo que clasifica la investigación empírica en bioética en cuatro categorías (tabla 8.5).[39] El autor se pregunta si la investigación empírica (cualitativa o cuantitativa) tiene relevancia para la bioética clínica, es decir, si el *ser* puede informar al *deber*, concluyendo con lo que nos parece obvio, aunque existan otras opiniones:[40] la investigación empírica, cuantitativa o cualitativa, debe informar a la bioética para que sus aportaciones sean más razonables y tengan mayor alcance. También se han definido tres áreas en las que la investigación cualitativa podría contribuir a la bioética: 1) aportando datos, 2) situando los problemas bioéticos en sus contextos sociales, y 3) facilitando vías de reflexión crítica sobre el propio papel de la bioética y su relevancia para la práctica.[41] Ninguna de estas clasificaciones llega a criticar el paradigma explicativo-positivista en el que se inserta la investigación en bioética. Estas perspectivas y otras como la triangulación,[42] definida como la combinación de metodologías para el estudio del mismo fenómeno, intentan superar los sesgos propios de la metodología cuantitativa, bajo el supuesto de que los métodos cualitativos y cuantitativos deben ser considerados no como campos rivales sino como complementarios. Esta solución, asumiría las *críticas intra-paradigma*[43] y abogaría por la compatibilidad metodológica, se inscribiría en

---

[39] Kon, A. A. (2009): «The Role of Empirical Research in Bioethics», *American Journal of Bioethics, 9(6-7):* 59-65.

[40] Goldenberg, M. J. (2005): «Evidence-based ethics? On evidence-based practice and the «empirical turn» from normative bioethics», *BMC Medical Ethics, 6:* 11.

[41] Weisz, G. (ed.) (1990): *Social science perspectives on medical ethics»,* Boston, Kluwer Academic Publishers.

[42] Vera, A. y Villalón, M. (2005): «La Triangulación entre Métodos Cuantitativos y Cualitativos en el Proceso de Investigación», *Ciencia y trabajo, 7(16):* 85-7.

[43] «La tolerancia intra-paradigma es característica de las reflexiones post-kuhnianas, como, por ejemplo Imre Lakatos: los núcleos paradigmáticos son por definición infalsables; si no funcionan, entonces se adornan de teorías auxiliares *post hoc*» (gracias a Juan Cabello por el comentario).

lo que se ha llamado *versión pragmática* de la «controversia cualitativo *versus* cuantitativo» y es la más comúnmente aceptada.[5]

En contraposición con esta postura hegemónica, existen unas *críticas extra-paradigma,* la *versión epistemológica* en la «controversia cualitativo *versus* cuantitativo», atendiendo a las distintas concepciones filosóficas (epistemológicas y ontológicas) que fundamentan todo proceso de producción de conocimiento científico. Esta versión supone que el nivel de análisis técnico-metodológico es secundario respecto del epistemológico y, consecuentemente, considera que los enfoques cualitativo y cuantitativo son, en la práctica de investigación, incompatibles, al observarse contradicciones (históricamente construidas) entre las concepciones epistémicas de ambos modelos de ciencia.

En mi opinión, la *versión epistemológica* de la «controversia cualitativo *versus* cuantitativo» acierta al recoger las deficiencias que sistemáticamente afectan a la producción de conocimiento dentro del paradigma explicativo-positivista independientemente del método de investigación utilizado: la dificultad de aplicar a los distintos contextos un conocimiento con pretensiones de universalidad; la evidencia de que la investigación academicista en bioética, alejada de los casos y las circunstancias, producida externamente a la acción, fracasa con frecuencia en sus objetivos; el reconocimiento de que la investigación en bioética, si no se crítica su actual enfoque epistemológico, puede quedar «reducida» a una loable investigación de mejora de la calidad, ahora también en crisis,[44] pero perdiendo en el camino el interés emancipador que Habermas asigna al conocimiento integrador y crítico. En resumen, es necesario crear una verdadera *escuela de investigación en bioética* para que esta se desarrolle verdaderamente como campo de conocimiento práctico, y deje de ser vista por los profesionales como una disciplina académica alejada de la realidad de la clínica o que remite a poco útiles comités de expertos para la resolución de los problemas. Tomar prestado el conocimiento y los métodos de investigación de otras áreas profesionales es insuficiente. Iniciativas como la llevada a cabo por la profesora Lydia Feito y el Seminario de Investigación que coordina, o seguir ejemplos de otras disciplinas en busca de un campo de conocimiento y una metodología específicas,[45] me parecen imprescindibles e imitables.

---

[44] Batalden, P.; Davidoff, F.; Marshall, M. et al. (2011): «So what? Now what? Exploring, understanding and using the epistemologies that inform the improvement of healthcare», *BMJ Quality and Safety, 20(S1).*

[45] Stange, K. C.; Miller, W. L.; McWhinney, I. (2001): «Developing the knowledge base of family practice», *Family Medicine Journal, 33:* 286-97.

5. La investigación-acción

La bioética debe ser fundamentalmente un saber práctico y requiere un nuevo tipo de conocimiento que permita aunar elementos hasta el momento separados: la práctica clínica reflexiva,[46,47] el nuevo profesionalismo,[48] la evaluación de resultados,[49] la generación de conocimiento válido pero contextualizado y útil[50] y la reflexión filosófica. Un saber que rechace una división rígida de las tareas (investigadores, profesionales, expertos, gestores…) reforzando a «los que están dentro»: los profesionales y los afectados por su trabajo. Un saber cuyo fin principal sea mejorar la práctica y no generar conocimiento.

La investigación-acción surgió en los años 60 como una metodología de transformación de la práctica docente y el *curriculum* liderada por profesores insatisfechos con la brecha existente entre la teoría pedagógica y los verdaderos problemas a los que se enfrentaban cada día en las aulas.[51] Está basada en el trabajo seminal del científico social norteamericano Kurt Lewin[52] aunque, antes, Dewey ya aplicó y propuso este método.[53] Más que un método específico es un estilo de investigación.[54] Su aplicación al ámbito de la salud o las ciencias sociales es cada vez más importante[55] y desde el año 2003 cuenta con su pro-

---

[46] Shön, D. (1998): *El profesional reflexivo: cómo piensan los profesionales cuando actúan,* Barcelona, Paidós.

[47] Epstein, R. (1999): «Mindful Practice», *JAMA, 282(9):* 833-9.

[48] Epstein, R.; Hundert, E. (2002): «Defining and Assessing Professional Competence», *JAMA, 287(2):* 226-35.

[49] Davis, D. A.; Mazmanian, P. E.; Fordis, M. et al. (2006): «Accuracy of Physician Self-assessment Compared With Observed Measures of Competence: A Systematic Review», *JAMA, 296(9):* 1094-102.

[50] Øvretveit, J. (2011): «Understanding the conditions for improvement: research to discover which context influences affect improvement success», *BMJ Quality and Safety 20(S1):* i18ei23.

[51] Elliot, J. (2000): *El cambio educativo desde la investigación-acción,* Madrid, Ediciones Morata.

[52] Lewin, K. (1951): *Field Theory in Social Science,* Nueva York, Harper.

[53] Dewey J., (2007): *Cómo pensamos: la relación entre pensamiento reflexivo y proceso educativo,* Madrid, Paidós.

[54] Brydon-Miller, M.; Greenwood, D. y Maguire, P. (2003): «Why action research?», *Action Research, 1:* 9-28.

[55] Hart, E. y Bond, M. (1995): *Action research for health and social care: a guide to practice,* Buckingham, Open University Press.

pia revista de divulgación *Action Research*.[56] Se ha definido como «un proceso participativo y democrático comprometido con el desarrollo de un conocimiento práctico que persigue valores humanos valiosos basados en una visión del mundo compartida y que busca integrar acción y reflexión, teoría y práctica, con el fin de encontrar soluciones prácticas a los problemas de las personas y las comunidades».[57] La investigación-acción se opone a la visión positivista de un conocimiento objetivo y libre de valores. Por el contrario, defiende la noción de conocimiento como construcción social y, reconociendo que toda investigación se desarrolla en un sistema de valores y promoviendo un determinado modelo de relaciones humanas, se opone a una investigación que genere o colabore con un sistema económico, social o político injusto y/o no democrático.

Se ha descrito que la investigación-acción en el campo de la salud tiene una especial capacidad para generar soluciones a problemas prácticos y capacitar a los participantes, profesionales y clientes, a través de su llamada a la investigación, la innovación y su puesta en práctica.[58] Los profesionales pueden elegir entre investigar su propia práctica o contar con investigadores externos que les ayuden a definir los problemas, buscar e implementar soluciones prácticas así como monitorizar y describir el proceso y los resultados. Existen cinco principios característicos de esta metodología aplicada al terreno de los servicios sanitarios:[59]

1) *Planificación flexible:* la motivación, contenido y dirección de la investigación surgen durante la propia práctica profesional y están continuamente bajo revisión;

2) *Ciclo iterativo:* la actividad investigadora se realiza durante un ciclo que implica: a) considerar qué problema se va a investigar; b) proponer una determinada intervención para solucionar el problema; c) llevar a cabo la intervención; d) evaluar sus resultados; e) aprender del proceso y los resultados; f) reconsiderar el problema a la luz de la experiencia, y, si es necesario, g) iniciar el ciclo de nuevo; en todas las fases se debe implicar a todas las partes afectadas;

---

[56] Accesible en http://arj.sagepub.com/

[57] Reason, P. y Bradbury, H. (ed.) (2001): *Handbook of action research: Participative inquiry and practice,* Londres, Sage Publications, p. 1.

[58] Meyer, J. (2000): «Using qualitative methods in health related action research», *BMJ, 320:* 178-81.

[59] Morrison, B. y Lilford, R. (2001): «How can action research apply to health services?», *Qualitative Health Research, 11(4):* 436-49.

3) *Subjetividad:* la definición de la situación, los significados que generan los afectados y los valores que emergen deben explorarse porque son los que irán determinando el diseño (contenido y dirección) y la evaluación del proyecto de investigación; también se ha definido esta característica como «investigación democrática»,[60] y la ventaja es que tanto el proceso como los resultados tendrán más sentido para los implicados y mayor capacidad transformadora;

4) *Mejora simultánea:* la investigación debe ser capaz de mejorar la situación problemática durante el proceso de investigación;

5) *Contexto único:* la investigación debe considerar explícitamente la complejidad y la naturaleza única del contexto en el que se desarrolla el proyecto.

Yo añadiría dos principios más:

6) *Control por parte de una comunidad crítica:* tanto el proceso como los resultados de la investigación deben ser relatados tanto a una comunidad de pares como a todos los afectados para su evaluación y crítica, y

7) *Incorporación secuencial de técnicas de investigación:* durante el proceso investigador puede ser pertinente introducir técnicas de recogida de datos, análisis de textos o exploración de necesidades y expectativas que complementen cada fase.

Es importante reseñar que la generalización del conocimiento obtenido mediante esta metodología es diferente de la que se hace con la investigación convencional. Los informes de investigación-acción deben basarse en la experiencia personal del investigador, en su propia situación, aportando y explicitando sus valores y creencias, reconociendo sus sesgos; también el contexto debe ser descrito lo más ricamente posible al igual que la perspectiva de los participantes. Así, en la investigación-acción la teoría juega un papel subordinado a la «sabiduría práctica basada en las experiencias reflexivas de casos concretos».[50] Aunque el análisis teórico constituye un aspecto de la experiencia reflexiva, en la investigación-acción se subordina a la comprensión y el juicio práctico conectándolo con la realidad a la que se enfrentan los profesionales.

---

[60] Meyer, J. y Bridges, J. (1998): *An action research study into the organisation of care of older people in the accident and emergency department,* Londres, City University.

La fortaleza de la investigación-acción es su capacidad para influir en la práctica de manera positiva mientras simultáneamente se obtienen datos para compartir con pares u otras personas interesadas. Sin embargo, el éxito de la investigación-acción no se mide solo en la medida que genere cambios reales sino también en su capacidad para implantar unos valores intrínsecos a la actividad sanitaria, el aprendizaje individual u organizativo que genera el proceso y la profundización en un profesionalismo reflexivo.[60,61]

Se han descrito cuatro tipos de investigación-acción:[52,55] experimental, organizacional, profesional y de empoderamiento. Los dos primeros tipos estarían más cerca de las intervenciones de mejora de la calidad; la investigación-acción profesional se focalizaría en la práctica reflexiva, y la investigación-acción de empoderamiento sería la que tendría más capacidad de transformación social, al dar voz a los grupos de afectados por la acción profesional, organizacional, social o política, negociando con ellos tanto el diseño e implementación del proyecto como la evaluación de los resultados.

En la tabla 8.6[62] se pueden ver algunas de las técnicas que se utilizan en la investigación-acción.

Creo que la investigación-acción proporciona un modelo de investigación especialmente útil para incrementar la relevancia de la bioética para los profesionales, las organizaciones y la propia sociedad, al orientarse claramente hacia la acción, la reflexión y la participación democrática. Creo que es una orientación investigadora capaz de cambiar la «agenda de la bioética»,[63] demasiadas veces constreñida por el paradigma explicativo-positivista y la investigación convencional. La investigación-acción reconoce la complejidad de los fenómenos en el ámbito de la salud; la no linealidad de las relaciones causa-efecto; la imposibilidad de una verdadera comprensión cuando es producto de una investigación «de laboratorio», aislada de su contexto; la importancia de incluir a todos los afectados en la generación de conocimiento válido (definición del problema, proceso investigador, interpretación de resultados, diseño de la acción, etc.), sobre todo, de aquellos tradicionalmente excluidos.

La investigación-acción se constituye también, en mi opinión, como una oportunidad de desarrollar la práctica reflexiva en la relación profesional-paciente, dotando de contenido práctico la relación deliberativa propugnada

---

[61] Mendenhall, T. J. y Doherty, W. J. (2007): «Partners in Diabetes: Action research in a primary care setting», *Action Research, 5(4):* 378-406.

[62] McKerman, J. (2001): *Investigación-acción y curriculum,* Madrid, Morata.

[63] Turner, L. (2004): «Bioethics needs to rethink its agenda», *BMJ, 328:* 175.

Tabla 8.6. Técnicas utilizadas en la investigación-acción

Diarios	Narraciones sobre las observaciones, sentimientos, reacciones, interpretaciones, reflexiones, corazonadas, hipótesis, explicaciones.
Perfiles	Visión de una situación o persona durante un determinado periodo de tiempo.
Análisis de documentos	Fichas de trabajo, informes, horarios, etc.
Datos fotográficos	Aspectos visuales de una situación.
Grabaciones video o audio	Para la revisión de las situaciones.
Informaciones de observadores externos	Observan la escena desde fuera para trasmitírsela al investigador.
Entrevistas	Con el observador externo o con los participantes.
Comentario sobre la marcha	Evitando parecer observador y aprovechando pausas de la acción.
Estudio de seguimiento	Un observador externo se convierte en sombra de un participante o del investigador.
Listas de comprobación, cuestionarios, inventarios	Conjuntos de preguntas para responder uno mismo o a otras personas; los inventarios son un listado de enunciados respecto a una situación.
Triangulación	Método para relacionar resultados de la aplicación de distintas técnicas sobre una misma situación.
Informes analíticos	Recogen el pensamiento sistemático del investigador sobre las pruebas obtenidas que deben elaborarse al final de las distintas fases.
Informe de la investigación	Basado en los informes analíticos; se realiza al finalizar el ciclo

Basado en McKerman, 2001[61]

como ideal[64] y que se transformaría, gracias a este enfoque, en una forma de

[64] Emanuel, E. y Emanuel, L.: «Cuatro modelos de la relación médico-paciente», en: Couceiro, A. (ed.) (1999): *Bioética para clínicos,* Madrid, Triacastela, pp. 95-108.

investigación compartida.

Söhn[46] lo ha narrado: «El profesional reconoce que su pericia técnica está incrustada en un contexto de significados. Atribuye a sus clientes, tanto como a sí mismo, la capacidad de pensar, de conocer un plan. Reconoce que sus acciones pueden tener para su cliente significados diferentes a los que él pretende que tengan, y asume la tarea de descubrir en qué consisten estos. Reconoce la obligación de hacer accesibles a sus clientes sus propias comprensiones, lo que quiere decir que necesita reflexionar de nuevo sobre lo que sabe [...] El profesional reconoce que su pericia y conocimiento experto son un modo de considerar algo que se construyó una vez y puede ser vuelto a construir. Desde este punto de vista, el verdadero conocimiento experto no consistiría en la posesión de información cualificada sino en la habilidad y facilidad de un experto para explorar el significado de su conocimiento en la experiencia y el contexto del cliente. El profesional reflexivo trata de descubrir los límites de sus conocimientos técnicos a través de su conversación con el cliente. El profesional aporta, sobre todo, una capacidad para la reflexión desde la acción; más que un verdadero conocimiento experto objetivo. El profesional no espera que su cliente tenga una fe ciega en su competencia sino que permanezca abierto y la juzgue, y se arriesgue a investigar con él y espera ser capaz de distanciarse de su propia atracción por la mística profesional que infunde seguridad».

Agradezco a Alfredo Zurita, Juan Cabello y Javier Júdez sus atinados comentarios

II

Temas y problemas
en la bioética actual

9

¿Progreso mediante selección eugenésica?
La perspectiva nietzscheana

Jesús CONILL

Uno de los problemas más acuciantes ante el que se enfrenta el presente y el futuro de la bioética es el de la eugenesia.[1] Diego Gracia ya dedicó un capítulo de su libro *Ética de los confines de la vida* a la «Historia de la eugenesia»,[2] y con anterioridad había abordado los «Problemas filosóficos de la ingeniería genética».[3] En su trabajo nos muestra Diego Gracia la prehistoria de la eugenesia en los clásicos del pensamiento antiguo (Plutarco, Platón, Séneca, Averro-

[1] Este estudio se inserta en los Proyectos de Investigación Científica y Desarrollo Tecnológico HUM2007-66847-C2-01/FISO y FFI2010-21639-C02-01, financiados por el Ministerio de Ciencia e Innovación con Fondos FEDER de la Unión Europea, y en las actividades del grupo de investigación de excelencia PROMETEO/2009/085 de la Generalidad Valenciana.

[2] Gracia, D. (1998): «Historia de la eugenesia», en: *Ética de los confines de la vida, Ética y Vida. Estudios de Bioética,* vol. 3, Santafé de Bogotá, El Búho, pp. 11-28.

[3] Gracia, D. (1988): «Problemas filosóficos de la ingeniería genética», en: Lacadena, J. R.; Gracia, D.; Vidal, M. y Elizari, F. J.: *Manipulación genética y moral cristiana,* Madrid, Fundación Universitaria San Pablo, pp. 94-116.

res) y del Renacimiento (Campanella), la introducción del término «eugenesia» por parte de Francis Galton[4] y asimismo los principales hitos del programa eugenésico, entendido como mejora genética, desde sus comienzos en el contexto del evolucionismo darwinista y antidarwinista hasta la eugenesia molecular y la ingeniería genética.[5]

El debate sobre la eugenesia ha resurgido con creciente energía en los últimos tiempos, debido sobre todo al avance de las biotecnologías.[6] No es este el lugar para entrar en el complejo entramado de las argumentaciones sobre si la optimización genética es equiparable a la educación, o si se pueden distinguir con precisión la eugenesia terapéutica y la perfeccionista, etc., sino de seleccionar y tratar un aspecto básico en el horizonte contemporáneo de la filosofía en relación con la eugenesia, en concreto, la visión nietzscheana de lo que supuso la innovación de la idea de la eugenesia desde sus comienzos, dado que Nietzsche leyó la obra de Francis Galton y se inspiró en ella para algunas de sus concepciones, como su nuevo modo de entender el progreso.[7]

La noción de progreso se ha ligado normalmente a la Ilustración. Pero Nietzsche le da un sentido peculiar que parece conectarse con las nuevas corrientes biológicas de su época. ¿Defiende entonces Nietzsche un progreso biológico? ¿O sigue teniendo un significado específicamente histórico? Pero, entonces, ¿no choca con su concepción del «retorno»? Y, por otra parte, ¿no tiene el *progreso* también algún sentido moral? Conviene analizar mejor su

---

[4] Galton, F. (1883): *Inquiries into Human Faculty ant its Development,* Londres. [En la biblioteca de Nietzsche].

[5] Vid. Kevles, D. J. (1986): *La eugenesia. ¿Ciencia o utopía?: polémica que dura 100 años*, Barcelona, Planeta. [Traducción de Kevles, D. J. (1985): *In the Name of Eugenics: genetics and the uses of human heredity*, Cambridge, Harvard University Press]; Kay, L. E. (1993): *The Molecular Vision of Life. Caltech, the Rockefeller Foundation, and the Rise of the New Biology,* Oxford University Press.

[6] Vid., por ejemplo, Agar, N.: «Liberal Eugenics» y Müller-Hill, B.: «Lessons from a Dark and Distant Past», en: Kuhse, H. y Singer, P. (eds.) (1999): *Bioethics. An Anthology,* Blackwell, pp. 171-81 y 182-7, respectivamente; Romeo Casabona, C. (ed.) (2000): *La eugenesia hoy*, Granada, Comares; Fukuyama, F. (2002): *El fin del hombre. Consecuencias de la revolución biotecnológica,* Barcelona, Ediciones B. [En inglés también en 2002, pero con el título *Our Posthuman Future];* Buchanan, A. et al. (2002): *Genética y justicia,* Madrid, Cambridge Univesity Press; Habermas, J. (2002): *El futuro de la naturaleza humana. ¿Hacia una eugenesia liberal?,* Barcelona, Paidós.; Cortina, A. (2002): «Ética de las tecnologías», *Isegoría, 27:* 73-89; Sandel, M. (2007): *Contra la perfección. La ética en la era de la ingeniería genética,* Barcelona, Marbot.

[7] Vid. Haase, M. L. (1989): «Nietzsche liest Francis Galton», *Nietzsche-Studien, 18:* 633-58.

propuesta de nueva Ilustración y su conexión con la dimensión biológica para comprender la nueva forma de progreso que propone Nietzsche mediante la selección eugenésica.

1. Progreso e Ilustración

En principio, Nietzsche no entiende el progreso en ninguno de los sentidos típicos de la modernidad, ya que, a su juicio, «el *progreso* no es una ley histórica, ni el intelectual, ni el moral, ni el económico».[8] La historia no puede estar regida fundamentalmente por la planificación racional, sino por el *fatum,* por tanto, no el querer sino el reconocimiento del destino es lo que hace a la voluntad libre.[9] Con lo cual se disuelve la oposición entre la libertad de la voluntad y el *fatum,* puesto que no es pensable la voluntad libre sin *fatum.* ¡Somos forzosamente —fatalmente— libres!

Pero que no entienda el progreso al modo moderno no quiere decir que su concepción no contenga ningún sentido crítico, a pesar de la ambivalencia de muchas de sus expresiones.[10] Lo que ocurre es que la peculiar manera de entender el sentido crítico e ilustrado por parte de Nietzsche ha de enfrentarse al posible malentendido de haber cedido en algún momento al positivismo.[11] Pues, según Nietzsche, la historia sigue el modelo ilustrado de una cierta historia del progreso, aunque no se trate de un progreso lineal al estilo «progresista», dado que los avances pueden frustrarse temporalmente, como la Ilustración Antigua por el Cristianismo, el Renacimiento por la Reforma, la Ilustración de Voltaire por la Revolución Francesa. Pero en la historia se progresa, de un modo parecido a la ley de los tres estadios de Comte, pasando por etapas de creciente liberación. De hecho, Nietzsche alude a varias fases en el camino de formación de los individuos.[12]

---

[8] «Zu einer Geschichte der litterarischen Studien im Altertum un in der Neuzeit» (1867/68), *BAW* III, 322. [Citado por Ottmann, H. (1999): *Philosophie und Politik bei Nietzsche,* Berlín, de Gruyter, (2. Auflage), p. 13].

[9] Vid. las conferencias «Fatum und Geschichte» y «Willensfreiheit und fatum» (ambas de 1862), que muestran ya un peculiar sentido filosófico en Nietzsche; cfr. *BAW* II, 59 y II, 62. [Citado por Ottmann, 1999. *Op. cit.* nota 7, p. 14, n. 14]. Sin embargo, en *Zaratustra* encontraremos otras expresiones: «El querer hace libres *(befreit):* pues querer es crear» («De las tablas viejas y nuevas», trad. p. 285).

[10] Vid. Zachriat, W. G. (2001): *Ambivalenz des Fortschritts,* Berlín, Akademie. [Agradezco a Paolo Stellino esta información].

[11] Vid. Ottmann, 1999. *Op. cit.* nota 7, pp. 164 y siguientes.

[12] Cfr. *MA* I, 272; también «Posibilidad del progreso», en 24 y 41.

No obstante, Nietzsche no fue positivista (ni naturalista, ni historicista). Aunque usó un vocabulario en muchas ocasiones proveniente de las ciencias naturales, hablando de «Química», «Física», «Fisiología» y del «Desarrollo de los organismos»,[13] no convirtió el método de la ciencia natural en el parámetro del conocimiento. Lo que defendió fue una filosofía experimental, orientada a la experiencia, pero no regida por el canon de las ciencias naturales.[14]

El sentido de la Ilustración en Nietzsche se distingue, pues, de otras formas de entenderla, que constituirían, según Montinari,[15] etapas previas pero frustradas: la ilustración antigua destruida por el cristianismo, el humanismo moderno recortado por la Reforma, la ilustración francesa destrozada por Rousseau y la Revolución francesa, y la ilustración alemana destruida por los mismos alemanes. La única ilustración resistente a la reacción es la que comienza con el «espíritu libre»,[16] pero que todavía tendrá que transformarse en una «nueva ilustración», una ilustración más radical,[17] que es a la que se refiere Nietzsche en su obra tardía.

En efecto, según el Nietzsche de la época tardía, habría una «nueva ilustración»,[18] una nueva forma de entender la ilustración —más allá de la forma moderna del «espíritu libre»— que sí nos ofrecería la posibilidad de una nueva forma de progreso, el progreso tal como Nietzsche lo entiende y que es la que expone en *Götzen-Dämmerung*.

En el primero de los fragmentos en los que Nietzsche alude a «la nueva ilustración» presenta tres momentos fundamentales: 1) «el descubrimiento de los *errores fundamentales»;* 2) «el descubrimiento del *instinto (Trieb) creador»,* incluso en sus «escondrijos y degeneraciones», y 3) «*la superación del hombre*» («la auto-superación como nivel de la superación del hombre»).[19]

Y en el siguiente fragmento introduce dos novedades muy significativas. El texto dice así:

[13] MA I, 1, 10, 26, 17, 34. [Citado por Ottmann, 1999. *Op. cit.,* nota 7, p. 165].

[14] Vid. Ottmann, 1999. *Op. cit.,* nota 7, p. 165; Conill, J. (1997): *El poder de la mentira,* Madrid, Tecnos.

[15] Montinari, M. (1982): «Aufklärung und Revolution: Nietzsche und der späte Goethe», *Nietzsche lesen,* Berlín, 1982, 54-64; cfr. Ottmann, 1999. *Op. cit.* nota 7, p. 175, n. 29.

[16] *MA* I, 26 y *M* 197.

[17] *FW* 344; *GM* III.

[18] Nietzsche, F. (2010): *Fragmentos póstumos III (1882-1885),* Madrid, Tecnos, pp. 630 y 631, 27 [79] y 27 [80], verano-otoño de 1884. Cfr. Ottmann, H. (1985): «Nietzsches Stellung zur antiken und modernen Aufklärung», en: Simon, J. (ed.): *Nietzsche und die philosophische Tradition,* vol. 2, Würzburg, Königshausen & Neumann, pp. 9-33.

[19] *FP* III. *Op. cit.* nota 17, pp. 630 y 631, [79] verano-otoño de 1884.

La nueva ilustración —la vieja iba en el sentido del rebaño democrático. Igualación de todos—. La nueva quiere mostrar el camino a las naturalezas dominadoras, en qué medida a ellas les *está permitido todo* lo que no les está permitido a los seres gregarios:

1. Ilustración por lo que se refiere a «verdad y mentira» en el viviente.
2. Ilustración por lo que se refiere a «bien y mal».
3. Ilustración por lo que se refiere a las fuerzas conformadoras, transformadoras (los artistas escondidos).
4. La auto-superación del hombre (la educación del hombre superior).
5. la doctrina del eterno retorno como *martillo* en la mano de los hombres *más poderosos,...*[20]

Ya en el título, *El eterno retorno,* aparece una de esas novedades, que se recoge asimismo en el tramo final (en el punto 5 y último del camino ilustrado que se presenta en este fragmento), a saber, la conexión entre la nueva ilustración y el pensamiento del «eterno retorno», que precisamente constituirá uno de los problemas básicos de la filosofía nietzscheana: el de la relación del eterno retorno con la forma ilustrada y liberadora de entender la historia humana.

La otra novedad que aparece en este fragmento es la contraposición explícita con la «vieja» ilustración, debido a que la tendencia de la vieja ilustración se dirige hacia la «igualación de todos» y, por tanto, acaba en el «rebaño democrático». En cambio, el sentido de la nueva ilustración es también el de una nueva liberación, la de aquellas «naturalezas dominadoras» a las que les está permitido por su superior capacidad lo que no les está permitido (por su incapacidad) a los seres gregarios: una serie de ilustraciones que permiten la «auto-superación del hombre», es decir, «la educación del hombre superior». A la nueva ilustración le corresponde una nueva forma de liberación y de progreso del hombre. Y de ahí que, para Nietzsche, quepa (siempre) una renovada esperanza.

No obstante, esta nueva concepción de la ilustración y del progreso suscita el problema de si es posible hacerla compatible con el pensamiento del eterno retorno, con el que se presenta relacionada. Una posible salida de esta aporía, creada por la tensión entre *Ilustración* y *Eterno Retorno,* es la que propone H. Ottmann.[21] El eterno retorno respondería a la necesidad de un «mito ilustrado», un mito que tiene las virtualidades educativas típicas de toda ilustración, lo que ocurre es que se trata de una ilustración no racionalista, ni intelectualista, sino

---

[20] Ibídem, p. 631, 27 [80], verano-otoño de 1884.

[21] Cfr. Ottmann, 1999. *Op. cit.* nota 7 (especialmente pp. 25 y ss.).

más bien rehabilitadora de la sensibilidad y de la fantasía, descubridora —reveladora, desenmascaradora— de la persistente «mitología de la razón».

2. ¿PROGRESO O RETORNO? (EN EL CONTEXTO DEL DARWINISMO)

Otra vía para resolver el problema de la contraposición entre ilustración y retorno vendrá a través de la solución al problema del darwinismo, en la medida en que en ese contexto se presenta una nueva versión del problema en términos de «progresismo» y «repetición» o retorno.[22]

2.1. ¿Progreso mediante selección?

La filosofía de Nietzsche estuvo impulsada por el darwinismo, aun cuando Nietzsche no fue darwinista, sino —como es sabido— un evolucionista al estilo de Lamarck. Este anti-darwinismo de Nietzsche provenía en el fondo, a mi juicio, de una concepción diferente de la naturaleza. Por eso, cuando Nietzsche caracteriza en el *Crepúsculo de los ídolos* su peculiar forma de entender el progreso como «vuelta a la naturaleza», habrá que hacerlo no al estilo de la concepción biológica darwinista, porque esta supone un *regreso* y no un *progreso,* ya que el auténtico progreso significa un ascenso: «ascender *(hinaufkommen)* a la naturaleza», es decir a la naturalidad elevada, libre, terrible, que juega.[23]

Al parecer era esta concepción de la naturaleza la que también defendió Rolph (en *Biologische Probleme zugleich als Versuch einer rationellen Ethik,* 1881) contra Spencer *(Data of Ethics),*[24] insistiendo en que el desarrollo evolutivo no proviene de la necesidad *(Not)* o del «hambre» sino de la «abundancia» *(Abundanz).* En un sentido semejante, para Nietzsche, la existencia y la supervivencia no son la meta de la «voluntad de poder», sino que la dinámica de la voluntad de poder tiende a más, a la abundancia *(Überfluss),* a la plenitud e incluso al derroche. Este sentido anti-darwiniano de la vida es el que se encuentra también en el *Crepúsculo de los ídolos,* cuando critica «la famosa lucha por la *vida»*[25]*,* porque, según Nietzsche, «[la lucha por la vida] se da, pero como excepción; el aspecto de conjunto de la vida *no* es la situación calamitosa, la situación de hambre, sino más bien la riqueza, la exuberancia, incluso la prodiga-

---

[22] Vid. ibídem, pp. 265 y ss.

[23] *Crepúsculo de los ídolos,* trad., p. 125-126; vid. Nietzsche, F. (2006): *Fragmentos póstumos,* IV (1885-1889), Madrid, Tecnos, pp. 270-271.

[24] Vid. *FP* III. *Op. cit.* nota 17, p. 780, 35 [34]; Cfr. Ottman, 1999. *Op. cit.* nota 7, p. 267, n. 112.

[25] «Incursiones de un intempestivo», 14, titulado «Anti-Darwin» (trad., p. 95).

lidad absurda, donde se lucha, se lucha por el *poder...*». Es esta una concepción anti-darwiniana y anti-malthusiana de la naturaleza.[26]

Pero en este texto que acabamos de citar, titulado «Anti-Darwin», Nietzsche critica también la concepción darwinista de la selección: «Pero suponiendo que esa lucha exista —y de hecho se da—, termina, por desgracia, al revés de como lo desea la escuela de Darwin, al revés de como acaso *sería lícito* desearlo con ella: a saber, en detrimento de los fuertes, de los privilegiados, de las excepciones afortunadas. Las especies *no* van creciendo en perfección: los débiles dominan una y otra vez a los fuertes, —es que ellos son el gran número, es que ellos son también *más inteligentes...* — Darwin ha olvidado el espíritu (¡eso es inglés!), *los débiles tienen más espíritu...*».[27]

Nietzsche no acepta los presupuestos darwinistas de la selección (la supervivencia de los más fuertes y de los mejor dotados), sino que se opone a la selección darwinista, porque esta favorece el sentido gregario (la moral del rebaño).

> Lo que más me sorprende al revisar los grandes destinos del ser humano es ver siempre ante mis ojos lo contrario de lo que hoy día Darwin y toda su escuela ven o *quieren* ver: la selección a favor de los más fuertes, de los mejor dotados, el progreso de la especie. Con las manos se toca justamente lo contrario: la supresión de los casos afortunados, la inutilidad de los tipos más altamente logrados, el inevitable dominio de los tipos mediocres, e incluso de los que *están por debajo de la media.*[28]

> Esa voluntad de poder en la que yo vuelvo a reconocer la razón y el carácter últimos de toda alteración nos proporciona el medio de saber por qué precisamente la selección no se lleva a cabo en favor de las excepciones y de los casos afortunados: los más fuertes y los más felices son débiles cuando tienen en su contra los instintos de rebaño organizados, la pusilanimidad de los débiles, la superioridad numérica. Mi visión global del mundo de los valores muestra que [...] *no* predominan los casos afortunados, los tipos seleccionados: al contrario, los tipos de la *décadence.*[29]

---

[26] Vid. la crítica nietzscheana de la «lucha por la vida» en Gayon, J. (1999): «Nietzsche and Darwin», en: Maienschein, J. y Ruse, M. (eds.): *Biology and the Foundations of Ethics,* Cambridge, Cambridge University Press, pp. 154-197. [Agradezco a Jean Gayon el envío de este trabajo y a Camilo J. Cela Conde su mediación].

[27] «Incursiones de un intempestivo». *Op. cit.* nota 24.

[28] *FP* IV. *Op. cit.* nota 22, p. 561, 14 [123].

[29] Ibidem, p. 561, 14 [123]; vid. también pp. 568 y 569, 14 [133], y pp. 599 y 600, 14 [182].

La selección que defiende Nietzsche no es la «selección natural» de Darwin, sino la que tiene un sentido eugenésico. En los textos dedicados a las «selección» Nietzsche se refiere sobre todo a una selección voluntaria en el hombre, a lo que ya podría llamarse «eugenesia».[30] Según Gayon, Nietzsche consideró absurda la hipótesis de la existencia de un proceso natural que tuviera el propósito de la *conservación* de las especies: «la naturaleza no quiere conservar especies». Esta selección sería la que sirve a propósitos utilitarios y se basa en la mera «adaptación». Es más, en último término, esta presunta selección natural y utilitaria seguiría sometida al ideal de una especie humana «uniforme», «igualitaria» y «gregaria», una proyección en el campo de la historia natural de ciertos ideales morales, que, según Nietzsche, son más bien propios de una concepción «plebeya» y «cristiana» de la naturaleza, que al cabo resulta convergente con la darwiniana, por lo que se refiere a los valores que defiende (es decir, el valor moral del altruismo, de la compasión y de la auto-negación, ahora sustentado en versión biológica, en el presunto orden natural de los instintos sociales).[31]

Nietzsche tenía otra idea de la selección, a partir de su nueva concepción de la naturaleza, otra idea del desarrollo moral y cultural, y, por tanto, ofrecerá también una nueva idea de «progreso», frente a la de Darwin, Spencer y el utilitarismo inglés, así como frente a judaísmo y cristianismo (tal como queda reflejado en *Genealogía de la moral* y *Crepúsculo de los ídolos).*

Precisamente en el tercer tratado de la *Genealogía de la moral* Nietzsche critica el «ideal ascético» remitiendo explícitamente a la lucha por la vida en el sentido de Darwin, Spencer y el utilitarismo: «El ideal ascético nace del ins-

---

[30] Gayon, 1999. *Op. cit.* nota 25.

[31] Gayon, 1999. *Op. cit.* nota 25, pp. 185 y ss. En la nota 15, p. 194 Gayon remite al siguiente texto *(Voluntad de Poder* II, 243): *«Para reflexionar:* hasta qué punto sigue existiendo la fatal creencia en la *divina providencia* —la creencia *más paralizante* que ha habido para la mano y para la razón—; hasta qué punto la presuposición y la interpretación cristianas perviven bajo las fórmulas «naturaleza», «progreso», «perfeccionamiento», «darwinismo», bajo la superstición de una cierta correspondencia entre felicidad y virtud, entre infelicidad y culpa. Esa absurda *confianza* en el curso de las cosas, en la «vida», en el «instinto de la vida», esa *resignación* bienpensante que está en la creencia de que basta con que cada uno haga su deber para que *todo* vaya bien —todo ese tipo de cosas solo tiene sentido bajo el supuesto de una conducción de la vida *sub specie boni.* Incluso el *fatalismo,* nuestra forma actual de sensibilidad filosófica, es una consecuencia de esa tan *persistente* creencia en la disposición divina, una consecuencia inconsciente: como si precisamente el modo en que marcha todo no dependiera de *nosotros* (como si nos estuviera *permitido* dejarlo suceder tal como sucede: cada *individuo* solo un *modus* de la realidad absoluta)». *«Se le debe al cristianismo* [...] la *tonta* confianza en el curso de las cosas (a "mejor")»* (cfr. *FP* IV. *Op. cit.* nota 22, p. 299, 10 [7](142)).

tinto de protección y de salud de una vida que degenera, la cual procura conservarse con todos los medios, y lucha por conservarse [...] El ideal ascético es una estratagema en la conservación de la vida»[32]. Según Gayon, la palabra clave para interpretar la oposición de Nietzsche a Darwin, Spencer y el utilitarismo es «conservación». Nietzsche denunció una concepción de la vida y de la moral basada en la conservación (voluntad de sobrevivir), en vez de en el «aumento» (voluntad de poder). Aquí está la base de la nueva concepción nietzscheana del progreso, más allá del darwinismo.

2.2. ¿Progreso biológico o progreso moral?

Como hemos visto, la *selección* en Nietzsche no puede entenderse en el sentido de la *selección natural,* sino en el de la selección humana, voluntaria, artificial, educativa *(Zuchtwahl, Züchtung).* El mismo Ottmann insiste en el «sentido moral» de la «cría» *(Züchtung)* en Nietzsche, a pesar del innegable componente biológico que conlleva.[33] Lo que no tiene sentido es ocultarlo ni disfrazarlo, como se ha hecho, lo mejor es afrontarlo e interpretarlo en sus justos términos del modo más adecuado.

Es sabido que en los años ochenta aumenta el interés de Nietzsche por la fisiología, convirtiéndola en «señora de todas las otras cuestiones». No obstante, esto no implica que *«Züchtung»* no pueda tener un sentido moral, ligado a la formación *(Bildung)* y la educación *(Zucht).* Más bien, hay que incorporar este sentido de los términos en el contexto de la «gran política»,[34] que no ha de entenderse como una mera operación biológica, sino como una educación del hombre a través de una nueva formación moral. «Las morales legisladoras son el medio principal con que formar a partir del hombre lo que una voluntad creadora y profunda desee».[35] Pero, ¿cuál es el nuevo medio educativo? El pensamiento selectivo (criador) del «eterno retorno», el nuevo «centro de gravedad», la educación para la afirmación de la vida y del más acá. Una nueva *paideia,* una «guerra de los espíritus», la «cría».[36]

---

[32] *GM* III, 13 (trad., p. 140).

[33] *GD,* «Incursiones», 36. Vid. los trabajos citados de Haase, Gayon y Ottmann; y los de Thomas H. Brobjer —Brobjer, T. H. (2000): «Züchtung», en: Ottmann, H. (ed.), *Nietzsche-Handbuch,* Stuttgart, Metzler, 360-1 y Brobjer, T. H. (1997): «Nietzsche's Reading and Private Library, 1885-1889», *Journal of the History of Ideas, 58(4):* 663-93—.

[34] Vid. Conill, 1997. *Op. cit.* nota 13, parte III.

[35] *FP* III. *Op. cit.* nota 17, p. 814, 37 [8].

[36] *Ecce homo* («Por qué soy un destino», 1, trad., p. 124), *Crepúsculo de los ídolos* («La moral como contranaturaleza», 3 y «Los "mejoradores" de la humanidad», trad. pp. 72-75).

La tarea pendiente de formar al hombre tras la «muerte de Dios» conduce a Nietzsche a una posición cuasi-prometeica, que viene expresada en su traducción del *Theages* y que resulta esclarecedora para interpretar la noción nietzscheana de los «señores de la tierra»: «todos nosotros desearíamos ser señor, a ser posible, de todos los hombres, preferiblemente *Dios*. Tiene que volver a existir esa actitud».[37]

El problema que surge, pues, ahora es el de cómo vincular la idea de una «especie superior», que constituiría un *novum* en la historia de la evolución, con la doctrina del «eterno retorno de lo mismo», pues parece que esta doctrina excluye que pueda emerger algo nuevo. ¿No podría haber un *novum* en el eterno retorno?

La vía del darwinismo no sirve para resolver este problema de la contraposición entre ilustración y retorno. Porque no es adecuado contraponer *progreso* al estilo del progresismo moderno, en versión darwinista, biológica y/o moral) y *retorno*. En el retorno nietzscheano puede haber progreso mediante la noción nietzscheana de «superhombre». Hay que mostrar, pues, que no hay una irreconciliable oposición entre la doctrina del eterno retorno y el superhombre.

Lo que retorna es una cierta selección, pero no de carácter darwinista, sino eugenésico, la *selección* que expresa la figura del superhombre. E inmediatamente se plantea la cuestión de si tiene carácter biológico y/o moral, y surgen las correspondientes consecuencias educativas. Es ya clásica la discusión de esta problemática por parte de O. Ewald, que intentó conciliar kantianamente el superhombre y el retorno.[38] Aprovechando esta discusión, Ottmann resalta que el progresismo de la doctrina de la evolución fue rechazado, dado que no puede hacer justicia —no puede corresponder como es debido— al «superhombre» como «ideal inmanente».[39] A pesar de ciertas expresiones del propio Nietzsche, el superhombre no ha de identificarse con una especie, sino que es una metáfora para las posibilidades que se le abren al hombre, pero que son realizadas por los individuos. El ideal de Nietzsche siempre ha sido el de la «grandeza» del individuo.[40]

El «superhombre» era expresión de una esperanza y constituye sólo un lado de la doctrina del retorno, pues el hombre «pequeño» o «último» también puede retornar. Lo que ocurre es que la doctrina del superhombre en la primera

---

[37] *FP* III. *Op. cit.* nota 17, p. 481, 25[137].

[38] Ewald, O. (1903): *Nietzsches Lehre in ihren Grundbegriffen. Die ewige Wiederkunft und der Sinn des Übermenschen,* Berlín.

[39] Ottmann, 1999. *Op. cit.* nota 7, p. 268, n. 116.

[40] *FP* IV. *Op. cit.* nota 22, p. 670, 15 [120] y p. 551, 14 [110]. Vid. Conill, J. (1991): *El enigma del animal fantástico,* Madrid, Tecnos.

parte del *Zaratustra* ha provocado interpretaciones darwinistas y progresistas, pero hay que llegar a la tercera parte, donde se revela la decisiva doctrina del eterno retorno, que hay que combinar necesariamente con la del superhombre. Sin haber incorporado el pensamiento del eterno retorno, cabría interpretar la secuencia «mono-hombre-superhombre» como si fuera una progresión darwinista. Tras la doctrina del eterno retorno, hay que situarse ante una forma nueva de entender el tiempo como tiempo de decisión entre el «último hombre» y el «superhombre». No hay un final de la historia, que resuelva este enigma, pues ambos son parte de un acontecer en el que todo retorna.[41]

Nietzsche no ha expuesto nunca con total claridad la figura del superhombre.[42] Incluso la referencia a los «nuevos señores de la tierra» como sus precursores es oscura, pero alguna de sus expresiones alumbra un nuevo sentido de «progreso»: «El superhombre, el transfigurador de la existencia». Por otra parte, el superhombre no puede entenderse como mero producto biológico, sino un golpe de suerte, de fortuna, un caso fortuito *(Glücksfall),* un efímero chispazo de «grandeza», como el genio, muy arriesgado y complicado, mientras que la evolución favorece lo no complicado.

Por tanto, el superhombre no es un mero producto del progreso evolutivo[43] (y menos en el sentido del darwinismo y del progresismo), sino que su formación *(Bildung),* sea como autosuperación moral, sea como creación artística, está más allá de lo meramente biológico. Así pues, el progreso en el sentido en que lo entiende Nietzsche consiste en un *ascenso* a la naturaleza, que no ha de confundirse con la «vuelta a la naturaleza» propugnada por Rousseau, ni con su «moralidad», ya que Nietzsche rechaza sus valores morales modernos y las presuntas «verdades» de la Revolución, en especial, «la doctrina de la igualdad»[44], porque —además de ser un «veneno»— implica el final de la auténtica «justicia» y no es el camino para llegar a ser libre, conforme al prototipo que propone Nietzsche aludiendo a Goethe: el «espíritu que *ha llegado a ser libre»,* sin desligarse de la vida y, por tanto, siendo un «realista» vital.[45]

---

[41] Vid. *Zaratustra*, «El convaleciente» (trad., pp. 297 ss.); también «De la visión y del enigma» (pp. 223 y ss.). Cfr. Ottmann, 1999. *Op. cit.* nota 7, p. 269.

[42] Vid. Haase, M.-L. (1984): «Der Übermensch in 'Also sprach Zarathustra' und im Zarathustra-Nasslass 1882-1885», *Nietzsche-Studien, 13:* 242 ss.

[43] *FP* IV, *op. cit.* nota 22, pp. 568-569, 14 [133].

[44] «Igualdad para los iguales, desigualdad para los desiguales —*ese* sería el verdadero discurso de la justicia— y, lo que de ahí se sigue, no igualar jamás a los desiguales» (cfr. «De las tarántulas», trad. pp. 151-4).

[45] *CI* (trad. pp. 125-126) y *MBM* (trad., p. 197). Vid. Campioni, G. (1976): «Von der Auflösung der Gemeinschaft zur Bejahung des 'Freigeistes'», *Nietzsche-Studien, 5:* 83-113.

El progreso en el sentido nietzscheano pasa a través del pensamiento selectivo o criador del eterno retorno, que tiene un sentido eugenésico de selección vital humana mediante la transvaloración de los valores vitales y con un
sentido aristocrático, que Nietzsche ha expresado durante cierta etapa de su
producción mediante la figura —ni optimista ni pesimista, sino seguramente
trágica— del «superhombre», como parte de un acontecer liberador que siempre puede retornar.

10

Bioética global.
Un mapa de la bioética para el siglo XXI

Adela CORTINA

1. LA COMPLEJA IDENTIDAD DE LA BIOÉTICA

Es ya un lugar común recordar que la bioética nació en los años sesenta y setenta del siglo XX, en Estados Unidos, con nombres como los de André Hellegers, fundador del Kennedy Institute of Bioethics, Daniel Callahan, fundador del Hastings Center, y Van Rensselaer Potter, al que cabe, aunque este sea un tema debatido, el honor de haber acuñado el rótulo «bioética» para una nueva forma de saber.[1] E igualmente tópico es traer a la memoria que en España tres son los nombres pioneros en este ámbito de la bioética: Francesc Abel, creador del Institut Borja de Bioètica, Javier Gafo, fundador de la Cátedra de Bioética de la Universidad Comillas, y Diego Gracia, que dio vida al máster de Bioética de la Universidad Complutense de Madrid. A estos tres nombres se han venido sumando otros

[1] Este artículo se inserta en el Proyecto de Investigación Científica y Desarrollo Tecnológico FFI2010-21639-C02-01, financiado por el Ministerio de Ciencia e Innovación y con Fondos FEDER de la Unión Europea, y en las actividades del grupo de investigación de excelencia PROMETEO/2009/085 de la Generalitat Valenciana.

muy relevantes, pero siempre es de ley recordar los orígenes porque, al fin y al cabo, la vida humana, también la compartida, es narración, y conviene contar las historias desde el comienzo.

Es una alegría, en este caso, poder celebrar en el contexto de este *Festschrift,* ese momento de júbilo administrativo de Diego Gracia, uno de los protagonistas de esa historia de la bioética mundial, pero muy especialmente de la hispanohablante, y hacerlo en la misma época en que la Fundación de Ciencias de la Salud cumple 20 años; una fundación de cuyo patronato es presidente Diego Gracia, amén de ser el director de su Instituto de Bioética. En este contexto gozoso, las primeras palabras de este artículo no pueden ser sino de felicitación sincera y de agradecimiento por tener la oportunidad de expresarla en este tan merecido homenaje. Y puesto que en él se espera de los participantes que reflexionemos sobre alguno de los aspectos cruciales de la bioética, me propongo hacerlo analizando lo que es hoy, más que nunca, su identidad compleja y esbozando un mapa que permita transitar por ese terreno un tanto intrincado. Por supuesto, es una propuesta que lo que desea es abrir el debate, en ningún momento sentar cátedra.

Ciertamente, cuando Diego Gracia puso en marcha su máster, en 1988, y publicó el libro seminal *Fundamentos de Bioética,* en 1989, la bioética era ya un saber sumamente complejo. Tuvo un «nacimiento bilocado», por decirlo con Francesc Abel, porque desde el comienzo se marcaron dos tendencias: la bioética médica y la bioética ecológica.[2] En Estados Unidos Hellegers y Callahan impulsaron la bioética médica, mientras que Potter apostó por el sentido ecológico de la bioética, al entender que debería incluir nuestras obligaciones hacia la biosfera, en vez de ocuparse casi exclusivamente de las obligaciones hacia los seres humanos, como venía siendo costumbre en las éticas tradicionales. Como es sabido, de las dos tendencias la que asumió el rótulo «bioética» fue la médica, tal vez por el impulso que recibió de los principios del Informe Belmont de 1978, y no solo en Estados Unidos, sino también en los restantes países. Este fue el caso de España, donde Abel, Gafo y Gracia se decantaron especialmente por la bioética médica, aunque sin olvidar los dos últimos la ecológica.

Sin embargo, en los años noventa del siglo pasado el imparable fenómeno de la globalización, que nace con un marchamo informático y económico, plantea a la bioética problemas globales que requieren soluciones asimismo globales. ¿Conviene dar la razón a Potter, que en *Global Bioethics*[3] ha propues-

---

[2] Abel, F. (2001): *Bioética: orígenes, presente y futuro,* Institut Borja de Bioética/Fundación MAPFRE Medicina, XIII-XVII.

[3] Potter, V. R. (1988): *Global Bioethics: Building on the Leopold Legacy,* East Lansing, Michigan, University Press.

to congregar en una bioética global dos lados ineludibles, una bioética ecológica, preocupada por la preservación del ecosistema, y una bioética médica, centrada en las decisiones a corto plazo, en la ética clínica?

Ante una pregunta semejante otros bioeticistas consideran que la propuesta queda corta, porque una bioética global debería contemplar también otras dimensiones, como las referidas a problemas de justicia global, que requieren el trabajo conjunto de muy distintos tipos de agentes, si es que queremos encontrar vías de solución. Cuestiones como las patentes, especialmente flagrantes en el caso de medicinas costosas que no pueden adquirirse en determinados países por falta de recursos, como es el caso de los medicamentos contra el sida o la malaria, la distribución mundial de los recursos sanitarios, las condiciones sociales que incrementan la morbilidad y la mortalidad, los experimentos en países en desarrollo sin pedir el consentimiento informado y sin beneficio para los habitantes de los países originarios, el expolio de la naturaleza que perjudica a todos los lugares del planeta son cuestiones ineludibles si queremos seguir hablando de justicia. De ahí que quienes consideran que el nuevo siglo exige una bioética global incluyan en ella la bioética médica, la ecológica y las cuestiones de justicia global.[4,5]

Así las cosas, desde finales del siglo XX la estructura de la bioética se ha complicado enormemente, hasta el punto de que resulta difícil precisar en qué consiste su identidad. Sin duda su tema central de estudio es la protección de la vida amenazada, pero también la potenciación de esa vida, cosas ambas que requieren una reflexión ética profunda sobre qué significa preservar y cómo hacerlo, qué significa potenciar y cómo ponerlo por obra, y quiénes están implicados en este arduo quehacer. Por eso voy a permitirme en estas páginas esbozar un apunte de mapa, a mi juicio adecuado para orientarse en los vericuetos del nuevo mundo, en los temas que importa acometer, y a la vez sugerir que en algunos casos el camino debería hacerse con los hacedores de otras éticas aplicadas, tan antiguas en ocasiones como la bioética, y que han aportado ya muy buenos resultados en sus respectivas áreas. Habida cuenta de que las propuestas morales creativas son un recurso escaso, la cooperación de las éticas aplicadas sería una apuesta racional, la falta de cooperación, un despilfarro de energías.

De esbozar los diferentes niveles que, a mi juicio, debería considerar una bioética global, qué asuntos ocuparían centralmente a cada uno de ellos y con

[4] Ferrer, J. y Santory, A. (2004): «Hacia una bioética global», en: Alarcos, F. J. (ed.): *La moral cristiana como propuesta*, Madrid, San Pablo, pp. 399-430.

[5] Alarcos, F. (2005): *Bioética global, justicia y teología moral*, Desclée de Brouwer/Universidad Pontificia Comillas.

qué éticas aplicadas sería fecundo cooperar, es de lo que me ocupo a continuación. Sin ningún afán exhaustivo, sino solo propositivo.

2. UN MAPA PARA UNA ÉTICA GLOBAL, NECESARIA Y, POR LO TANTO, POSIBLE

A mi juicio, una bioética global debería atender al menos a tres dimensiones que podríamos denominar «macro», «meso» y «micro», recordando la distinción que introduce un buen número de autores —entre ellos Apel— entre macro, meso y microsfera en una sociedad, que nos referirían respectivamente al ámbito mundial, al de los Estados nacionales, que hoy cabría ampliar con el de las unidades transnacionales «por arriba» y con el de las subunidades que forman comunidades políticas con competencias «por abajo», y al ámbito de las relaciones interpersonales.

1) En lo que hace al nivel de la *macrobioética,* se vería obligado a contemplar cuatro lados al menos, el de la *ética ecológica o ecoética,* las cuestiones de *justicia global,* la necesaria articulación entre *bioética y biopolítica,* sin la que mal puede hacerse frente a los problemas globales, y, por último, la pregunta por la posibilidad de una suerte de *bioética cívica mundial,* indispensable para abordar problemas globales desde una bioética mínima compartida desde las distintas culturas. En cada uno de estos ámbitos es de primera necesidad contar con las aportaciones que vienen haciendo otras éticas aplicadas desde hace décadas.

Empezando por la ecoética, a fin de cuentas, no fue una creación de Potter en modo alguno, sino que ya tenía una larga historia cuando Potter publicó su primer artículo sobre bioética en 1970. En efecto, Leopold, a quien Potter dedica el libro *Bioethics: Bridge to the Future,* había publicado en 1949 *A Sand County Almanac,* un texto en el que Leopold propone una «ética de la Tierra» que exige protección moral también para los animales y la naturaleza; Lovelock presenta su hipótesis «Gaia» en un encuentro de científicos en Princeton en 1969 y la publica en 1979; el noruego Naess es el inspirador de la ecosofía y de la ecología profunda (1973), y Jonas publica en 1979 *El principio responsabilidad,* en el que reformula el imperativo categórico kantiano de modo que el hombre se haga responsable de la permanencia de una vida humana auténtica en la tierra. La ecoética va generando un nuevo paradigma, un paradigma ecológico, que pretende sustituir al paradigma antropocéntrico de la ética y la ciencia tradicionales.[6] Una ética ecológica se configuraría como ética de la res-

---

[6] Gafo, J. (dir.) (1999): *Diez palabras clave en ecología,* Estella, Verbo divino, pp. 355 y 376.

ponsabilidad y del cuidado de los seres vulnerables, que son valiosos, aunque no pueda decirse que tienen derechos.[7]

Un segundo ámbito sería el referente a cuestiones de *Justicia Global,* de las que ha venido tratando desde hace décadas la *ética del desarrollo humano,* una de las éticas aplicadas pionera. Tal vez podría decirse que es Denis Goulet en los años sesenta quien da un especial impulso a esta ética al proponer redefinir el concepto de desarrollo y ponerlo en manos del debate moral, analizando los valores que deben orientar su teoría, planificación y práctica. Esta es su preocupación en trabajos como *Ética del desarrollo*[8] y *The Cruel Choice: A New Concept in the Theory of Development* (1971). Economistas, como Streeten y Sen,[9] abordan los problemas de la desigualdad global, el hambre y el subdesarrollo, entendiendo que es preciso adoptar también una perspectiva ética, y en 1987 nace la ética del desarrollo como una disciplina con la creación de IDEA, es decir, de la International Development Ethics Association, en San José de Costa Rica. El PNUD, en el informe sobre el desarrollo humano de 1992, declara que el desarrollo abarca todas las dimensiones del bienestar humano y el modo de lograrlo, e insiste en el concepto seniano de capacidades. Para medir el desarrollo humano no basta con atender al PIB, sino que es preciso tener en cuenta otras bases informacionales, como las capacidades básicas que permiten a las personas llevar adelante los planes de vida que consideran valiosos, entre ellas, la de poder mantener la propia vida y salud.

En ética del desarrollo trabajan hoy una gran cantidad de expertos, tales como David A. Crocker,[10] Martha Nussbaum, Sabina Alkire, Des Gasper, Bernardo Kliksberg, Luis Camacho, Jorge A. Chaves, Emilio Martínez Navarro,[11] Asunción St. Clair, Cristian Parker, Ramón Romero o Roy Ramírez.

Sin embargo, la necesidad de plantear de otro modo el desarrollo humano se abre a una peculiar problemática, la de lo que se ha llamado la «justicia global», sobre todo a partir del polémico artículo de Tomas Nagel «The Problem of Global Justice», publicado en 2005.[12] Nagel entiende que es imposible encarnar una justicia global en un mundo en que no hay justicia fuera del Estado,

---

[7] Cortina, A. (2009): *Las fronteras de la persona,* Madrid, Taurus.

[8] Goulet, G. (1965): *Ética del desarrollo,* Madrid, IEPALA.

[9] Sen, A. (1999): *Development as Freedom,* Nueva York, Anchor Books.

[10] Crocker, D. A. (2008): *Ethics of Global Development,* Cambridge, Cambridge University Press.

[11] Martínez Navarro, E. (2000): *Ética del desarrollo de los pueblos,* Madrid, Trotta.

[12] Nagel, T. (2005): «The Problem of Global Justice», *Philosophy and Public Affairs, 33:* 113-47.

porque solo él está legitimado para ejercer la coacción mínima, indispensable para mantener el orden social. Por supuesto, una moral humanitaria impone obligaciones más allá de los límites del Estado, como la de proteger los derechos humanos, pero un orden normativo más allá de un mínimo humanitarismo moral solo surge cuando el Estado fortalece reglas en nombre de los sometidos a ellas.

El debate sobre la posibilidad de una justicia global, o incluso sobre su necesidad, es uno de los más vivos actualmente y afecta a la bioética en puntos centrales: la distribución de los recursos sanitarios, el problema de las patentes, el expolio y deforestación que sufren los países en desarrollo, los escándalos de la experimentación no consentida. Todo ello plantea el problema de cómo proteger unos mínimos vitales *decentes* o *razonables* más allá de las fronteras estatales. Autores como Joshua Cohen y Charles Sabel, Thomas Pogge, Onora O'Neill, David Held o Gillian Brock o M.ª José Guerra[13] discuten esta posición de Nagel, reforzando la necesidad de esa justicia global y, por tanto, la de caminar en la línea del cosmopolitismo, que ya anunciaran los estoicos, el cristianismo y autores bien prestigiosos de la Ilustración.

Pero, claro está, la encarnación social de un cierto cosmopolitismo exige dar cuerpo a instituciones que lo hagan posible, por eso una justicia global exige a su vez vincular la *bioética con la biopolítica,* entendida esta última, no tanto en el sentido de Foucault, Heller, Agamben, Esposito o Negri, sino en el de la necesaria institucionalización de las exigencias de una bioética global en una política de algún modo global. La construcción de un cosmopolitismo moral y político sería uno de los caminos, y también esa más modesta *gobernanza global* que debería distribuir bienes públicos.

Y, por último, dentro de este ámbito de la macrobioética, se hace necesario responder a la pregunta sobre la posibilidad de una bioética trazada desde una ética mundial, que permita abordar desde valores y normas éticos comunes los retos que se plantean a la vida amenazada, y aprovechar los potenciales de empoderar la vida. Como afirmaba Apel hace ya más de 40 años, los retos que plantea el desarrollo tecnológico tienen consecuencias en la macrosfera, y no solo en la meso y microsfera.[14] Cabría esperar que ante desafíos globales pudiéramos responder desde unos mínimos éticos compartidos entre las distintas culturas o entre los distintos grupos sociales, porque, en caso contrario, las respuestas vendrán solo

---

[13] Guerra, M. J. (2010): «Justicia global y analítica de las desigualdades. Pobreza y género», *Isegoría, 43:* 271-82.

[14] Apel, K. O. (1985): *La transformación de la filosofía,* vol. II, Madrid, Taurus, pp. 343 y 344. [Original: conferencia pronunciada en 1967 y publicada en *Transformation der Philosophie,* Frankfurt, Suhrkamp, Frankfurt].

de algunos sectores. Es necesario entonces construir esa *bioética mundial,* que, a mi juicio, debería tener la forma de una *bioética cívica mundial,* que acogiera los mínimos éticos compartidos, sin identificarse con ninguna de las éticas de máximos, pero contando con los grupos identificados con ellas para llevar adelante la tarea, y se configurara como una bioética global de la corresponsabilidad.[15]

2) La *Mesobioética,* por su parte, se referiría al nivel de los Estados nacionales u otras formas de comunidad política. En él se incluirían al menos los sistemas de salud, de los que se ha venido ocupando la *ética de la economía de la salud* desde los años ochenta del siglo pasado, la *ética de las organizaciones sanitarias,* y el reto de construir una *bioética cívica,* que articule las bioéticas de máximos vigorosas en cada comunidad.

La *ética de la economía de la salud* surge fundamentalmente al revisar las políticas de bienestar y, entre ellas, la necesidad de controlar el gasto sanitario. Las exigencias del principio de justicia chocan con la escasez de recursos, de ahí que la Economía de la Salud trate de introducir modelos de racionalidad económica en el campo sanitario. Surgen problemas como los siguientes: si deben desatenderse otros servicios sociales por atender a los sanitarios, si todo gasto en salud se puede exigir en justicia, si es ilimitado el derecho a la salud y a la asistencia sanitaria, y si no es así, cuáles son los límites de las prestaciones sanitarias. Ahora bien, esta irrenunciable gestión, que debe atender al principio de eficiencia, debe tener en cuenta a la vez el principio de equidad, y más tratándose de un bien tan básico como la salud. La ética de la economía de la salud se preocupa por conjugar eficiencia y equidad en el mundo de la justicia sanitaria.[16,17]

En cuanto a *la ética de las organizaciones,* y muy especialmente las empresariales, tiene unos orígenes que pueden datarse en la obra de Adam Smith, pero es en los años setenta del siglo pasado cuando surge con fuerza, en esa época en que el declive de las ideologías reclama buenas prácticas, más que grandes declaraciones. Un buen número de autores va componiendo los jalones de esta ética (Goodpaster, Bowie, Enderle, Ulrich, Homann, Spaemann, Conill, García-Marzá, Cortina), que se va concibiendo como una ética de la responsabilidad por las consecuencias de las decisiones para los intereses universalizables de los *stakeholders* o de los afectados por la actividad empresarial. Podríamos decir de forma sucinta que la meta de la empresa consiste en crear valor

[15] Cortina, A. (2001): *Alianza y contrato,* Madrid, Trotta, cap. 10.

[16] Gracia, D. (1989): *Fundamentos de bioética,* Madrid, EUDEMA.

[17] Goulet, D. (1999): *Ética del desarrollo. Guía teórica y práctica,* Madrid, EPALA.

para todos su afectados a través de la creación de un clima ético. Para alcanzar esa meta el diálogo entre los afectados o los grupos de interés es central.

Curiosamente, en el mundo sanitario la exigencia de crear ese clima ético en las organizaciones no aparece de forma explícita hasta los años noventa del siglo XX, tal vez por las peculiaridades de ese tipo de organizaciones, que podríamos resumir diciendo que quien paga habitualmente no es el consumidor, quien decide tampoco, el beneficiario del servicio suele ser alguien especialmente vulnerable por ignorancia y por enfermedad, el bien que se oferta —la salud— es básico, y, por último, intervienen profesionales individuales, equipos y gestores.[18] A partir de la década de los noventa se multiplican los intentos, teóricos y prácticos, de incorporar explícitamente la ética en las organizaciones sanitarias contando con instrumentos como la misión misma de la organización, pero también con modelos de acreditación, códigos éticos, auditorías y observatorios.[19] También en las organizaciones sanitarias es indispensable crear confianza a través del contrato moral y del reconocimiento recíproco.[20]

En lo que hace a la construcción de una bioética cívica, también se hace necesaria en este nivel de la mesobioética, donde es preciso congregar los mínimos de justicia compartidos por las distintas éticas de máximos con las que se identifican los ciudadanos de las sociedades moralmente pluralistas para abordar conjuntamente los retos comunes en el ámbito bioético.[21,22]

3) Por último, la *microbioética* vendría configurada al menos por la *bioética clínica*, por la *genética* o *ética de las biotecnologías,* que tan grandes repercusiones tiene en la ecoética, y, según dicen algunos autores desde comienzos del siglo XXI, también vendría configurada por la *neuroética* en su vertiente de ética de la neurociencia.

La *bioética clínica* es la que dio el mayor impulso a la bioética en sus comienzos, como hemos comentado, y de hecho en los años setenta del siglo pasado los temas centrales de la bioética son los de las relaciones personal sanitario-paciente, el consentimiento informado, la confidencialidad, la toma de decisiones clínicas que deben tener en cuenta necesariamente valores éticos, los problemas del comienzo y el final de la vida (aborto, suicidio asistido, eutanasia, directrices anticipadas, limitación del esfuerzo terapéutico), o los

---

[18] Conill, J. (2004): *Horizontes de economía ética,* Madrid, Tecnos, parte IV.

[19] Simón, P. (2005): *Ética de las organizaciones sanitarias. Nuevos modelos de calidad,* Editorial Triacastela, Madrid.

[20] García-Marzá, D. (2004): *Ética empresarial,* Madrid, Trotta.

[21] Cortina, A. (1986): *Ética mínima,* Madrid, Tecnos.

[22] Cortina, A. y García-Marzá, D. (2003): *Razón pública y éticas aplicadas,* Madrid, Tecnos.

cuidados paliativos. Problemas todos ellos que forman el día a día de la ética profesional, que se ha revitalizado en los últimos tiempos en relación con las diversas profesiones, pero sigue teniendo un especial significado en el mundo sanitario, tanto el de la medicina como el de la enfermería.[23,24]

Si puede entenderse la ética de cualquier profesión como la ética de la actividad que los profesionales llevan a cabo tratando de alcanzar unos bienes internos a ella que esa profesión presta a la sociedad y cultivando unas virtudes que permiten alcanzarlos, entonces, a mi juicio, esos bienes podrían identificarse con aquellas «metas de la medicina» de que hablaba el Hasting Center: prevenir la enfermedad, cuidar lo que no puede curarse, curar lo que puede ser curado con el nivel alcanzado, evitando la muerte prematura, y ayudar a morir en paz. Ahora bien, el profesional de la salud presta su servicio habitualmente en el seno de una organización sanitaria, que cuenta con una estructura determinada y es, a su vez, expresión de la forma que adquiere la institución correspondiente. Hecho por el cual es necesario, al menos, articular la ética profesional con la ética de la organización.

En lo que respecta a la *genÉtica,*[25] recordemos cómo es en la década que abarca de 1975 a 1985 cuando se desarrolla la tecnología de los ácidos nucleicos que hace manipulables los genes. Esta posibilidad de manipulación de los genes da lugar a lo que se ha llamado la «Nueva Genética», a esa Revolución de las Biotecnologías, tan decisiva en la historia de la humanidad como la Revolución Agrícola, la Industrial o la Informática,[26] y, claro está, este mayor poder de manipulación reclama una ética de las biotecnologías que se ocupe de evaluar las investigaciones y las intervenciones moralmente. Es la ética desde la que tratamos de evaluar los distintos aspectos de las técnicas de reproducción asistida, el diagnóstico preimplantatorio, la eugenesia negativa y positiva, la clonación humana y no humana, la investigación con células troncales o los transgénicos (el principio de precaución), los trasplantes. En nuestro país contamos con nombres tan relevantes como los de Carlos Alonso Bedate, Diego Gracia, Juan Ramón Lacadena o Carlos Romeo Casabona.[27]

---

[23] Gracia, D. (1991): *Procedimientos de decisión en ética clínica,* EUDEMA; Gracia, D. (1991b): *Introducción a la bioética,* Bogotá, El Búho, Bogotá.

[24] Gracia, D. (2003): *Como arqueros al blanco,* Madrid, Triacastela.

[25] Mayor Zaragoza, F. y Alonso Bedate, C. (coords.) (2003): *GenÉtica,* Barcelona, Ariel.

[26] Lacadena, J. R. (2002): *Genética y Bioética,* Madrid, Universidad Pontificia Comillas, cap. 1.

[27] Romeo Casabona, C. (ed.) (2011): *Enciclopedia de Bioderecho y Bioética,* Bilbao, Cátedra de Derecho y Genoma Humano de la Universidad de Deusto.

Por último, en los últimos tiempos surge la *neuroética* pretendiendo presentarse en sociedad como un nuevo saber, en parte ligado a la bioética y en parte gozando de una cierta autonomía. En efecto, en mayo de 2002 la DANA Foundation, empeñada en el avance de las neurociencias, organiza un congreso que lleva por título «Neuroética: esbozando un mapa del terreno».[28] Con el tiempo se van distinguiendo dos ámbitos: 1) la *ética de la neurociencia,* que intenta desarrollar un marco ético para regular la conducta en la investigación neurocientífica y en la aplicación del conocimiento neurocientífico a los seres humanos; podría muy bien considerarse como una rama sumamente importante de la bioética; y 2) La *neurociencia de la ética,* que se refiere al impacto del conocimiento neurocientífico en nuestra comprensión de la ética misma, se ocupa de las bases neuronales de la agencia moral.[29] Aunque es difícil distinguir entre ambas, no es lo mismo elaborar orientaciones para investigar éticamente en el campo de las neurociencias, en cuyo caso permanecemos en el ámbito ya creado de las éticas aplicadas, que asegurar que hemos dado con los fundamentos cerebrales de la conducta moral, en cuyo caso la neuroética es ética fundamental y debería sustituir a las teorías filosóficas, a las doctrinas religiosas y a las ideologías políticas. Qué dará de sí este nuevo campo es una de las grandes preguntas abiertas en nuestro momento.

Evidentemente, en este mapa existen *temas transversales* que afectan a todos los niveles del terreno: el del *marco filosófico* desde el que abordamos los problemas en los diversos campos, y el del método filosófico empleado para hacerlo. A mi juicio, el marco más adecuado es el de una ética del discurso, transformada en *ética de la razón cordial,* como ya he intentando exponer en otros lugares, y el método filosófico, el de una *hermenéutica crítica* que trata de desentrañar los principios éticos que ya hemos ido construyendo intersubjetivamente desde una razón práctica que, por ser humana, sabe de valores, sentimientos y virtudes. Como ya apunté en otro lugar, ojala noologistas y deontologistas cordiales llevemos a cabo un diálogo fecundo.[30]

Pero como cada día tiene su afán, el de hoy consiste en felicitar muy cordialmente por este medio a Diego Gracia, tan significativo para el complejo mundo de la bioética y para la vida intelectual del mundo hispanohablante.

[28] Marcus, S. J. (2002): *Neuroethics: Mapping The Field,* Nueva York, The Dana Press.

[29] Roskies, A. L. (2002): «Neuroethics for the New Millennium», *Neuron 35 (1):* 21-3.

[30] Gracia, D. y Cortina, A. (2011): *La cuestión del valor,* Madrid, Real Academia de Ciencias Morales y Políticas.

11

Una ética de la psiquiatría: presente y futuro

JAMES DRANE*

Antes de que hubiera psiquiatras o psicoterapeutas, los filósofos ayudaron a las personas que padecían lo que hoy llamamos problemas mentales. Establecían un lazo con la persona enferma y de ese lazo se derivaba el conjunto de conductas que más tarde llegaron a ser reconocidas como el núcleo de la medicina humana y de la ética médica. Los filósofos suministraban su terapia gracias a una relación de calidad y a lo que ellos llamaron, *terpnos logos,* «discurso sugestivo o alentador».

Platón pensó que era la belleza del discurso, el *logos kalos,* la que engendraba sabiduría y templanza y restablecía el orden correcto de la *psyche.* Pensó que el *logos,* la palabra, armonizaba los impulsos y los sentimientos con el conocimiento y el sano juicio. Y que creaba un nuevo eje alrededor del cual podía organizarse el yo. Platón denominó *catharsis* al proceso de reorganización e iluminación, y elaboró con algún detalle lo que hoy llamaríamos psicoterapia.[1]

[1] Laín Entralgo, P. (1970): *The Therapy of the Word in Classical Antiquity,* New Haven, Yale University Press.

* Traducción: Miguel Ángel Sánchez González

Aristóteles también se ocupó del tema de la curación a través de la comunicación verbal, lo que demuestra que esta idea fue algo más que una simple peculiaridad de Platón. Aristóteles añadió el concepto de *kairos:* un momento en el que las condiciones son adecuadas, es decir, un tiempo oportuno y decisivo para hablar. Aristóteles, sin embargo, ofreció una explicación diferente de cómo pueden curar las relaciones y las palabras. Utilizó el mismo término, *catharsis,* para describir el efecto terapéutico del discurso, pero para él, significó purga y purificación. Una terapia que tiene lugar por la liberación de emociones reprimidas.

El énfasis aristotélico en la purificación y la purga llega hasta el significado inglés ordinario de la palabra *catharsis.* Aristóteles pensó que el teatro era terapéutico de esta misma manera. Platón había condenado la poesía por suscitar emoción a expensas de las partes racionales del alma. Aristóteles, por el contrario, argumentó que suscitar y liberar emociones por medio del teatro y la poesía servía de ayuda. También argumentó que la comunicación verbal y la relación humana con una persona sabia eran terapéuticas. La relación y el discurso, argumentó, pueden aportar un reequilibrio de las dimensiones físicas, espirituales y afectivas de la persona. Tanto para Aristóteles como para Platón, la relación y las palabras eran vehículos para una reorganización sanadora y un reordenamiento de la psique humana.

Los primitivos filósofos también tuvieron importantes vislumbres de ese núcleo de la relación entre hablante y receptor de palabras terapéuticas, que más tarde llegó a denominarse relación médico/enfermo. En el sistema de asistencia sanitaria actual esa sutil relación tiende a reducirse a un contrato a corto plazo entre un suministrador de servicios y un consumidor. De hecho, la relación humana está siendo amenazada por la relación que tiene el médico con unas tecnologías que cada vez se expanden más. En consecuencia el profesional sanador, que fue reverenciado en otros tiempos, es hoy frecuentemente considerado como un negociante o un técnico, y en consecuencia, abordado con precaución más que con confianza.

Tanto Platón como Aristóteles tuvieron bastante que decir sobre ética en el sentido de lo que afecta al yo interior o al ser profundo del sanador. Su ética para los médicos en general y para los psiquiatras en particular fue una ética del carácter y la virtud. El término griego para el ser profundo o el yo interior es *ethos,* la raíz de nuestro término ética. Tanto si los médicos utilizaban una medicina, *pharmacon,* como un cambio en el estilo de vida, *diaita*, o un discurso sugestivo, *terpnos logos,* se atenían siempre a elevados estándares éticos personales. Vemos estos estándares enumerados en el Juramento Hipocrático y sabemos que esas particulares obligaciones estaban enraizadas en la especial relación de los médicos con sus pacientes.

Se esperaba que los médicos honrasen a sus maestros como si fueran enfermos suyos y que los tratasen generosamente. Tenían que tratar a sus pacientes con benevolencia, haciendo lo que es beneficioso para ellos antes que para sí mismos. Tenían que proteger a sus pacientes del daño. Nunca podían acabar con la vida de un enfermo ni ayudar en un suicidio. Tenían prohibido practicar abortos. Tenían que abstenerse de todo acto sexual con sus pacientes. Tenían que mantener secreto todo lo que averiguaran sobre el paciente. En resumen, tenían que establecer una relación especial y atender las necesidades básicas del paciente.

Todavía se espera de los psiquiatras de hoy que sean personas humanas y virtuosas. Se espera que desenvuelvan los mismos rasgos del carácter. Y que desarrollen actitudes y predisposiciones que se traduzcan en conductas sinceras, fiables, respetuosas, justas, útiles y amistosas hacia los pacientes. No puede haber curación profesional sin ética profesional en este sentido clásico de personas de carácter y virtud que están comprometidas a hacer lo que sirve de ayuda a sus pacientes.

Los médicos de hoy no deben ignorar el papel de su yo interior en la relación terapéutica, teniendo en cuenta que un exceso de identificación con las tecnologías produce precisamente ese olvido. No obstante, además de una ética del carácter *(ethos),* hay muchos otros ingredientes éticos en una ética plenamente desarrollada y humana. Tratar pacientes significa estar inmerso en la ética a muchos niveles. En tiempos de Platón y de Aristóteles la ética estaba enfocada en el yo interior o la *persona* del terapeuta y en la *persona* del paciente. Hoy la ética se ha expandido hacia muchos otros campos.

Mi objetivo aquí es crear una estructura dentro de la cual pueda caber de forma coherente una ética médica contemporánea considerablemente expandida. El objetivo es identificar y explicar los diferentes niveles de la ética, para que el médico en ejercicio pueda identificar los elementos éticos que aparecen en los contactos habituales entre médico y paciente. Las complejidades de la bioética contemporánea precisan ser organizadas en alguna trama estructurada. Espero poner en algún orden los estándares bioéticos expandidos que gobiernan la práctica psiquiátrica de hoy en día, además de tener en cuenta el básico aprecio del carácter y la virtud en la relación, que los filósofos clásicos enfatizaron.

Los psiquiatras de hoy tienen que ser filósofos de la condición humana, tal y como antes lo fueron los filósofos clásicos que ejercieron un papel psicoterapéutico. Todas las dimensiones únicas de la existencia humana interactúan en la enfermedad y en la relación médico/paciente. Queremos contemplar cuidadosamente nuestra experiencia emocional de la realidad, nuestra capacidad de juzgar sobre lo correcto y lo incorrecto, nuestra capacidad de establecer relaciones de diferentes tipos, nuestra habilidad para prever las consecuencias y actuar de acuerdo con ello, nuestra capacidad para elegir libremente y disfrutar de lo interesante, o abstenerse de ello. Los autores judíos que escribieron y compilaron las historias de la creación sabían lo que nos hace seres humanos diferentes. Apropiadamente asignaron a Adán y Eva la capacidad de nombrar y comprender, la necesidad de relacionarse amorosamente, y la capacidad de elegir el bien y el mal.

Nuestro objetivo es comprender de una manera coherente cómo se manifiesta la esencial dimensión ética del ser humano dentro de una ética basada en las peculiares características de la relación médico/paciente. Los médicos en general y los psicoterapeutas en particular tienen que hacer ética. La cuestión es, ¿podrán hacer ética y ser éticos? ¿Se involucrarán en la ética sacando algún provecho de los logros intelectuales obtenidos durante milenios de reflexión filosófica? Los psiquiatras tendrán experiencias éticas y tendrán que hacer juicios éticos, pero ¿serán defendibles esos juicios? ¿Cómo se puede alcanzar objetividad profesional y al mismo tiempo ayudar a pacientes cuyos problemas son conflictos profundamente subjetivos en su núcleo? Una medicina humana y una ética médica solo pueden asentarse en un análisis cuidadoso de las obligaciones inherentes a la relación médico/paciente.

Gran parte de nuestro discurso y de nuestra comunicación está impregnado de elementos éticos porque somos seres éticos por naturaleza. Una de las razones por las que las diferencias éticas son difíciles de resolver es que el discurso sobre estas materias tiende a realizarse en muchos niveles diferentes. En vez de resolver las cuestiones éticas, demasiado a menudo acabamos aún más distanciados unos de otros porque nuestro discurso ético aumenta la confusión. Utilizamos todo tipo de términos éticos sin darnos mucha cuenta de que términos diferentes se refieren a realidades diferentes. A continuación distinguiremos los diferentes niveles del discurso ético. En el proceso espero introducir los elementos relacionales más importantes de una ética humana de la psiquiatría y la psicoterapia.

1. EL NIVEL EXISTENCIAL

El mundo es experimentado por los seres humanos como agradable o desagradable, hermoso o feo, justo o injusto, bueno o malo. Si el mundo humano y la experiencia humana están llenos de lo que hay que hacer y lo que no, de lo correcto y lo incorrecto, de elecciones buenas y elecciones malas, de intereses y reclamaciones; entonces obviamente la relación médico/paciente es parte de ese mundo. Todos los pacientes llegan al médico cargados con amplias experiencias de aprobación y desaprobación, reclamaciones, demandas, obligaciones, derechos, sentimientos de culpa, responsabilidades, autocastigos, etc.

Cada vez más los pacientes acuden hoy en busca de ayuda sobrecargados con asuntos éticos y problemas de carácter. Hay un corto trecho entre los problemas éticos y los psiquiátricos, y los dos son frecuentemente confundidos.[2]

Las cuestiones éticas pueden muy bien ser la fuente o la causa de los síntomas que traen los pacientes a un psiquiatra. Incluso aunque lo intente, un médico neutral no puede evitar verse envuelto en la ética. Es la persona completa la que necesita ayuda y no existe manera alguna de mantenerse enfocado exclusivamente en zonas éticamente neutras.

La estrecha conexión entre patología y ética es obvia cuando el problema que se presenta es un robo, promiscuidad, incesto o pedofilia. Si el paciente tiene convicciones religiosas entran en juego las normas éticas de su religión. La religión, tanto como la ética pueden ser una gran parte del problema que presenta el paciente.

El psiquiatra que se da cuenta de las diferencias y de la estrecha relación que existe entre categorías éticas y patológicas está mejor preparado para manejar la relación terapéutica. Es menos probable que confunda los dos ámbitos o que imponga valores éticos no relacionados con los problemas del paciente.[3] Algunas veces, un paciente necesita ser guiado delicadamente hacia el mejoramiento moral. Otras veces deben imponerse límites éticos o ponerlos como condición para la continuidad de la relación terapéutica.[4]

Para un psiquiatra no hay modo de evitar los juicios éticos sobre las estrategias vitales del paciente, así como tampoco puede evitar ocuparse de las cuestiones éticas que son parte de la patología del paciente. La conciencia del paciente puede ser la raíz de sus sufrimientos. En algún punto, incluso el analista más neutral debe adoptar alguna postura ética, tomando partido por la sobriedad más que por la ebriedad, por la tolerancia más que por el prejuicio, por el amor más que por el odio. Si hoy en día se reconoce tan ampliamente que la ética está implicada íntimamente en las ciencias duras, mal podrá ser ignorada en la medicina y en la relación entre psiquiatra y paciente.[5]

---

[2] Kohlberg, L. (1971): «From Is to Ought», en: Mischel, T. (ed.): *Cognitive Development and Epistomology,* Nueva York, Academic Press.

[3] Es más probable que la libertad de un paciente no sea respetada por terapeutas que no son conscientes de las dimensiones éticas de la realidad. Ignorar el ámbito de la ética o autoengañarse éticamente conduce fácilmente a violar éticamente los derechos del paciente. Véase: Elliott, C. (2010): *White Coat, Black Hat: Adventures on the Dark Side of Medicine,* Beacon Press.

[4] Buhler, C. (1962): *Values in Psychotherapy,* Nueva York, Free Press.

[5] Erikson, E. (1949): *Insights and Responsibility: Lectures on the Ethical Implication of Psychoanalytic Insight,* Nueva York, Norton.

Todo médico, y especialmente un psiquiatra, actúa sobre supuestos más o menos conscientes sobre cómo deben comportarse, pensar y sentir los seres humanos: sobre una especie de antropología filosófica. «Deber» significa desde luego obligación moral o ética. Y ni siquiera pueden evitar la ética los psiquiatras que son contrarios a ella en psicoterapia, aquellos que demandan una comunicación terapéutica moralmente neutral e intentan limitarse a sí mismos al alivio de los síntomas. No pueden despojarse totalmente de sus propias convicciones sobre cómo deben ser los seres humanos, y cómo deben manejar los médicos la relación médico/paciente.

Los psiquiatras, como todos los seres humanos, tienen una formación ética. Tienen un trasfondo cultural o étnico que influye en su moralidad personal. Si los psiquiatras fueran sacerdotes o rabinos, su formación ética y sus convicciones estarían en un primer plano y serían obvias, pero los médicos seculares no son seres neutros con respecto a la ética. Su formación ética también tiene que tomarse en consideración cuando alguien pretende hacer una ética de la medicina o de la psiquiatría.

La tendencia actual es trasladar los conceptos y los comportamientos éticos hacia categorías médicas. En el DSM-IV muchos comportamientos anteriormente inmorales han sido reclasificados en términos diagnósticos.[6]

La ética de la psiquiatría comienza reconociendo los deberes y las prohibiciones, lo bueno y lo malo, las demandas, obligaciones y derechos, incrustados en la relación médico/paciente. El paciente tiene derechos, intereses, obligaciones, fortalezas y debilidades éticas. E igualmente el médico. Así como también los tienen las instituciones donde la terapia tiene lugar y las asociaciones profesionales como las Federaciones Internacionales de Médicos. La ética en este primer nivel implica el reconocimiento del entramado ético de los seres humanos y de las relaciones humanas, y las peculiares características éticas de la relación médico/paciente. Las realidades éticas están incrustadas en la vida ordinaria y en las relaciones cotidianas. Y estas se encuentran amplificadas cuando la vida se traslada a la relación médico/paciente. Esta relación, como la vida misma, ya está incrustada en la ética y tiene una estructura ética previamente establecida que el médico tiene que conocer y hacia la que tiene que ser sensible.

Para poder ser terapéutica, la relación médico/paciente tiene que ser ética. Debe ser cuidadosa, beneficente y no maleficente. Debe respetar los derechos y libertades del paciente. Las comunicaciones que tienen lugar deben ser honradas y sinceras. Idealmente, hay una dimensión amorosa, de amor en el sentido de amistad. Es el médico quien trae estos elementos a la relación. Y si no lo

---

[6] DSM-V.

hace, la terapia fácilmente se convierte en una fría aplicación de técnicas. El objetivo de una medicina más humana es comprender la relación médico/paciente con mayor profundidad y en toda su complejidad.

Si la ética está implicada en la vida del paciente, en la vida del terapeuta y en la relación médico/paciente, obviamente es parte también de cualquier configuración que hagamos de los fines de la terapia. Freud habló explícitamente de las «alteraciones del superego».[7] Los analistas ortodoxos se ocupan de conseguir la «autonomía» y la «productividad», que son ideales éticos. Adler y Karen Horney intentaron desarrollar la «responsabilidad social» del paciente. La mayoría de los modelos psiquiátricos promueven el desarrollo de sus valores éticos preferidos. Un modelo teórico valora la adaptación, otro la productividad, un tercero la maximización de la satisfacción personal.[8] Donde hay una elección consciente de un modelo u otro hay ya una ética.

La relación médico/paciente es enormemente compleja. Nunca es solo un paciente con una necesidad y un terapeuta que le responde. El paciente tiene una familia. El terapeuta es parte de un equipo y tiene una formación particular. En vez de un simple contrato paciente/médico, el paciente tiene una historia y el terapeuta también. La ayuda es suministrada dentro de un sistema y dentro de una tradición de práctica asistencial sanitaria. El lugar donde ocurre el contacto médico/paciente influye en la relación, al igual que la disponibilidad de tecnologías, la posibilidad de apoyo de otros profesionales, el coste de la asistencia, etc. Toda esta complejidad comienza con la poderosa obligación ética creada por la mera presencia de la persona necesitada delante de un médico. La fragilidad, el dolor, la discapacidad de una persona es la base de las obligaciones éticas del médico. El rostro de un paciente es el comienzo de la medicina ética.

2. El nivel legal

El primer nivel de la ética es existencial en el sentido de que es parte de la experiencia relacional inmediata. El segundo nivel está un paso más allá de esa inmediatez, pero no demasiado lejos. Algunas personas no van más allá del primer nivel en absoluto. Para ellas, la ética comienza y termina con los sentimientos inmediatos y las reacciones espontáneas a otra persona, lo cual no

[7] Freud, S. (1949): *An Outline of Psychoanalysis,* Nueva York, W.W. Norton. [Traducción de J. Strachey].

[8] Macklin, R. (1973): «Medical Model in Psychoanalysis and Psychotherapy», *Comparative Psychiatry, 14:* 49-70.

está sujeto a ulterior cuestionamiento o análisis. Algo es bueno porque se siente como correcto; o es malo porque se opone a los propios intereses.

La mayoría de los seres humanos, sin embargo, en un cierto nivel de su desarrollo se mueven más allá del nivel ético existencial mediante la formulación de preguntas. ¿Por qué siento que una cosa es correcta y la otra incorrecta? ¿Por qué me siento culpable? ¿Hay criterios o argumentos que apoyan mis sentimientos y reacciones? ¿Estoy comportándome apropiadamente? ¿Estoy atendiendo las necesidades de esta persona? Las respuestas a estas preguntas nos mueven al nivel 2, que yo llamo a falta de un término mejor, nivel legal.

Cultura, instituciones asistenciales sanitarias, escuelas, industrias, iglesias, clubs, profesiones… todas tienen sus propias directivas o reglas morales. Las reglas proporcionan una respuesta inicial a las cuestiones acerca de por qué ciertas cosas son correctas o incorrectas. Muy pronto en la vida, los padres fabrican reglas para los niños sobre lo correcto y lo incorrecto, y este patrón de creación de reglas continúa a lo largo de la vida. Más tarde, otras autoridades toman el lugar de los padres creando reglas morales y expectativas éticas para los individuos dentro de ciertos grupos sociales. Puesto que los seres humanos tienden a pertenecer a muchos grupos sociales diferentes, las reglas éticas o protocolarias provienen de muchas fuentes.

Además de las reglas, hay también razones o argumentos bastante básicos por los cuales ciertas cosas son buenas o malas. Por ejemplo, un comportamiento es bueno porque se siente como correcto, porque agrada a otros, es aprobado por otros, suscita afectos, satisface necesidades, mantiene relaciones, etc. Las reglas solas, para los niños muy pequeños, explican adecuadamente por qué las cosas son correctas o incorrectas, pero más tarde se requieren razones. Sin reglas y justificaciones racionales la ética zozobra en reacciones viscerales e individualismos radicales.

Razones y reglas constituyen un nivel diferente de la ética que no siempre es reconocido claramente. En ciertos casos, incluso personas distinguidas sostienen que los seres humanos «simplemente saben» que ciertas cosas son correctas o incorrectas. Hay razones de fondo, pero escondidas bajo términos como instinto, sentimiento, sentido común, o decencia común. Las razones defendibles para dar una respuesta ética inmediata tienen que ser coherentes, consistentes y convincentes. Las malas razones carecen de todas estas cualidades.

Las reglas y razones que gobiernan o se aplican más directamente a la psiquiatría provienen de muchas fuentes autoritativas, comenzando con las reglas éticas promulgadas por las asociaciones profesionales. La fuerza de las reglas y las razones depende de la sabiduría que atesoran, de la autoridad que las avala y de sus sanciones. Por definición, las reglas son orientaciones prácticas, concretas y específicas. Pueden proporcionar una justificación para los sentimientos espontáneos o pueden poner en cuestión lo que las personas sienten sobre lo correcto y lo incorrecto. Las reglas especifican en forma bastante concreta lo que se requiere para ser un buen profesor, un buen *boy scout,* un buen católico, judío, trabajador, doctor o psiquiatra. La ética profesional se identifica estrechamente con este segundo nivel del discurso ético.

Un ejemplo de la importancia de las reglas profesionales y de la enorme diferencia que pueden establecer se obtiene contemplando la historia del Juramento Hipocrático. Sus reglas y criterios puede que hoy estén atenuándose, pero dieron forma a la ética de los profesionales médicos durante 2.500 años. Crearon un fuerte espíritu fraternal entre los médicos así como una fuerte relación de confianza con los pacientes. Establecieron criterios para muchos aspectos de la práctica (por ejemplo, la confidencialidad y el no aprovecharse sexualmente), y continúan irradiándose incluso en los códigos contemporáneos.

La American Medical Association publica periódicamente reglas y protocolos actualizados que son elaborados por comités de ética especializados. Las reglas y las directrices para los psiquiatras son promulgadas por el comité de ética de la American Psychiatric Association. La World Psychiatric Association tiene sus propias reglas y directrices, y estas también son actualizadas periódicamente. La revisión más reciente de las reglas de la Asociación Mundial fue aprobada por la Asamblea General en Madrid, España, el 7 de agosto de 1996. Un corto párrafo en la introducción suministra una sucinta sinopsis de un punto básico: «Los psiquiatras deben, en todo momento, mantener en su mente los fundamentos de la relación psiquiatra/paciente, y ser guiados privadamente por el respeto a los pacientes y la preocupación por su bienestar e integridad».[9]

La Declaración de Madrid estuvo precedida por la Declaración de Hawái (1983). Además de las reglas generales que abarcan las cuestiones de la relación médico/paciente, la Declaración de Madrid publicó unas directrices para situaciones específicas como eutanasia, tortura, pena de muerte, selección de sexo, etc.

- Eutanasia: El cometido del psiquiatra es tratar la enfermedad del paciente.

- Tortura: Los psiquiatras no tomarán parte en ningún proceso de tortura mental o física, incluso cuando las autoridades intenten forzar su participación en tales actos.

- Pena de muerte: Bajo ninguna circunstancia debe un psiquiatra participar en ejecuciones legales autorizadas ni participar en evaluaciones de la capacidad de quienes vayan a ser ejecutados.

[9] World Psychiatric Association (1996): Declaración de Madrid.

• Selección de sexo: Bajo ninguna circunstancia debe un psiquiatra participar en decisiones de terminar un embarazo con el propósito de seleccionar el sexo.

Todas estas reglas o directrices se basan en la idea de atender las necesidades del paciente. Puesto que los códigos profesionales no tienen la fuerza de la ley, tienden estar unidos a fuertes apelaciones al honor y la virtud personal. Concentran la experiencia ética y están influidos por diferentes perspectivas y metáforas de fondo. Son una parte importante de una medicina humana.

3. EL NIVEL FORMAL

Reglas, protocolos y leyes pueden contestar a la pregunta del por qué, pero los seres humanos están ligados por más de un único conjunto de reglas. Las organizaciones profesionales tienen reglas y protocolos que vinculan a sus miembros, y los profesionales también están vinculados por las reglas y leyes de una sociedad. Las reglas y protocolos también varían en claridad, flexibilidad y orden. Las reglas pueden responder algunas preguntas sobre el por qué, pero no suministran respuestas finales. De hecho, las reglas pueden crear un nuevo conjunto de preguntas éticas.

Si una regla no satisface la exigencia de justificación de un juicio ético, o si hay una colisión entre reglas en conflicto, entonces el discurso ético debe ir más allá del nivel legal. Se necesita un juicio ulterior, uno que se base en criterios éticos más altos y menos cuestionables. El término para esas categorías éticas de nivel más alto es: «principios», y el recurso a los principios nos mueve al nivel 3, que yo llamo formal. Ejemplos de principios son: prudencia, racionalidad, honradez, verdad, libertad, justicia, beneficencia, no maleficencia, respeto, integridad y amor.

Los principios son más abstractos y menos específicos con respecto a lo que exigen. Por ejemplo: ¿qué me obliga el amor a hacer, como padre, en una situación particular?¿Debo castigar al niño o disculpar su mal comportamiento? El amor puede no dictar exactamente lo que debo hacer, pero apunta hacia un cierto comportamiento y aleja de otros. Principios como el amor, justicia, honradez, beneficencia, intimidad, y libertad también proporcionan orientación cuando las reglas del nivel 2 son oscuras o están en conflicto. El discurso ético está interconectado en los tres niveles. Ningún nivel del discurso ético es adecuado por sí mismo ni funciona en el vacío.

Los principios tienden a ser más universales y menos ligados a la cultura que las reglas. Principios mantenidos en común por diferentes culturas y religiones pueden aportar orden y armonía a un mundo que necesita alguna consistencia moral. Las reglas culturales y religiosas pueden dividir a la gente y causar conflicto. Las reglas son más específicas de una cultura, o más específicas de una profesión o comunidad. Los principios lo son menos.

Los principios, en un cierto sentido, son más objetivos que las reglas. La ley natural se basa en una realidad objetiva que se estructura para la comprensión intelectual y la apreciación ética. El término objetividad aplicado a los principios significa que son compartidos por diferentes culturas y religiones y que se derivan en última instancia de las condiciones para el florecimiento de una naturaleza humana común. Las reglas a menudo requieren cambios para hacerlas coherentes con un principio.

Es legítimo preguntar si la adhesión a una regla produce beneficio, justicia, equidad, respeto, etc. Si no, la regla precisa ser cambiada. Cuando las reglas entran en conflicto entre sí o producen malas consecuencias, requieren cambios. Cuando las circunstancias cambiantes hacen que ciertas reglas sean inaplicables, otra vez requieren cambios. Las reformas de las reglas o de las políticas son dirigidas por uno u otro principio. Muchas de las demandas de reforma de la Iglesia provienen de católicos que honran la libertad intelectual y el respeto por los individuos por encima de ciertas reglas. En medicina, los reformadores a menudo miran más allá, hacia las necesidades básicas de los pacientes y las expectativas que no están siendo atendidas por los médicos o por los códigos profesionales médicos.

Una demanda de justicia da vida a muchas reformas de las reglas legales. Oyendo los debates políticos de las legislaturas democráticas, oímos constantemente que se usan principios tanto para criticar la ley existente como para argumentar a favor de cambios políticos. Los reformadores sociales también apelan frecuentemente a principios. Martin Luther King tuvo un sueño que imaginó no solo leyes diferentes, sino también igualdad de oportunidades y una sociedad más amorosa, respetuosa y justa. Nunca sería defendible insistir en reformar una ley o una regla porque no produce comodidad personal o no promueve el interés particular de una persona.

Los principios también cambian a las personas. Están conectados estrechamente con virtudes personales o rasgos de carácter. La integración de un principio en la interioridad de una persona acarrea reforma y edificación del carácter. El yo interior de una persona virtuosa puede ser entendido haciendo referencia a principios interiorizados. A veces los principios dictan que una persona realice actos específicos. En una situación particular, decidimos si mentir o si decir la verdad. Podemos decidir si engañar o si jugar limpio. Podemos elegir ser razonables, compasivos, respetuosos, beneficentes, etc. Y entonces actuar de una cierta forma.

¿Cuántos principios formales hay? No todos los eticistas suministrarán la misma lista. Algunas veces, aunque raramente, se descubren nuevos principios. Erik Erickson añadió la «generatividad» con lo que quería significar responsabilidad para el futuro, respeto para el carácter transgeneracional de la existencia humana. El nuevo término y su concepto tienen sentido, pero yo no he visto la generatividad listada como principio desde la muerte de Erickson.

Antes que añadir nuevos principios, más frecuentemente se ven intentos de reducir la lista habitual a uno solo, por ejemplo, amor, respeto por la vida, justicia o autonomía. Esto tampoco funciona, porque estirar el significado de cualquier principio para cubrir muchos comportamientos morales diferentes destruye en última instancia su significado. Si todo es justicia, o amor, o libertad, nada lo es. Lo que está a continuación es una lista tentativa: vida, justicia, amor, respeto, igualdad, racionalidad, lealtad, autonomía, verdad, cuidado, fidelidad, beneficencia, no maleficencia, confianza, prudencia.

A veces los principios, como las reglas, entran en conflicto. Hacer justicia en una situación particular puede violar el amor o la libertad. Respetar la libertad a veces causa daño. Hacer lo que es mejor por un paciente puede violar la libertad del paciente. Hacer lo que requiere el amor a veces hace daño. El conflicto de principios es el ingrediente de la tragedia y el punto de partida desde el que nos movemos a otro nivel del discurso ético.

El discurso ético en el nivel formal adopta diferentes formas. Podemos ver la función del discurso ético formal examinando el famoso principio de Kant, el imperativo categórico. Los principios, como ya se ha dicho, son abstractos y algo vagos, pero aún así cumplen una función crítica en la ética. Podemos ver la abstracción y también la función formal del principio combinadas en el principio de Kant de que actuemos siempre de modos que sean universalizables o de modos que puedan convertirse en ley para todos. Esta fórmula es abstracta y vaga, pero aún así funciona para obligar a una reflexión crítica sobre reglas y comportamientos particulares. Justifica aquellos actos y comportamientos que pueden convertirse en ley universal, por ejemplo, decir la verdad. Decir una mentira, por el contrario, no podría justificarse así. El principio de Kant justifica ciertas acciones y valida ciertas reglas mientras que hace que otras reglas y acciones sean injustificadas e inválidas. Como otros principios, proporciona un criterio para probar las reglas y las acciones sin especificar ninguna regla o comportamiento particular.

¿Existen principios que tengan particular relevancia o especial fuerza en medicina y psiquiatría? ¿El rol del médico o la particular estructura de la relación médico/paciente imponen ciertos principios en un primer plano? Después de todo lo que hemos dicho sobre los principios y la universalizabilidad parece contradictorio hablar de un principio fiduciario, específico de la medicina o de la psiquiatría. Es un hecho, de todas formas, que ciertos principios son citados más frecuentemente en los códigos de algunas profesiones.

Los principios hipocráticos de beneficencia y no maleficencia figurarán de modo prominente en cualquier ética de la psiquiatría. En caso de duda, conflicto o ambigüedad en las reglas, los médicos deciden recurriendo a la beneficencia. Preguntan qué es lo mejor para el paciente y siguen el curso de acción indicado por este principio supremo. Otra forma de referirse a este mismo criterio básico es hablar del principio fiduciario.

La beneficencia, sin embargo, se limita al propio paciente del médico. Del médico de hoy, como del médico antiguo, se espera que considere el bien del paciente como su primera prioridad y que añada confianza y cuidado en su relación con él. El psiquiatra está sujeto a un criterio fiduciario tanto por los códigos profesionales como por la ley pública. Pero la beneficencia puede, a menudo lo hace, entrar en conflicto con el principio de justicia en el sentido de equidad con todos.

La beneficencia está estrechamente unida al principio de racionalidad el cual puede ser tan crítico como para ser asumido sin ser mencionado específicamente. Para ayudar a un paciente, el médico necesita ejercitar la prudencia en sus intervenciones terapéuticas. El profesional que no cultiva la virtud de la prudencia, o no amolda su comportamiento al principio de racionalidad, es incompetente y también inmoral. La racionalidad figura tanto como piedra angular de la ética profesional como criterio implícito para juzgar la competencia profesional.

Hubo un tiempo en el que la igualdad o la equidad figuraban de modo prominente en los códigos médicos. Por ejemplo, un código chino, el *Canon de la medicina,* de la dinastía Han (200 a.C - 200 d.C.) obligaba al médico a aliviar el sufrimiento a todas las clases sociales. Le comprometía a una igualdad radical en la que eran tratados igualmente el aristócrata y el hombre corriente, el pobre y el rico, el viejo y el joven, el bello y el feo, el enemigo y el amigo, el nativo y el extranjero, el educado y el ignorante. Otra oración atribuida al filósofo y médico judío Maimónides ponía el mismo énfasis en la igualdad. Sin embargo los códigos modernos, como los principios de la AMA, siguiendo la tradición del juramento hipocrático, ni siquiera mencionan este principio.

La justicia social, que no es enteramente distinta de la igualdad, es otro principio que no recibe gran atención en los códigos profesionales, aunque esto puede estar cambiando. Los principios de la medicina humana en general y de la ética psiquiátrica en particular han sido primariamente individualistas, insistiendo en la relación del médico y el paciente; dejando sin contemplar cuestiones más amplias de justicia social tales como la distribución de recursos. Pero se está generando una presión tanto desde dentro como desde afuera de las profesiones de ayuda para que se preste más atención a la justicia y la igualdad. La medicina socializada dio importancia y expresión a ambas cosas. Los sistemas capitalistas de libre mercado no. La Ley de Salud Pública, sin embargo, que intenta prevenir amenazas potenciales de las enfermedades infecciosas, reinstaura las obligaciones de los médicos hacia las terceras partes en peligro y hacia la comunidad en su conjunto.

En los códigos profesionales solo raramente en la historia ha habido alguna mención de la verdad, o de la obligación de informar sinceramente a los pacientes de su condición. Platón creyó que las mentiras al paciente eran éticamente aceptables, y esta creencia parece haber sido común en la profesión. Pero ahora preocupa una pérdida de confianza en los médicos que se remonta en parte a su insinceridad benevolente habitual. Ahora se da más atención al lugar que ocupa la verdad en las comunicaciones médico/paciente. Los requisitos del consentimiento informado refuerzan la necesidad de ser sinceros y exigen para la verdad un lugar más prominente en la ética médica.

El principio de autonomía fue prominente en los códigos históricos pero estaba limitado a la autonomía del médico. La consciencia de esta unilateralidad contribuyó a la reciente formulación de *anticódigos* tales como el listado de los derechos del paciente. Ahora, sin embargo, los códigos éticos contemporáneos de psiquiatría y psicoanálisis reconocen la libertad y la autonomía del paciente como un requisito para el consentimiento libre e informado. Se asume que han de intervenir la prudencia y la razonabilidad para evaluar la cuantía de la información y el grado de voluntariedad posible en cualquier caso particular.

La reconocida vulnerabilidad de los pacientes mentales y la facilidad con que la coacción puede camuflarse como beneficencia han ido poniendo cada vez más énfasis en el respeto a la autonomía del paciente en psiquiatría. El bien del paciente (beneficencia) puede muy bien estar en conflicto con la libertad del paciente. Hacer el bien (beneficencia) al paciente puede también entrar en conflicto con la fidelidad a una promesa, o con la verdad o la justicia, o con la protección de una vida humana inocente de un asalto sexual. No hay ninguna manera obvia de determinar qué principio debe predominar. Puesto que hay muchos principios diferentes, hay un problema para colocarlos en un orden jerárquico. ¿En virtud de qué principio se ordena la multitud de principios diferentes? La cuestión de la *multiplicidad* y la *unidad* es un problema en ciencia, en filosofía y en ética.

La elección de un principio sobre otro tiene que ser hecha a la luz de creencias sobre la vida. Las creencias sobre la vida y las visiones filosóficas constituyen el cuarto y último nivel del discurso ético. La forma en que una persona ordena jerárquicamente los principios refleja sus creencias sobre la vida humana y el tipo de persona que quiere ser, o lo que entiende como un buen médico y una medicina humana. Alguien puede cuestionar las creencias básicas de los terapeutas. Pero cualquier cuestionamiento involucra el empleo de creencias diferentes sobre la medicina humana y la vida buena. Ahora que estamos hablando de ética a otro nivel del discurso ético.

En este cuarto nivel, que llamaremos filosófico o teológico, la ética es aún más abstracta. La base intelectual final de cualquier ética viene en forma de una antropología filosófica o una teología de la existencia humana. Principios como justicia, amor o libertad se justifican enraizándolos en un concepto de la existencia humana. Los seres humanos, según la perspectiva de la Ley Natural, son seres éticos, intelectuales, relacionales y volitivos. Como tales, experimentan el mundo como bueno o malo e inevitablemente formulan preguntas, e intentan responderlas, y finalmente eligen vivir en relación, de una manera o de otra.

4. El nivel filosófico y religioso

En este análisis de una medicina humana basada en una Ley Natural, hemos señalado varias formas propiamente humanas de experimentar la realidad: éticamente (en términos de bueno y malo), racionalmente (con símbolos, cuestionamientos y comprensiones), volitivamente (por medio de opciones, elecciones e intervenciones), y relacionalmente (en relaciones yo–tú y yo–ello). Estas formas humanas básicas de afrontar la realidad actúan a todos los niveles, en alguna medida. Los principios, por ejemplo, pueden ser experimentados, elegidos o cuestionados. Para los seres humanos siempre hay alguna cuestión ulterior que puede ser preguntada.

Los seres humanos pueden preguntar: ¿Por qué el amor? ¿Por qué la justicia? ¿Por qué la libertad? ¿Por qué la beneficencia? Y las preguntas pueden continuar: ¿Cuáles son los rasgos esenciales de los actos correctos e incorrectos? ¿Cuál es el significado de bueno? ¿Tiene sentido intentar ser ético? ¿Hay algo en la condición humana que hace que ser ético sea una necesidad para la salud del paciente y el respeto del profesional? ¿Hay un Dios que exige comportamientos éticos? Todas estas cuestiones tienen que ver con la ética, y la respuesta a ellas lanza el discurso ético hacia una nueva modalidad. Las respuestas son materia de una visión filosófica, una teoría psiquiátrica o una creencia religiosa. Las creencias que se originan en la filosofía o la religión están estrechamente asociadas con la forma en que los médicos y los pacientes experimentan las relaciones (en el primer nivel).

La ética trata de experiencias relacionales concretas, reglas, principios, y finalmente de teorías, visiones y creencias. El comportamiento personal está unido a teorías y creencias sobre la realidad, y los seres humanos se esfuerzan por ajustar su comportamiento a ellas. Es típico de los seres humanos elaborar creencias sobre la realidad e intentar reflexionar sobre sus elecciones éticas con el fin de hacer que estas sean coherentes con su sistema de creencias. Incluso las personas que rehúsan tomar contacto con la indagación filosófica son forzadas a veces a navegar por estas traicioneras aguas debido a conflictos existenciales o a los dilemas que frecuentemente surgen en la práctica clínica.

Conflictos y dilemas fuerzan a los médicos no solo a preguntar ¿qué debo hacer?, sino también, ¿qué clase de persona debo ser? La ética, en un cierto punto, nos mueve desde un enfoque en las acciones externas hasta un enfoque en el carácter interior. Sartre cita el caso de un joven que tiene que elegir entre cuidar de su anciana madre o irse al extranjero para unirse a la resistencia. Él argumenta que esta elección es en realidad sobre una cierta manera de ser uno mismo. Este tipo de dilemas empuja la ética a la arena de la autocreación y la elección del carácter. Autocreación y elección del carácter no son lo mismo que reglas, principios y actos específicos, pero son críticas para cualquier argumentación ética. Los médicos, como cualquier persona, se crean a sí mismos de acuerdo con sus creencias sobre la vida y con el impacto de estas sobre su práctica médica.

La tesis de Sartre es que no hay manera de hacer ética si evitamos lo que hemos escogido denominar nivel filosófico o religioso del discurso ético. La ética es algo más que relaciones concretas y juicios sobre las acciones basados en reglas y principios. Cuando yo elijo un principio como dominante para mí, o decido que el amor, la libertad, la justicia, el cuidado o la verdad es el núcleo de lo que yo valoro en mi vida, estoy dando un paso clave en la creación de mi carácter o ser interior. Cuando me comprometo a mí mismo con un curso de acción que yo creo que es correcto, lo hago a la luz de una creencia sobre la forma en que la realidad humana es o deber ser estructurada.

Paradójicamente, este nivel máximamente abstracto del discurso ético es al mismo tiempo el más alejado de la situación ética concreta con la que comenzamos esta argumentación, y aún así es el más próximo a ese punto de comienzo. Más que ascender de una manera vertical directa, los niveles del discurso ético se curvan de forma que las creencias filosóficas abstractas sobre la vida y la medicina se conectan muy estrechamente con respuestas emocionales inmediatas, relaciones básicas y decisiones específicas. Cualquier percepción concreta de lo correcto y lo incorrecto es función de una manera de ser que, a su vez, es función de creencias y compromisos básicos. Esto es cierto para los médicos y para todas las personas en general.

Una manera de hablar sobre este nivel de la ética es referirse a él como *visión*. En un cierto punto, la ética descansa sobre una visión, y una cuestión ética llevada hasta su punto final representa una búsqueda de visión. Una visión de la vida y de la realidad puede expresarse en un lenguaje filosófico o religioso. En el primero usamos categorías y conceptos de la metafísica o la antropología. En el segundo usamos el lenguaje de la historia o el mito. Ambos tipos de discurso son parte de una ética de la psiquiatría. La medicina ética, entonces, se involucra en todos los aspectos de la vida incluyendo el nivel del significado último. Tiene sentido formular preguntas tales como: ¿Por qué ser justo? ¿Por qué ser ético? ¿Qué es lo auténtico para un ser humano? ¿Qué significa mi relación con mis pacientes? ¿Quién soy yo? ¿Cuál es mi meta, mi función y mi destino? ¿Qué es una medicina humana? ¿Siguiendo qué modelo humano debo yo modelar mi vida? Estas preguntas no solo no son absurdas, sino que están todas estrechamente interrelacionadas. Las creencias y los compromisos últimos desempeñan frecuentemente un papel en la patología psiquiátrica y en una ética de la psiquiatría. Y cuando las personas sanas se encuentran a sí mismas en un dilema, las creencias religiosas y filosóficas se introducen por fuerza en el proceso de reflexión ética.

La relación entre visión y comportamiento es bien conocida por los psiquiatras. Algunos, incluso, prefieren entender la enfermedad mental como una visión falsa, una ilusión o una irrealidad. El contacto con la realidad requiere tener una visión verdadera de lo real. Los seres humanos no pueden depender de lo que ven, cuando su visión filosófica está fuera de foco. Donde la visión es defectuosa, la libertad es imposible. Una visión defectuosa crea vidas torcidas, y la psiquiatría (especialmente una psicoterapia como el psicoanálisis) es en parte una metodología para corregir la visión. Acerca de esto, Platón y Freud están de acuerdo.

Si la visión está relacionada con el comportamiento desde el punto de vista del diagnóstico, también está relacionada desde el punto de vista de la ética. Además, las visiones pueden ser evaluadas como buenas o malas. La ética trata en primer lugar sobre las elecciones concretas e inmediatas hechas en el seno de una relación médico/paciente, después sobre reglas y principios, y finalmente sobre una visión de lo que es real y correcto para los seres humanos en general y para la práctica de una medicina ética. La visión está involucrada en todos los aspectos de la ética: relaciones, actos, intención, actitud, motivación, carácter, elección, reglas y principios. Las personas se diferencian según sus diferentes actitudes y comportamientos, pero más básicamente se diferencian por las visiones de acuerdo con las cuales eligen ver el mundo. Lo que vemos es quienes somos. «Hacer ética», entonces, está inevitablemente involucrado con visiones religiosas y filosóficas. En el nivel 4, el discurso ético trata de los fundamentos últimos del bien y el mal: la medicina ética trata de una visión y de sus implicaciones éticas.

Hoy vivimos en un mundo pluralista donde coexisten los sistemas de creencias, y donde se cruzan comportamientos éticos diferentes relacionados con esas creencias. El reto de la vida hoy es aprender a ser tolerante con otras visiones y otros comportamientos. Durante la mayor parte de la historia humana, los seres humanos han sido intolerantes con tales diferencias. Tenían prejuicios mutuos y frecuentemente se mataban unos a otros a causa de creencias diferentes. Si la vida humana está destinada a sobrevivir, y si va a tener lugar alguna evolución ulterior, tendremos que aprender a encontrar un terreno común. Se requiere un entendimiento en común para lograr una paz real. Ese entendimiento supremamente importante nunca podrá ser alcanzado a menos que aprendamos a hablar entre nosotros, a comprender las perspectivas ajenas y a relacionarnos mutuamente. Reconocer los diferentes tipos de discurso ético puede contribuir a este entendimiento. Espero que la medicina y la psiquiatría puedan tener un papel en la búsqueda de un mejor entendimiento humano. Médicos practicando una medicina ética podrían ser los sacerdotes edificadores de nuestra era secular.

Conclusión

La toma de decisiones éticas en psiquiatría depende de una capacidad para mantener los diferentes niveles del discurso ético separados pero relacionados. La psiquiatría no puede sobrevivir como profesión sin una ética. La supervivencia de la psiquiatría, por otra parte, también depende de que los médicos tengan o no tengan verdaderos mentores de vida a quienes puedan imitar, y de que tengan o no tengan historias fundacionales que sean capaces de enlazar con la práctica de cada día.

Las historias fundacionales tratan de los comienzos. Tratan de algo más que de simples hechos históricos objetivos. Historias como las del Génesis capturan y relacionan los valores nucleares que constituyen las profesiones de la medicina y la psiquiatría. Tratan sobre los héroes que proporcionaron visiones profundas de la enfermedad y desarrollaron formas de ayudar a los pacientes. Algunas historias fundacionales tratan sobre Platón y Aristóteles y su interés en el discurso sanador. Sus teorías acerca de cómo puede sanar el discurso pueden haber sido reemplazadas con el paso de los años por otras más sofisticadas y detalladas, pero estas historias tempranas siguen siendo importantes. Nos dicen algo sobre los comienzos y los comienzos dejan una marca indeleble. Pero eso no es todo.

Gigantes filosóficos vincularon la sanación a la ética en el sentido de ética del carácter o de la virtud: el *ethos* del terapeuta. Las virtudes éticas nucleares que requieren del médico se expresan con algún detalle y especificidad en el

Juramento Hipocrático y más tarde en otros códigos profesionales. La Declaración de Madrid se refiere a la ética en este sentido de ética del carácter. «El comportamiento ético se basa en el sentido de responsabilidad del psiquiatra hacia el paciente». De esa responsabilidad interior proviene la «conducta correcta y apropiada». Tanto Platón como Aristóteles estuvieron estrechamente relacionados con los sanadores hipocráticos. El padre de Aristóteles era médico, y el Juramento Hipocrático reflejó los puntos de vista de Aristóteles sobre ética en la profesión médica.

El Juramento Hipocrático, en su forma de llegar a la existencia, puede ser considerado como una historia fundacional más. Antes de este juramento, los sanadores eran tenidos en baja estima. Eran expertos, primariamente, en venenos y en ayudas al suicidio. Después del juramento y de su influencia sobre la práctica de los sanadores las cosas cambiaron radicalmente. Los elevados estándares morales a los que se comprometían los sanadores hipocráticos invirtieron su imagen pública y fueron causa de que aumentara su estima pública. Estos hechos acerca del Juramento se cuentan entre las historias fundacionales que necesitan ser recordadas y sobre las que tenemos que reflexionar. El discurso ético más temprano se centró en los rasgos de carácter de los médicos y en las directivas éticas básicas que surgen de la relación médico/paciente.

Es triste decir que las historias fundacionales de la relación entre médicos y pacientes, así como los juramentos médicos tempranos, están en peligro de ser olvidados. Consecuentemente, la ética ya no juega el papel que tuvo antaño en la medicina y la psiquiatría. Los que practican la medicina hoy en día están más ocupados en las tecnologías y su trabajo burocrático. Está desvaneciéndose el énfasis en el yo interior del psiquiatra y en los estándares éticos clásicos. Frecuentemente, el Juramento se reduce a la interpretación de un juego ritual en las ceremonias de graduación de las escuelas médicas, e incluso este papel se está desvaneciendo. Quizá sea tiempo de algo así como un renacimiento de la reflexión sobre los orígenes de la medicina ética.

De aquella imagen original, el componente más rico y más crítico es la estructura esencialmente ética de la relación terapeuta/paciente. Esta relación tiene que ser respetuosa, atenta, confidencial, equitativa, compasiva y amistosa pero no sexual. Sin las cualidades éticas que un médico aporta a la práctica, las intervenciones terapéuticas más sofisticadas tendrán un efecto limitado. El complejo edificio de la medicina ética y de la psiquiatría ética está construido sobre las relaciones médico/paciente y sobre esos rasgos de carácter del sanador que los primeros filósofos enfatizaron.

12

Diego Gracia, el pragmatismo español y el futuro de la bioética

PABLO RODRÍGUEZ DEL POZO

JOSEPH J. FINS

> La ética trata del debería, pero también del debe. La diferencia entre ambos momentos está en que el primero es abstracto, universal, en tanto que el segundo es concreto y particular…
> Y el proceso mental por el que se analizan los hechos del caso, los valores en conflicto, las circunstancias y consecuencias previsibles, en orden a tomar una decisión prudente se llama, desde el tiempo de Aristóteles al menos, «deliberación».
>
> Diego Gracia[1]

1. INTRODUCCIÓN

En los últimos años de los 80 y los primeros de los 90, los que suscriben tuvieron la inmensa suerte de conocer a Diego Gracia. Uno como estudiante del

---

[1] Gracia, D. (2007): «Nueva Misión de la Universidad», Lección Inaugural del Curso Académico 2007-2008, Madrid, Universidad Complutense, p. 26.

maestro (PRP), y el otro (JJF) como un joven a quien Gracia accedió a invitar a dar una conferencia en Madrid a instancias del primero, que venía de pasar un verano en el Hastings Center, donde su nuevo amigo estadounidense y hoy coautor era Associate for Medicine.[2]

Veníamos desde culturas y formaciones que, como nuestras respectivas geografías (Argentina y EEUU), se encontraban en latitudes muy distintas, aunque en un mismo continente. Sin embargo, la conmoción que entonces nos causó el maestro fue casi idéntica. De un lado, Diego Gracia pasmaba con sus saberes enciclopédicos. Nada de lo médico o de lo humanístico parecía serle ajeno. Era como un Cajal o un Marañón finisecular, aunque con las herencias de Zubiri y de Laín aún visibles en su método y en su didáctica. Confesamos también que nuestros ojos de recién llegados sucumbían ante el estar y el decir hidalgos de aquel don Diego.

Sin embargo, sorprendían de este hidalgo su enérgica actitud vital y —sobre todo— la efervescencia de sus hábitos intelectuales, que resonaban como del Nuevo Mundo, siempre a la búsqueda de nuevos territorios por explorar. Diego Gracia impresionaba como el más (norte)americano de los bioeticistas de habla española, excluyendo tal vez a Jim Drane,[3] que al fin y al cabo creemos que por aquel entonces era más español que americano. Digresiones aparte, es cierto que a Diego se le veía en casa cuando amonestaba desde la cátedra en los anfiteatros severos de la Facultad de Medicina en Madrid. Pero no es menos cierto que también jugaba como local en las discusiones con pequeños grupos en el postgrado, en los seminarios acalorados de la sala de juntas del Hastings Center, o —pongamos por caso— en las mesitas nostálgicas del Café Tortoni o las del propio Café Gijón, el favorito de uno de nosotros (JJF). Hoy creemos verlo con claridad: su secreto era la capacidad de amalgamar de manera única los altos vuelos de una teoría bien construida con las más realistas soluciones prácticas para casos concretos, en una aproximación que se veía tal vez ecléctica por entonces, pero que hoy comprendemos aúna el racionalismo mediterráneo con el pragmatismo norteamericano.

Esta era y es la maravillosa paradoja. Diego Gracia, es el más español de los españoles o, si se prefiere, el más castellano de los castellanos. Pero al mismo tiempo es —creemos— un pragmatista norteamericano, en la línea de John Dewey o William James.[4] Y, con el enfermo a la vista, un *pragmatista clínico,*

---

[2] Fins, J. J. (1993): «El problema del paciente terminal», en: *Ponencias del IV Congreso Nacional de Oncología Médica,* Madrid, Editorial Libro del Año, pp. 15-23.

[3] Drane, J. F. (2009): «Bioethics in the Americas: North and South. A personal story», *Cambridge Quarterly of Healthcare Ethics, 18(3):* 280-6.

[4] Menand, L. (2001): *The Metaphysical Club,* Nueva York, Farrar Straus Giroux.

en el modelo propuesto por uno de nosotros.[5,6] Como pragmatista, él siempre parte del proceso de deliberación para llegar a la sabiduría práctica, la *phrónesis* de Aristóteles. La trayectoria de Diego Gracia no está hecha de idealismo platónico. En este ensayo intentaremos analizar qué nos lleva a sostener estas conclusiones.

En primer lugar nos referiremos a la actitud intelectual de Diego Gracia frente a la bioética en Norteamérica, a la que supo apreciar, malear y asimilar en lo que representaría —creemos— el segundo nacimiento de la bioética. Hablaremos después de los contenidos de esta recién nacida bioética, recreación del maestro, centrándonos primero en los fundamentos y luego en el método, del que resaltaremos su naturaleza pragmática. Naturalmente, haremos una referencia al programa educacional —reminiscente de los esfuerzos educacionales de Dewey—[7] que se deriva de la propia naturaleza pragmatista de esta nueva criatura. Cerraremos este ensayo con un comentario sobre el futuro de la bioética en general y el papel de las enseñanzas de Diego Gracia en ese contexto, poniendo énfasis en sus posibles lecciones para la bioética norteamericana.

2. Diego Gracia: El segundo nacimiento de la bioética

De manera muy simplificada puede sostenerse que la bioética vino a cubrir las demandas surgidas en el mundo de los años sesenta y primeros setenta, donde —en primer lugar— las relaciones de poder se habían horizontalizado y la autoridad —paterna, masculina, gubernamental, médica— era crecientemente desafiada; baste nombrar los movimientos de derechos civiles en los EEUU, los episodios de mayo del 68 en París, las manifestaciones estudiantiles contra la guerra de Vietnam, la píldora anticonceptiva o el despeinado de Los Beatles. Y donde, en segundo lugar, se producía una revolución tecnológica en las ciencias biomédicas, facilitada por los inmensos recursos del Medicare, creado en 1965.

Así fue que, por aquellos años, grupos multisdiplinarios muy pequeños y también muy entusiastas de médicos, juristas y filósofos comenzaron desde los EEUU a tratar de dar respuesta a los interrogantes que planteaba la tecnolo-

---

[5] Fins, J. J.; Bacchetta, M. D. y Miller, F. G. (1997): «Clinical pragmatism: a method of moral problem solving», *Kennedy Inst Ethics Journal, 7(2):* 129-45.

[6] Miller, F. G.; Fins, J. J. y Bacchetta, M. D. (1996): «Clinical pragmatism: John Dewey and clinical ethics», *J Contemp Health Law Policy, 13(1):* 27-51.

[7] Dewey, J. (1997): *Experience and Education,* Nueva York, Touchstone.

gía médica en el contexto de las nuevas dinámicas sociales. Daniel Callahan y Willard Gaylin fundan el Hastings Center en 1969, y en 1971 la Universidad de Georgetown acoge el Kennedy Institute.[8] El caso Tuskeege cobró relevancia pública por aquella misma época, lo que pronto devino en la creación, en 1974, de la Comisión Nacional para la Protección de los Participantes en Investigación Biomédica y del Comportamiento,[9] que tras apenas cuatro días de deliberaciones terminó produciendo nada menos que el Belmont Report,[10] hecho público en 1979. Mientras, en 1978, se creó —también en EEUU— una Comisión Presidencial para el estudio de los problemas éticos en medicina,[11] que abrió fuego en 1981 con un informe dedicado a la definición de la muerte,[12] para seguir ese mismo año con una guía para comités de ética en investigación[13] y un año más tarde con un portentoso informe sobre el consentimiento informado,[14] concluyendo un año después con otro inigualable volumen sobre el acceso a la atención médica.[15] La bioética estadounidense era un huracán que venía a cambiar radicalmente la manera de concebir la ética biomédica, hacia el futuro, y también hacia el pasado. Piénsese sin ir más lejos en el redescubrimiento del fallo del juez Benjamin Cardozo *in re* Scholendorff, que venía acu-

---

[8] Jonsen, A. R. (1998): *The Birth of Bioethics,* Nueva York, Oxford University Press.

[9] National Commission for the Protection of Human Subjects of Biomedical and Behavioral Research.

[10] National Institutes of Health (1979): The Belmont Report Ethical Principles and Guidelines for the protection of human subjects of research. [Accesible en http://ohsr.od.nih.gov/guidelines/belmont.html. Consultado el 2 de enero de 2010].

[11] President's Commission for the Study of Ethical Problems in Medicine and Biomedical and Behavioral Research.

[12] President's Commission for the Study of Ethical Problems in Medicine and Biomedical and Behavioral Research (1981): *Defining Death.* [Accesible en http://bioethics.georgetown.edu/pcbe/reports/past_commissions/defining_death.pdf. Consultado el 3 de enero de 2010].

[13] President's Commission for the Study of Ethical Problems in Medicine and Biomedical and Behavioral Research (1981): *IRB Guidebook.*

[14] President's Commission for the Study of Ethical Problems in Medicine and Biomedical and Behavioral Research (1982): *Making Health Care Decisions. The Ethical and Legal Implications of Informed Consent in the Patient. Practitioner Relationship.* [Accesible en http://bioethics.georgetown.edu/pcbe/reports/past_commissions/making_health_care_decisions.pdf. Consultado el 3 de enero de 2010].

[15] President's Commission for the Study of Ethical Problems in Medicine and Biomedical and Behavioral Research (1983): *Securing Access to Health Care. Ethical Implications of Differences in the Availability of Health Services.* [Accesible en http://bioethics.georgetown.edu/pcbe/reports/past_commissions/securing_access.pdf. Consultado el 3 de enero de 2010].

mulando polvo desde 1914,[16,17] o en las nuevas resonancias que ahora adquirían las palabras Dachau, Auschwitz y Tribunal de Nurenberg.

Iberoamérica se limitó, al menos inicialmente, a recibir la bioética norteamericana más o menos como venía dada.[18] En Europa nadie permaneció ajeno al vendaval norteamericano. Algunos siguieron la vía latinoamericana; después de todo, la bioética que venía de los EEUU contenía líneas maestras que permitían tomar decisiones más o menos aceptables para todos frente a los problemas planteados por las nuevas tecnologías médicas, sin apelar a la religión y con el añadido de que había demostrado funcionar con éxito al otro lado del Atlántico.[19] Otros se resistieron a lo que percibían como un intento más de colonización cultural, produciendo una taxonomía europea para la bioética, y definiendo para el Viejo Mundo categorías y principios propios.[20,21] Diego Gracia entendió con claridad desde un principio la naturaleza de la bioética norteamericana, sus virtudes y sus limitaciones y adoptó una actitud realista y constructiva, aunque también crítica, frente ella.

En efecto, Gracia no se privó de calificar de «provincianas y etnocéntricas» las interpretaciones de —entre otros— Daniel Callahan y Albert Jonsen[22] sobre el nacimiento y naturaleza de la bioética, cuando en resumidas cuentas sostenían que ella era «consecuencia de la cultura norteamericana, y por lo tanto un producto norteamericano que otros países y culturas pueden importar y asimilar, pero sin la posibilidad de añadir novedades fundamentales»; que «la bioética o es estadounidense, o no es».[23] Al mismo tiempo, creemos que, rom-

---

[16] Schloendorff v. Society of New York Hospital, 211 N.Y. 125, 105 N.E. 92 (1914).

[17] Fins, J. J. (2001): «Truth Telling and Reciprocity in the Doctor-Patient Relationship: A North American Perspective», en: Bruera, E. y Portenoy, R. K, (eds.): *Topics in Palliative Care,* vol. 5, Nueva York, Oxford University Press, pp. 81-94.

[18] Mainetti, J. A. (2008): «The discourses of bioethics in Latin America», en: McCullough, L. B. y Baker, R.: *The Cambridge World History of Medical Ethics,* Cambridge, Cambridge University Press.

[19] Callahan, D. (1993): «Why America accepted Biotethics», *Hastings Cent Rep, 23(6 Suppl):* S8-9.

[20] Gracia, D. (1993): «The intellectual basis of bioethics in Southern European countries», *Bioethics, 7(2-3):* 97-107.

[21] Screccia, E. (1996): *Manual de bioética,* México, Diana, pp. 153 y ss.

[22] Jonsen, A. (1998): *The Birth of Bioethics,* Nueva York, Oxford University Press.

[23] Gracia, D. (2001): «History of medical ethics», en: Have, H. ten y Gordijn, B. (eds): *Bioethics in a European Perspective,* Dordretch, Kluwer Academic Publishers, pp. 17-50.

piendo moldes, dedicó sus esfuerzos a encontrar qué podía servir de la bioética norteamericana a la bioética mediterránea y europea.[24]

Para Gracia es verdad que la ética secular, naturalista, nació en la orilla norte Mediterráneo, como asimismo es cierto que fue en Europa en donde la ética general y la ética biomédica alcanzaron las más altas cumbres teóricas. Pero no menos cierto era que «la bioética norteamericana había conseguido algo inimaginable, cual era tener utilidad práctica, resolviendo conflictos y ayudando a los médicos a manejar mejor la relación clínica».[25] El porqué estaba para Gracia a la vista: la bioética norteamericana provenía de la tradición *empiricista y pragmática,* que está orientada a la resolución de conflictos, aunque a los ojos europeos de tradición racionalista es comparativamente deficitaria en cuestiones de fundamentación.

La meta innegociable para una bioética europea era, para nuestro autor, incorporar el pragmatismo norteamericano al racionalismo europeo, ya que aquel no solo resolvía conflictos, sino que —sin confrontar demasiado— había dotado de independencia a la ética clínica frente a la teología y la jurisprudencia, algo que estaba lejos de haber ocurrido en el mundo europeo y mucho menos en el de habla castellana. «No podía sentirme satisfecho simplemente con importar la bioética norteamericana», diría años más tarde, «era necesario hacer algo más difícil pero también más fructífero: repensar, rehacer, *recrear todo desde cero,* abrevando en la experiencia norteamericana, pero también teniendo en cuenta las tradiciones europeas».[26] Este gran esfuerzo de unificación dio lugar a lo que podría llamarse *el segundo nacimiento de la bioética,* que quedó plasmado en los *Fundamentos de bioética.*[27] A ellos dedicaremos el siguiente apartado.

3. DIEGO GRACIA Y LA RECREACIÓN LA BIOÉTICA: LOS FUNDAMENTOS

A tal alumbramiento Diego Gracia no llegaría *ligero de equipaje,*[28] ni libre de desencanto con su propia tradición filosófica. Tras cinco años de intenso traba-

---

[24] Rodríguez del Pozo, P. y Fins, J. J. (2006): «Iberian influences on Pan-American bioethics: bringing Don Quixote to our shores», *Camb Q Healthc Ethics, 15(3):* 225-38.

[25] Gracia Guillén, D. (2009): «Spanish bioethics comes into maturity: personal reflections», *Camb Q Healthc Ethics, 18(3):* 219-27.

[26] Gracia Guillén, 2009. *Op. cit.* nota 25.

[27] Gracia D. (1989): *Fundamentos de bioética,* Madrid, Eudema.

[28] Machado, A.: «Retrato», en Machado, A. (1988): *Selected Poems,* Cambridge, Harvard University Press, p. 100. [Traducción de A. Trueblood].

jo explorando el territorio donde confluyen la historia y la filosofía de la medicina —o sea, la antropología médica—, diría Gracia años más tarde, «me sentía inmensamente frustrado, porque el análisis de todas las cuestiones era invariablemente demasiado teórico y abstracto, sin aplicaciones prácticas», para agregar «eso es lo que hizo tan significativo para mí encontrar aquel campo recién desarrollado y en expansión en los Estados Unidos que se denominaba con el neologismo de *bioética* [...] de carácter profundamente *pragmático* [...] siempre a la búsqueda de soluciones prácticas [... aunque] su armazón conceptual era probablemente muy inferior al de la antropología médica alemana, su aplicabilidad, su utilidad era mucho mayor».[29]

La intención de encontrar una síntesis que fundiera y superara a la vez la tradición racionalista europea y la tradición empiricista y pragmática que venía de América es clara al observar el planteamiento profundo de los *Fundamentos de bioética*. En la superficie, esta obra se ordena según los cánones de la antropología alemana de la que provenía el autor, con una historia, una teoría y unas conclusiones.

Puede llamar la atención de algún lector desprevenido que, en el análisis histórico desarrollado por los *Fundamentos,* Diego Gracia utilice como guía los principios del Informe Belmont,[30] beneficencia, autonomía y justicia.[31] Bien visto, sin embargo, no hay en esta aproximación nada de qué sorprenderse. Lo que Diego Gracia de verdad hace en sus *Fundamentos* es historiar los *ideales médicos,* o —si se prefiere— historiar lo que en cada época histórica constituyó *el médico ideal,* que con tanto esfuerzo en otro lugar había tratado de caracterizar Laín.[32]

En efecto, para los que suscriben, lo que Diego Gracia consiguió en sus *Fundamentos* fue dotar de un aparato racional y teórico a los principios del Informe Belmont, que —como principios para el análisis y para el consenso práctico en las decisiones— habían cristalizado el nacimiento de la bioética como disciplina independiente. Los principios de Belmont, al ganar, con Gracia, carta de ciudadanía europea, mutaron su naturaleza y cobraron un nuevo sentido. Dejaron de ser simplemente principios prácticos de base empírica para transformarse en *esbozos racionales* de moralidad: «[los tres principios de Bel-

---

[29] Gracia Guillén, 2009. *Op. cit.* nota 25.

[30] National Institutes of Health, 1979. *Op. cit.* nota 10.

[31] El principio de no maleficencia es una incorporación posterior que, en cualquier caso, no habría tenido cabida en el plantemiento de los *Fundamentos.* Gracia, D. (1990): *Primum non nocere: El principio de no-maleficencia como fundamento de la ética médica,* Madrid, Real Academia Nacional de Medicina.

[32] Laín Entralgo, P. (1983): *La relación médico-enfermo,* Madrid, Alianza.

mont...] son también esbozos racionales de gran coherencia, y muy útiles en el proceso propio de la razón moral. El problema está en cómo se consideran estos principios, si como meras hipótesis de trabajo [...] o como principios que tienen tras de sí una cierta verdad real y están dotados de verdad lógica, razón por la que pueden afirmarse de un modo universal y, en alguna medida, como absolutos. Solo en este segundo caso alcanzan, a mi entender, la categoría de *auténticos esbozos morales»,*[33] a la altura de las tablas de derechos humanos y de las tablas de valores.[34]

Con Diego Gracia, pues, los principios de Belmont cobraron un nuevo sentido para los ojos europeos. Al mismo tiempo, nuestro autor vino a descubrir para los norteamericanos la naturaleza más profunda de lo que parecían solo principios prácticos. Más allá, dejó una lección sutil para la bioética norteamericana.

Así es. El esfuerzo por comprender lo que constituyó en la historia el médico ideal contiene un planteamiento callado, que merece una breve digresión. Al contrario que la bioética norteamericana, cuyo sesgo antipaternalista la llevó a mostrarse bastante antimédica en más de una ocasión,[35] la bioética de Diego Gracia ama a los médicos y a los profesionales de la salud. Entiende sus ideales, comprende sus limitaciones, y busca cultivar sus valores y desarrollar sus virtudes. Ha dicho que la Universidad es «la escuela de profesionales, la escuela de profesionales por antonomasia».[36] Si critica aquí y allá a los médicos es porque los quiere mejores y no porque no los quiere, lo que es patente en su lección inaugural de la Universidad Complutense en el año 2007:

Llevo casi toda mi vida profesional enseñando ética en la Facultad de Medicina. Casi a las puertas de mi jubilación, tengo que confesar que durante todos estos años he tratado de dignificar esta disciplina, que llegó a niveles de degradación difícilmente imaginables durante los años de la dictadura, y que haciéndolo no solo me he sentido ampliamente realizado como profesor y como persona. Mi experiencia es que cuando esto se hace adecuadamente, el efecto en los alumnos es casi milagroso. Descubren un nuevo mundo, cosas fundamentales, no solo para su actividad profesional sino para su vida, para la vida. Se produce en ellos una transformación, que ya no podrán olvidar nunca...[37]

[33] Gracia, 1989. *Op. cit.* nota 27, p. 497.

[34] Ibídem, p. 498.

[35] Rothman, D. J. (1991): *Strangers at the Bedside,* Nueva York, Basic Books.

[36] Gracia, D. (2007): Nueva Misión de la Universidad. Lección Inaugural del Curso Académico 2007-2008, Madrid, Universidad Complutense, pp. 6-7.

[37] Ibidem, p. 25.

Son las palabras de un profesor de medicina que ama la profesión y a los alumnos que él transformará en médicos. Sobre este punto volveremos al final del ensayo.

Decía Ortega, siguiendo a Aristóteles,[38] que la medicina no es una ciencia, sino una actividad práctica que recurre a cuanto parezca adecuado, *inclusive a la ciencia,* para cumplir su misión. «La Medicina está ahí para aportar soluciones. Si son científicas, mejor. Pero no es necesario que lo sean. Pueden proceder de una experiencia milenaria que la ciencia aún no ha explicado».[39] La medicina consiste no solamente en un saber, sino en un *hacer.* No hay medicina sin acto médico, sin praxis —que es la base del pragmatismo, una teoría informada por la experiencia y una experiencia informada por la teoría; y todo dirigido al bien—.

En el plano bioético ocurre para Gracia algo semejante. Sostenía Laín que el médico apenas si *«comenzará a ser* moral solo cuando haya alcanzado toda la suficiencia técnica que sus dotes personales y las posibilidades de su mundo [...] le permitan».* Para *ser moral* el médico deberá ejecutar «del mejor modo posible aquello que técnicamente debe hacer».[40] Gracia supo ver con nitidez que la bioética en este sentido sigue la suerte de la medicina, y quedando, por tanto, abarcada en las mismas premisas que esta. En «El médico perfecto», epílogo de sus *Fundamentos de bioética,* Gracia recuerda que «en este libro nos hemos ocupado de la bioética medica como "saber" o "ciencia"», lo cual «es una dimensión necesaria, pero no suficiente».[41] La bioética consistiría, pues, no solo en un saber, sino en un *saber actuar* o, si se prefiere, en un *actuar sapiente.* Este planteamiento, que para nosotros evoca la noción de reconstrucción del bien, y la amalgama de teoría y práctica, como hemos dicho, típicas de Dewey,[42] quedaría plasmado en los *Procedimientos de decisión en ética clínica.*[43]

[38] Hunter, K. M. (1989): «A science of individuals: medicine and casuistry», *J Med Philos, 14(2):* 193-212.

[39] Ortega y Gasset, J. (1957): «Misión de la Universidad», en: *Obras Completas,* vol. IV, 4.ª ed., Madrid, Revista de Occidente, pp. 311-52. [Citado en Maldonado, F. (1997): «Ortega y Gasset y la mission de la Universidad», en: Moreno A y Pineda N (eds.): *Sociología y política,* Mérida, Universidad de Los Andes, pp. 289-310].

[40] Laín Entralgo, 1983. *Op. cit.* nota 32, pp. 452-3.

[41] Gracia, 1989. *Op. cit.* nota 27, p. 597.

[42] Dewey, J. (1982): «The construction of good» en: Thayer, H. S. (ed.): *Pragmatism: The Classic Writings,* Indianapolis, Hackett Publishing Company, pp. 290-315.

[43] Gracia, D. (1991): *Procedimientos de decisión en ética clínica,* Madrid, Eudema.

4. Diego Gracia y la recreación la bioética: El método

«Las decisiones sin fundamentación son ciegas, en tanto la fundamentación sin decisiones es ociosa». Valga nuestra paráfrasis de Kant[44] para resumir lo que creemos era el pensamiento de Diego Gracia. Los *Fundamentos* se ocuparon de la primera parte de nuestro hipotético apotegma. Los *Procedimientos* darían cuenta de la segunda. El problema de la bioética europea y mediterránea era en el fondo, para Diego Gracia, que no sabía llegar a definir los contenidos materiales de la moralidad en situaciones concretas.[45] Todo el aparato teórico no desembocaba de manera natural en soluciones prácticas. Para Gracia, el reto del procedimiento era estar bien fundamentado, y el reto del fundamento era dar frutos prácticos: «Pobre procedimiento aquel que no esté bien fundamentado, y pobre fundamento que no dé como resultado un procedimiento ágil y correcto».[46]

En sus *Procedimientos* Gracia sale ciertamente airoso de este desafío, derivando un procedimiento práctico a partir de sus fundamentos. Este procedimiento parte, como era de prever, de un momento ontológico compuesto por las premisas de un sistema de referencia moral, que en Diego Gracia es kantiano, para construir sobre él un esbozo moral de contenidos deontológicos específicos. Este esbozo moral, que en nuestro autor puede estar representado por los principios clásicos de la bioética (aunque podría serlo también por las tablas de derechos humanos), es a su vez contrastado *a tergo* con el sistema de referencia, y *a fronte* con la realidad. Esta confrontación es la que Gracia denomina «experiencia moral», y que mira a las posibles consecuencias de la aplicación del esbozo moral al caso concreto, dando pie a la aplicación de la regla de una manera prudente, lo que incluye espacio para las excepciones y las matizaciones.[47] Para los que suscriben, esto último resulta indistinguible del pragmatismo casi en estado puro.

El pragmatismo suele lamentablemente entenderse como la adopción de cualquier curso de acción que resuelva una situación conflictiva de manera expedita, sin atenerse a principios o a consecuencias que trasciendan la circunstancia.[48] Ciertamente, este es un riesgo cuando se desconocen o no se entienden

---

[44] Kant, I. (1998): *Critique of Pure Reason,* Nueva York, Cambridge University Press, A51/B75.

[45] Gracia, 1993. *Op. cit.* nota 20.

[46] Gracia, 1991. *Op. cit.* nota 43, p. 96.

[47] Ibidem, pp. 123-147.

[48] Fins, J. J.; Bacchetta, M. D. y Miller, F. G. (1997): «Clinical pragmatism: a method of moral problem solving», *Kennedy Inst Ethics J., 7(2):* 129-45.

los principios. Pero los principios también pueden ser mal aplicados cuando se desconoce o no se entiende el contexto.

Uno de nosotros, junto a otros colegas, se quejaba hace algunos años del abuso del principialismo en Estados Unidos, que había llevado a la solución un poco mecánica y no siempre realista de los problemas de ética clínica a la cabecera del enfermo, proponiendo un regreso a las tradiciones filosóficas representadas por John Dewey, el padre del pragmatismo norteamericano.[49,50] Las doctrinas de Dewey resultaban ideales para construir lo que se llamó *pragmatismo clínico.* Estas doctrinas se centran en la teoría de la indagación, en la evaluación y los principios morales, y en la democracia como *way of life.*

El pragmatismo clínico, pues, se construye sobre la base de la doctrina de la *indagación,* orientada a descubrir los aspectos problemáticos de cada situación percibida como conflictiva, prestando especial atención a los detalles contextuales y tratando de diseñar, a partir de esta detallada indagación, intervenciones que resuelvan la situación encontrada.

La filosofía moral de Dewey, por su parte, arranca de una crítica del absolutismo y el dogma, para tratar de construir un pensamiento moral basado en la valuación y validación de los juicios morales mediante la observación empírica, y —sobre todo— en una concepción pragmática de los principios morales, que son vistos por Dewey como guías para la deliberación en el proceso de inquisición moral, como hipótesis en el proceso de inquisición. Por fin, el pragmatismo considera que la democracia es un modo de vivir pluralista, y no un simple sistema de gobierno.[51] El énfasis de Dewey en la educación es corolario obligado del ideal democrático.[52] Este, creemos, es el último rasgo pragmatista de Diego Gracia, que convertirá la aventura bioética emprendida casi en solitario en una empresa viable y duradera, dentro y fuera del mundo de habla castellana.

5. Bioética y educación

Hoy resulta claro que, ya desde sus primeras incursiones en este terreno, Gracia decidió independizar la bioética de la antigua deontología médica, del derecho y, por supuesto, de la religión, que habían sido los anclajes tradicionales de

[49] Miller et al., 1996. *Op. cit.* nota 6.

[50] Fins, J. J. (2006): *A Palliative Ethic of Care: Clinical Wisdom at Life's End,* Sudbury MA, Jones and Bartlett.

[51] Westbrook, R. B. (1991): *John Dewey and American Democracy,* Ithaca, Cornell Univ. Press.

[52] Miller et al., 1996. *Op. cit.* nota 6.

la ética médica hasta casi finales del siglo XX, al mismo tiempo que se negó a incluir la bioética entre las ciencias sociales, con su marcado corte positivista, como la antropología, la sociología y la historia, aunque ciertamente valiéndose profusamente de sus aportaciones.

En retrospectiva, hoy es evidente que estos posicionamientos sobre la independencia de la bioética demandaban un programa educativo también independiente, lo que llevó a Diego Gracia a fundar el Magíster en Bioética ofrecido por la Universidad Complutense de Madrid, luego extendido a América Latina, y que lleva ya más de 20 años formando promociones de graduados activamente insertados en los sistemas sanitarios y en los ambientes académicos de todo el mundo de habla española.

El programa de este magíster combina teoría y práctica, y está orientado a principalmente a graduados con actividad y experiencia en el sector sanitario que puedan generar resultados prácticos en sus instituciones. Está dedicado, pues a personas que puedan «aprender haciendo», a la manera de Dewey,[53] lo que refleja otra vez la consistencia de la concepción de la bioética como síntesis de teoría y práctica, propia de Diego Gracia.

6. El futuro de la bioética: Europa, las Américas y el mundo

Ya en sus *Procedimientos* Diego Gracia se preguntaba por el futuro de la bioética. «La filosofía europea ha estado siempre muy preocupada por los temas de fundamentación. Quizá en demasía. El pragmatismo americano nos ha enseñado a cuidar los procedimientos. ¿Estará próxima la hora en que sea posible integrar ambas tradiciones?».[54] Para los que suscriben, la pregunta era extemporánea: él mismo, Diego Gracia, se había encargado de sintetizar ambas tradiciones, asegurando así el futuro de la bioética, lo que se completaría al advertir —como Dewey— que la educación y las ideas son la una vehículo de la otra, en el apretado tejido que conforman la teoría y la práctica en una vida bien aprovechada.

Desde nuestra particular trinchera, creemos que el mayor desafío para el futuro de la bioética es que la síntesis propuesta por Gracia llegue a la bioética norteamericana, que a su vez debería aprender a apreciar otra vez a los médicos, a la manera del maestro, superando el apasionamiento antipaternalista que a veces ha dominado su discurso. Un mayor énfasis en los estudios históricos —tan

---

[53] Dewey, J. (1990): *The School and Society and The Child and the Curriculum,* Chicago, University of Chicago Press.

[54] Gracia, 1991. *Op. cit.* nota 43, p. 96.

centrales en Diego Gracia y en general ausentes en la bioética estadounidense— ayudaría sin duda en este sentido. Por fin, el otro gran desafío para el futuro de la bioética es la educación sistemática, que combine la teoría filosófica y la historia con la práctica sobre los casos concretos. Aprender diciendo... y haciendo.

No vemos otro camino para enfrentar con método y con sustancia el listado colosal de desafíos presentes y futuros, que abarcan desde la relación médico-paciente hasta los problemas ambientales, sin olvidar los crecientes choques interculturales, los problemas de la discapacidad y la vejez, y —por supuesto— el laberinto de las nuevas tecnologías. como recientemente ha señalado H. Brody.[55] Y mucho menos vemos otra vía si la bioética estadounidense aspira a seguir marcando rumbos, como hace más de 20 años advirtió Pellegrino.[56]

Este artículo, modesto homenaje a la trayectoria de Diego Gracia, de alguna manera es obra de él. Fue gracias al maestro, y alentados por él, que los autores comenzaron hace ya más de 20 años una fructífera relación de aprendizaje primero, y de trabajo y enseñanza después. Hoy nos hallamos en lugares geográfica y culturalmente muchísimo más alejados que al principio; casi en las antípodas.[57,58] No obstante, creemos y sentimos pertenecer a la misma escuela de pensamiento y de acción, la de Diego Gracia, y ojalá seamos capaces de transmitirles esta herencia a nuestros alumnos y colegas en Doha y en Nueva York.

Decía Richard Rorty, el más grande pragmatista del siglo XX, que las únicas verdades que hacen una diferencia son aquellas que hacen una diferencia.[59] Las doctrinas de Diego Gracia, vivas en la miríada de académicos y profesionales de la salud formados en aquellos moldes serán el legado más perdurable del gran maestro.

[55] Brody, H. (2009): *The Future of Bioethics,* Nueva York, Oxford University Press.

[56] Pellegrino, E. (1992): «Intersections of Western Biomedical Ethics and World Culture», en: Pellegrino, E.; Mazzarella, P. y Corsi, P.: *Transcultural Dimensions of Medical Ethics,* Frederick, University Publishing Group.

[57] Rodriguez del Pozo, P. y Fins, J. J. (2005): «The Globalization of Education in Medical Ethics and Humanities: Evolving Pedagogy at Weill Cornell Medical College in Qatar», *Academic Medicine, 80(2):* 135-40.

[58] Fins, J. J. y Rodríguez del Pozo, P. (2011): «The hidden and implicit curricula in cultural context: New insights form Doha and New York», *Academic Medicine, 86(3):* 321-5.

[59] Rorty, R y Engel, P. (2007): *What's the Use of Truth?,* Nueva York, Columbia University Press.

13

De la impotencia y fracaso de la bioética cuando renuncia a lo que tiene que ser: el caso de la planificación anticipada de la asistencia sanitaria

Javier JÚDEZ

1. INTROITO: PRE-TEXTO Y CON-TEXTO

Veinte años parece un tiempo suficiente para hacer balance y tener perspectiva. Tanto en la vida personal, en el desempeño profesional como en la trayectoria institucional. No es un tiempo para hacer un balance definitivo, pero sí, al menos, para realizar un análisis provisional de los logros, tendencias y retos afrontados. Aprovechar el vigésimo aniversario de la Fundación de Ciencias de la Salud, en la que he participado profesionalmente durante casi una década, en el umbral del «cambio de ciclo» profesional del actual presidente de su Patronato, el profesor Diego Gracia, persona por la cual precisamente llegué a colaborar en esta empresa, es un doble motivo de reflexión y agradecimiento.

La andadura de la Fundación de Ciencias de la Salud coincide prácticamente con mi incursión en el mundo de la bioética, allá por 1992, recién licenciado en

Medicina. Para mí, formarme en «humanidades» en general, y en «bioética» en particular, era un modo de expresar mi compromiso con mi vocación médica, prácticamente por estrenar. El hecho de ser el discente más joven de las promociones de Máster en Bioética de la Universidad Complutense de Madrid, el más prestigioso, al menos en ámbitos sanitarios, hacía muy evidente que yo tenía un perfil discordante o «excepcional» respecto al bagaje «tipo» de los profesionales que me rodeaban, y que eran los requeridos entre las instituciones del ahora extinto Insalud y otros servicios sanitarios con competencias autonómicas por entonces. Esta circunstancia me forzó desde el principio a aplicarme con intensidad intentando estar a la altura de la oportunidad que se me ofrecía. ¿Qué podía yo aportar? Yo no podía ofrecer mi «experiencia clínica». Pero sí podía brindar una visión inconformista del «ser» de las cosas y una curiosidad intelectual inagotable unida a la ambición por conocer qué hacían otros cuando afrontaban problemas semejantes a los que uno se enfrenta (sobre todo los anglosajones, ventana a la que me asomé con profusión, con más motivo por ser la cuna de la bioética moderna tal y como se extendió a partir de los años 70). Yo llegaba al Máster con la perplejidad, por ejemplo, de por qué se daba tan poca formación en bioética y en comunicación asistencial en la carrera de Medicina si a mí me parecía una herramienta básica, y cómo podía hacerse de otro modo (como en EEUU o en el Reino Unido). Este binomio que podemos llamar de «horizonte» (mirar más allá de acá) y de «perspectiva» (ver con otros ojos que los de la «clase propia»*)* me ha acompañado desde entonces, a modo de señal de identidad. Visión crítica y *benchmarking*. Dejarse proyectar por ideas regulativas (a las que tender) y dejarse interpelar (inspirar) por lo que hace el prójimo. Pocos entornos mejores para desarrollarse con estos mimbres que la Fundación de Ciencias de la Salud, con el liderazgo de un pionero y un maestro con la cautivadora inspiración que genera Diego Gracia y la aspiración a la excelencia de una institución bien gestionada. Años de poder coordinar la gestión de un centro de documentación en bioética, entablar contacto personal, fascinante, con diversos pioneros, principalmente estadounidenses (como Callahan, Jonsen, Siegler, Pellegrino, Caplan, Singer, Quill, Emanuel, Lynn, Buchanan, Dresser, Capron, Buckman, Fins, Epstein, Moreno…), participar en un cualificado foro de debate y trabajo de expertos «prudente y diligente», así como realizar una tarea intensa de desarrollo de programas innovadores de docencia (como Bioética para Clínicos, Comunicación y Salud o Drogas y Atención Primaria).

De los muchos temas abordados en estos años, uno ha prevalecido en mis intereses investigadores en bioética como aquel que aunaba elementos indispensables para una asistencia sanitaria de calidad y humanizada, por la que prácticamente todos podemos llegar a pasar, como seres frágiles enfermables y mortales: el estudio y promoción de la *planificación anticipada de la asistencia sanitaria* (PAAS), versión española del inglés *advance care planning*. Desde comienzos de los 90 intuía que la realidad que subyace a esta empresa o tarea de la PAAS, que más abajo clarificaré cómo entiendo, era algo de profunda resonancia para mi modo de entender la realidad del ser humano y la noble tarea de apoyarle en los momentos de más fragilidad, cuando enferma y, eventualmente, afronta el proceso de morir. Enlazaba con mi convicción vocacional por la medicina desde mi adolescencia, así como con mi sensibilidad con la humanización de la práctica asistencial (es decir, con una práctica asistencial a la altura de la dignidad del ser humano) que me llevó a la bioética. También incluía el quicio de combinar relación clínica, vivencia de enfermedad, comunicación asistencial y deliberación para la toma de decisiones, así como reflejaba el desvelo de un sistema sanitario a lo largo de una trayectoria de enfermedad, en el marco de valores del propio paciente y su entorno de cuidados.

Después de casi 20 años, ver dónde se encuentra la «realidad» de la práctica asistencial española en este tema, me produce sentimientos encontrados que incluyen cierta impotencia y valoraciones cada vez más críticas que incluyen una difusa sensación de fracaso a la vista del planteamiento común al uso ante esta problemática.

Pero, hete aquí que en tiempos recios uno vuelve a las experiencias básicas de arraigo (a los cuarteles de invierno), y también uno se vuelve a los maestros. Y Diego Gracia nos lleva evocando estos últimos años, con perseverancia, la visión de Ortega del plano del «tener que ser» y su entronque con el sentido más radical de la ética de los seres humanos, más allá no ya del plano ontológico del «ser», sino también del deontológico del «deber ser». Así las cosas, lucho por re-vertebrarme y retomar el aliento, consciente de que «yo soy yo y mi circunstancia, y si no la salvo a ella, no me salvo yo». Por eso mismo, creo que a esta altura del siglo XXI, debemos dar un giro considerable que nos sacuda el conformismo y que promueva la innovación y reforma de una parte importante de la asistencia sanitaria, especialmente ligada a trayectorias de atención a procesos crónicos avanzados, incluyendo las etapas en las que la vida se encuentra en jaque. Creo que para esta empresa esencial la PAAS, bien entendida, puede ser instrumental. Y por tanto, la bioética, en un sentido más amplio, que es fiel a su «tener que ser». Si no, estoy con Joanne Lynn, para cualquier conocedor de la bioética, «bioeticista» de raza,[1] quien, en varias entrevistas personales en

---

[1] No en vano, *Fellow* del Hastings Center y 15.ª receptora, en 2008, de su prestigioso premio Henry Knowles Beecher a la contribución de toda una vida a la ética y las ciencias de la vida, en cuyo acto Thomas H. Murray, presidente del Center, la citó como posiblemente la persona más entendida en la atención sanitaria al final de la vida en los EEUU, sino en el mundo entero, destacando su «extraordinario compromiso para cambiar las políticas y la práctica».

Washington DC, me confesaba que no le interesa la bioética meramente acadé-mica o de «autosatisfacción» personal, sino aquella que se compromete con la «reforma» de la sanidad, con la mejora continua de las instituciones, con la in-novación de la práctica asistencial, precisamente para ser fiel al «tener que ser» de la asistencia sanitaria para el cual la bioética debe ser instrumento. Lynn considera que ha abandonado el «campo de esa bioética» hace años, estando comprometida con el campo de la intervención, la mejora continua y la reforma institucional (especialmente en la atención a las enfermedades crónicas avan-zadas y al final de la vida).

Pues, salvando las diferencias, yo cada vez me veo más cerca de borrarme también de esa bioética estéril de solo salón, biblioteca, comités o acciones individuales aisladas. Y me veo más cercano a trabajar (desde lo aprendido en las filas de la bioética, sí) por la «ciencia y el arte de la mejora» del «mundo real». Un saber cuyo fin principal, en palabras de Abel Novoa en otro trabajo de esta obra, con el que coincido sustancialmente, sea «mejorar la práctica y no [meramente] generar conocimiento», y esto para intentar superar algunas de las insuficiencias que venimos detectando hace tiempo: «Hasta ahora el paradigma dominante [en medicina] ha sido el explicativo-positivista pero, especialmente en bioética, la investigación inscrita en este paradigma está siendo irrelevante, ya que tiene como consecuencia una incapacidad para captar el sentido de cual-quier acción humana, que es lo que debe proponerse la bioética».

Sin embargo, de una bioética que arrima el hombro para iluminar el «tener que ser» y así clarificar el camino de mejora de lo que hay no me borro. No podría. Si no la salvo a ella, no me salvo yo. Habría fracasado en mi voz y en mi acción. Habría fracasado en mi vocación. No es el caso, pues aún nos que-da aliento. Pero quede el aviso para navegantes: no nos podemos permitir más tiempo de impotencia ni de aturdimiento. No más faenas de aliño, ni toreo de salón. No más nadar y guardar la ropa o mirar los toros desde la barrera. No más hacer tortillas sin romper los huevos. Ni los individuos, ni los programas, ni las sociedades profesionales, ni las instituciones pueden permitirse la fantasía de «salvarse», sin salvar las circunstancias que les han tocado vivir. Tenemos que dar un golpe de timón y no seguir aproados al viento de la realidad de la que tenemos que hacernos cargo, cargar y encargarnos. También la Fundación de Ciencias de la Salud haría bien en hacer «examen de conciencia», «examen de sentido» *(sense-making)* institucional, pues se dispone a afrontar una nueva etapa, tras unos años muy fecundos. No podemos traicionar por más tiempo el «sentido» de la bioética, su «tener que ser», en la época, coyuntura o circuns-tancia que nos ha tocado vivir (y por tanto traicionarnos). No podemos tampoco seguir enterrando los talentos o los mimbres que nos han dado maestros como Diego Gracia, menos en época de balances como la del cambio de tercio profesional que afronta en este año 2011, o Javier Gafo, que hace 25 años fundó un pionero «seminario interdisciplinar». Les debemos voluntad de ir más allá, fidelidad esforzada al tener que ser con el que ellos siempre se han comprometido.

Si esta reflexión podría aplicarse más o menos a la bioética española de la última década en general, coincidiendo precisamente con su etapa de reconocimiento general público como campo o disciplina «reconocible», cabe aplicarla, paradigmáticamente, a la PAAS. En lo que a esta concierne, tenemos múltiples señales, avisos y experiencias de cómo no hacer las cosas, por un lado, junto a suficientes pistas, iniciativas y oportunidades para hacerlas más en la línea de lo que «tiene que ser». Intentaré presentar ambos aspectos en lo que sigue: cómo no seguir haciendo cosas estériles y cómo promover lo que la PAAS tiene que ser para que dé los frutos que promete. Si persistimos en las primeras, será la crónica impotente de un fracaso anunciado. Hasta ahora, en los primeros 20 años, en mi opinión, hemos empezado despistados sin aprender ni de la experiencia de los que han labrado este terreno antes, ni del «sentido común» de la realidad antropológica de vivir la enfermedad y tomar decisiones en ese contexto. Si por el contrario perseveramos en «seguir las experiencias de éxito», hoy en día en este mundo globalizado, más accesibles que nunca, conseguiremos ser protagonistas de una etapa histórica que siente las bases de unos nuevos modelos de atención a pacientes con enfermedades crónicas avanzadas en sociedades de destacado nivel de desarrollo y perfil de envejecimiento demográfico, contribuyendo a una mejor calidad asistencial, a una mayor participación de pacientes y cuidadores así como a una considerable dignificación de lo humano, precisamente cuando afronta la fragilidad y la vulnerabilidad vital.

2. LA VISIÓN MÁS AL USO (Y ESTÉRIL) SOBRE LA PAAS

En los últimos años, tras la entrada en vigor en España, el 1 de enero de 2000, del Convenio para la Protección de los Derechos Humanos y la Dignidad del ser humano con respecto a las aplicaciones de la biología y la medicina,[2] se ha generado una creciente actividad nacional y regional en torno a los documentos de «voluntades anticipadas» o «instrucciones previas» y la regulación de registros para los mismos. En efecto, la Ley 41/2002, de 14 de noviembre, básica reguladora de la autonomía del paciente,[3] en vigor desde el 16 de mayo de

---

[2] Instrumento de ratificación del Convenio relativo a los derechos humanos y la biomedicina, hecho en Oviedo el 4 de abril de 1997. BOE n.º 251, de 20 de octubre de 1999

[3] Ley 41/2002, de 14 de noviembre, básica reguladora de la autonomía del paciente y de derechos y obligaciones en materia de información y documentación clínica. BOE n.º 274,

2003, recoge en su artículo 11.º la regulación básica sobre estos documentos. A ello se ha sumado una abundante legislación autonómica complementaria, ya específica, ya asociada a las leyes de ordenación de los sistemas sanitarios regionales,[4] ya generando o regulando diferentes Registros para el almacenamiento de estos documentos. Queda así en España recogido y regulado en la legislación positiva un (nuevo) derecho, que prolonga la autonomía del paciente consagrada en el proceso de consentimiento informado y toma de decisiones para los sujetos capaces, que se ha ido alumbrando a lo largo de las últimas tres décadas. Pues bien, solo mediante leyes, registros y proclamación de derechos, no se recorre más que un camino estéril. Pobre lectura y adaptación de la experiencia anglosajona, casi 15 años después de que los pioneros en EEUU empezaran a cambiar el rumbo.[5]

En efecto, la misma *experiencia internacional* conocida, principalmente anglosajona, del desarrollo de estos instrumentos ha demostrado palmariamente (la experiencia estadounidense es al respecto paradigmática)[6,7] que *el desarrollo de marcos jurídicos claros es condición necesaria, pero no suficiente, para que las herramientas de toma de decisiones al final de la vida se incorporen realmente a la práctica profesional de los sanitarios, y a los hábitos y valores de los pacientes.* Es decir, para que se traduzcan en la mejora de la asistencia sanitaria y redunden en una mayor satisfacción de los protagonistas y afectados. Cualquier consulta a las cifras de los registros en cualquier comunidad autónoma corrobora esta realidad, con porcentajes inferiores al 1%. Total irrelevancia, pues, salvo para colectivos muy concretos, como los Testigos de Jehová, principales usuarios del Registro actual. Lejos de aprender esta lección palmaria, ¡¡seguimos a golpe de «fantasía de legislación» para promover una atención de calidad al final de la vida!! Es algo así como si para jugar bien a un deporte bastara con acordar el reglamento de cómo se juega e informar de él. O como pretender que el reglamento es lo que motiva a la gente a jugar bien ese deporte. O más aún, como pretender que se entiende en qué consiste jugar a un deporte y qué sienten los que lo practican y disfrutan de él, por el hecho de leer

de 15 de noviembre de 2002, pp. 40126-32.

[4] Simón, P. y Barrio, I. M. (2004): «¿Quién puede decidir por mí? Una revisión de la legislación española vigente sobre las decisiones de representación y las instrucciones previas», *Rev Calidad Asistencial, 19(4)*: 460-72.

[5] Júdez J. (1997): «Directivas anticipadas: tiempo de evaluarlas y adaptarlas a nuestra realidad», *Modern Geriatrics (ed. española), 9(9)*: 247-8.

[6] Simón, P. y Barrio, I. M. (2004): *¿Quién decidirá por mí?*, Madrid, Triacastela, pp. 17-92.

[7] Jennings, B.; Kaebnick, B. E. y Murray, T. H. (eds.) (2005): «Improving End of Life Care: Why has it been so difficult?», *Hastings Cent Rep, 35(6):* Nov/Dic Informe especial.

su reglamento. El reglamento es un instrumento. En qué consiste jugar y qué se experimenta cuando se hace, eso, se entrena, se mejora, ¡¡se vive!! Salvando las distancias, a diferencia de una actividad libremente elegida (practicar un deporte), padecer una enfermedad no lo «elegimos» (aunque haya modos de vivir y comportamientos que nos aboquen más o menos a resultados nocivos o perjudiciales), pero cómo lo afrontamos, qué sentimos, de qué modo altera nuestra vida, nuestras capacidades funcionales y nuestro rol social, qué sentido le damos, qué expectativas de control y superación tenemos, qué hacemos para superarla o sobrellevarla, qué esperamos de los profesionales sanitarios que nos atienden en estas circunstancias y hasta qué punto nos sentimos satisfechos con los servicios sanitarios que recibimos, nada de esto se entiende mejor o se vive mejor por el hecho de conocer que uno tiene el derecho a decidir sobre su propio cuerpo y su propia vida, ni por que le digan que puede poner por escrito las voluntades que tenga «al respecto».

A modo de recordatorio, que debería resultar bien conocido, a partir sobre todo de la *experiencia de EEUU* se pueden describir varias fases de desarrollo de la *preparación de las decisiones de futuro,* con predominancia en cada una de distintos aspectos:[8,9] 1) Fase prelegislativa (años 70), con las primeras propuestas; 2) Fase legislativa (sobre todo hasta 1990); 3) Fase de iniciativas de implementación en clínica (primera mitad de los 90); 4) Fase de Planificación Anticipada de las Decisiones Sanitarias (PADS, segunda mitad de los 90), y 5) Fase integral, social y comunitaria (comienzos del siglo XXI), Planificación Anticipada de la Asistencia Sanitaria (PAAS) en línea con la *mejora continua de la calidad, especialmente en la atención a pacientes con enfermedades crónicas avanzadas.*

Esta misma evolución se puede observar «indirectamente» en los descriptores del *Medical Subject Headings* de *Medline:* se pasa *de las declaraciones o documentos* (término «advance directives» de 1986 en *Bioethicsline* y de 1991 en *Medline,* precedido años antes por el de «living wills») *a conversaciones* sobre objetivos y dirección de tratamiento y *selección de una tercera persona para representar* al paciente en caso de un futuro de incapacidad, es decir, «advance care planning» o PAAS, introducido en 2003 en PubMed (antes en 1998, recogido en el *Thesaurus* de *Bioethicsline*). De aceptar un papel que algunos pacientes puedan traer tomando posición ante determinados tratamientos, o de-

---

[8] Barrio, I. M.; Simón, P. y Júdez, J. (2004): «De las voluntades anticipadas o instrucciones previas a la planificación anticipada de las decisiones», *Nure Investigación, 5:* 1-9.

[9] «¿Qué dice la literatura sobre las instrucciones previas y la planificación anticipada de las decisiones sanitarias?», Informe 2004 (interno) del Nodo de problemas éticos y jurídicos de RIMARED, G03/100.

clarando su modo de entender la lucha contra la enfermedad (testamento vital), a informar del derecho a decidir cómo quiere ser atendido un paciente caso de encontrarse enfermo y no ser capaz de hacerlo por él mismo, pudiendo dejar instrucciones por escrito y designar a un representante como «portavoz» en caso de incapacidad, hay una diferencia. Algo mejor lo segundo que lo primero. Pero ambos tienen poco que ver (por sí mismos) con el proceso, ofrecido, facilitado y monitorizado por el sistema sanitario como parte de la atención prestada, de hablar o mantener conversaciones sobre cómo vive el paciente su enfermedad, qué tipo de experiencias ha tenido, qué valores son básicos para él, qué necesidad tiene de cuidados y qué espera de la atención sanitaria que recibe, y todo ello, con vistas a sintonizar mejor sobre cómo acompañarle en el proceso de toma de decisiones que, sin duda, habrá que afrontar en la trayectoria de enfermedad que le toque vivir.

¿Por qué entonces la aparente autosatisfacción de las administraciones si solo se ha legislado (fase 1 o 2) y hay una ausencia de programas integrales de intervención? Hace unos años eran todavía tímidas, fragmentarias, no muy abundantes y a menudo centradas en las primeras fases del desarrollo mencionado, las publicaciones y trabajos prácticos sobre este tema en España,[10,11] cayendo con frecuencia en la *tentación de centrarse en torno a la (mera) mayor cumplimentación de documentos,*[12] lo que resulta un desenfoque, una falta de expectativa.[13]

Surgieron, sin embargo, «algunos brotes verdes» y se emprendieron varios *esfuerzos de investigación* vinculados al *nodo de ética de la Red de Cuidados en Personas Mayores,* RIMARED (Red G03/100), una red de investigación en enfermería, con varios proyectos asociados del FIS (Fondo de Investigación Sanitaria) que parecían aspirar a intentar articular un esfuerzo más integral y sistemático *en una dirección más adecuada,* que favoreciera un cambio de cultura asistencial y de las organizaciones para mejorar la atención al final de la vida. Tuve la oportunidad de participar en esta aventura investigadora personalmente, por gentileza de Inés Barrio (coordinadora del nodo) y Pablo Simón (junto conmigo los únicos médicos del nodo), que son los autores españoles posible-

---

[10] Saralegui, I.; Monzón, J. L. y Martin, M. C. (2004): «Instrucciones previas en medicina intensiva», *Med Intens, 28:* 256-61.

[11] Martínez Urionabarrenetxea, K. (2003): «Reflexiones sobre el testamento vital (I y II)», *At Primaria, 31(1):* 52-4.

[12] Sanz-Ortiz, J. (2006): «¿Es posible gestionar el proceso del morir? Voluntades anticipadas», *Med Clin, 126:* 620-3.

[13] Perkins, H. S. (2007): «Controlling death: the false promise of advance directives», *Ann Intern Med, 147(1):* 51-7. [Comentario en (2007): *Ann Intern Med, 148(5):* 405-6].

mente más comprometidos, o productivos, con esta línea. Han realizado diversas revisiones legislativas,[14,15] una revisión sistemática Cochrane de intervenciones para promover el uso de documentos de «voluntades anticipadas»,[16] así como proyectos de investigación como una intervención comunitaria piloto centrada en aumentar el conocimiento y la cumplimentación de dichos documentos (Proyecto «Al final, tú decides»)[17] o como el análisis de las preferencias de tratamiento entre pacientes y representantes.[18]

Sin embargo, este *esfuerzo,* iniciado en la buena dirección, debe reforzarse, pues ha sabido a poco. También debe reorientarse, pues siguen predominando, incluso en estos proyectos de expertos, artículos que se quedan en la mera descripción de conocimientos y actitudes de profesionales o pacientes[19,20,21] y, aunque pasan los años, el debate sigue anclado en la ley, el documento, el registro, el derecho a la autonomía, siendo a la postre una práctica estéril e irrelevante alejada de las experiencias fértiles y significativas bien implantadas que se han

[14] Júdez, 1997. *Op. cit.* nota 5.

[15] Simón-Lorda, P.; Tamayo-Velázquez, M.I. y Barrio-Cantalejo, I. M. (2008): «Advance directives in Spain. Perspectives from a medical bioethicist approach», *Bioethics, 22(6):* 346-54. [PMID: 184794].

[16] Tamayo-Velázquez, M. I.; Simón-Lorda, P.; Villegas-Portero, R. et al. (2010): «Interventions to promote the use of advance directives: an overview of systematic reviews», *Patient Educ Couns. 80(1):* 10-20. [PMID: 1987909].

[17] Simón-Lorda, P.; Barrio-Cantalejo, I. M. y Tamayo-Velázquez, M. I. (2007): «Efectividad de una intervención comunitaria integral para aumentar los conocimientos, actitudes y cumplimentación de voluntades vitales anticipadas», *Med Pal (Madrid), 14(3):* 179-83. [Los autores actuaban en representación del Grupo Investigador del Proyecto «Al final, tú decides» en el que participaba Júdez-Gutiérrez, F. J. como investigador colaborador]

[18] Barrio-Cantalejo, I. M.; Molina-Ruiz, A.; Simón-Lorda, P. et al. (2009): «Advance directives and proxies'predictions about patients'treatment preferences», *Nurs Ethics, 16(1):* 93-109. [PMID: 19103694].

[19] Simón-Lorda, P.; Tamayo-Velázquez, M. I.; Vázquez-Vicente, A. et al. (2008): «Conocimientos y actitudes de los médicos en dos áreas sanitarias sobre las voluntades vitales anticipadas», *At Primaria, 40(2):* 61-6. [PMID: 18358157]. [Los autores actuaban en representación der el grupo investigador del proyecto «Al final, tú decides»].

[20] Champer Blasco, A.; Caritg Monfort, F. y Marquet Palomer, R. (2010): Conocimientos y actitudes de los profesionales de los equipos de atención primaria sobre el documento de voluntades anticipadas. *At Primaria, 42(9):* 463-9. [PMID: 20615580].

[21] Navarro Bravo, B.; Sánchez García, M.; Andrés Pretel, F. et al. (2011): «Declaración de voluntades anticipadas: estudio cualitativo en personas mayores y médicos de Atención Primaria», *At Primaria, 43(1):* 11-7. [PMID: 20304533].

desarrollado con otra orientación desde hace años. Por tanto, es crítico, para ir nosotros también más allá con otra orientación, que se potencie sin más demora el enfoque adecuado, aprendiendo de las experiencias ajenas y tomando el pulso a la realidad de las experiencias y vivencias de enfermedad de nuestros pacientes.

3. PUNTO DE TRANSICIÓN A PARTIR DE LAS INVESTIGACIONES DE INTERVENCIÓN

Comenta el capítulo de Novoa, en este mismo libro, el trabajo de Kon[22] sobre paradigmas de investigación que defiende el papel de la investigación empírica como influencia para: 1) describir el terreno; 2) contrastar el ideal (estándar) con la realidad; 3) estudiar las intervenciones para mejorar la calidad; 4) revisar trabajos de las anteriores categorías para, eventualmente, cambiar las «normas o criterios de la ética normativa». A él remito para una discusión sobre los paradigmas de investigación en bioética. Aquí nos basta señalar lo insuficiente que resulta una mera investigación ya sea descriptiva, o ya sea supuestamente normativa (a menudo más bien especulativa), alejada de la realidad.

En la atención al final de la vida y en la PAAS el punto de inflexión en el que algo originado externamente a la práctica asistencial fue haciéndose un sitio en la misma, fue provocado por *proyectos de intervención* que promovieron modelos que han sobrevivido al bosque de aparentes «fracasos» que presenta la literatura. Fracasos aparentes si no se analiza desde una perspectiva crítica, entre los que destaca el macro-estudio SUPPORT,[23,24,25] paradigma de las grandezas y miserias de la investigación «cuantitativa» que tan compleja resulta en la mejora del final de la vida. Nunca un fracaso fue más fructífero, como atestiguan los 103 artículos propios generados por el SUPPORT.[26] Se abren paso, coincidiendo con procesos de tomarse en serio la promoción de la formación

[22] Kon, A. A. (2009): «The role of empirical research in bioethics», *American Journal Bioethics, 9(6-7):* 59-65.

[23] The SUPPORT Principal Investigators (1995): «A controlled trial to improve care for seriously ill hospitalized patients: the study to understand prognoses and preferences for outcomes and risks of treatments», *JAMA, 274:* 1591-8.

[24] Lynn, J.; DeVries, K. O.; Arkes, H. A. et al. (2000): «Ineffectiveness of the SUPPORT intervention: review of explanations», *J Am Geriatr Soc, 48(suppl 5):* S206-S213.

[25] Teno, J. M.; Hill, T. P. y O'Connor, M. A. (eds.) (1994): «Advance Care Planning: Priorities for ethical and empirical research», *Hastings Center Report, 24(6):* S1-S32.

[26] Trabajo de análisis de los 102 artículos, no publicado, realizado por el autor, con la colaboración de Noelia Álvarez Díaz, en 2002, en el Centro de Documentación e Información

y mejora de la atención sanitaria al final de la vida,[27] modelos que ponen en marcha procesos sistemáticos *integrales*[28] más *centrados en el paciente*[29] (y su contexto) y *específicos para la enfermedad* que padece,[30] que incluyen a las *organizaciones,*[31] incluso a las *comunidades,*[32,33] y que se engranan en el movimiento de necesarias *reformas del sistema*[34,35,36,37] para afrontar los retos que representan los *últimos años de la vida.*

en Bioética de la Fundación de Ciencias de la Salud, con la ayuda de Joanne Lynn, y que alguna vez colocaré en el blog de KAYRÓS que está en proyecto.

[27] Programa EPEC (Education in Palliative and End-of-life Care), http://www.epec.net, liderado por la médico y bioeticista, Linda Emanuel y promovido por la American Medical Association, en EEUU a partir de 1997, con un primer *curriculum* en 1999. Con más de una década, se ha expandido nacionalmente y ampliado sus disciplinas y profesionales diana. El programa contó con el patrocinio generoso de la misma entidad sin ánimo de lucro que apoyó el estudio SUPPORT, la Robert Wood Johnson Foundation (http://www.rwjf.org), la mayor entidad filantrópica norteamericana dedicada exclusivamente a Salud Pública. NOTA: todas las direcciones de internet de este trabajo funcionaban a 9 de mayo de 2011.

[28] Teno, J. M. y Lynn, J. M. (1996): «Putting Advance - Care Planning into Action», *J Clin Ethics, 7(3):* 205-13.

[29] Singer, P.; Martin, D. K.; Lavery, J. V. et al. (1998): «Reconceptualizing Advance Care Planning from the Patient's Perspective», *Arch Intern Med, 158:* 879-84.

[30] Briggs, L. (2003): «Shifting the focus of advance care planning: Using an in-depth interview to build and strengthen relationships», *Innovations in End-of-Life Care, 25(2).* [Accesible en http://www.edc.org/lastacts].

[31] Engelhardt, J. B.; McClive-Reed, K. P.; Toseland, R. W. et al. (2006): «Effects of a Program for Coordinated Care of Advanced Illness on Patients, Surrogates, and Healthcare Costs: A Randomized Trial», *Am J Manag Care, 12:* 93-100.

[32] Hammes, B. J. y Rooney, B. L. (1998): «Death and End-of-Life Planning in One Midwestern Community», *Arch Intern Med, 158:* 383-90.

[33] Hammes, B. J. (2003): «Update on Respecting Choices four years on», *Innovations in End-of_life Care 2003; 5(2).* [Accesible en http://www.edc.org/lastacts].

[34] Jennings, 2005. *Op. cit.* nota 7.

[35] Lynn, J.; Nolan, K.; Kabcenell, A. et al. (2001): «Reforming Care for Those Near the End of Life: The Promise of Quality Improvement», en: Snyder, L. y Quill, T. E. (eds.): *Physician's Guide to End-of-Life Care,* Filadelfia, American College of Physicians (ACP), pp. 234-51.

[36] Lynn, J. y Goldstein, N. E. (2003): «Advance Care Planning for fatal chronic illness: avoiding commonplace errors and unwarranted suffering», *Ann Intern Med, 138(10):* 812-8.

[37] Lynn, J. (2004): *Sick to Death and Not Going to Take It Anymore! Reforming Health Care for the Last years of Life,* Berkeley, University of California Presss.

Una nota común de esta etapa es la convicción de estas iniciativas ejemplares en la importancia de superar los frecuentes planteamientos en los que un instrumento (el documento escrito de «voluntades» o «instrucciones») se había convertido en el objetivo casi único de las propuestas de formación o intervención.[38] Igualmente los *diseños experimentales* deben superar a menudo la *tentación* o el *desenfoque* de la búsqueda de objetivos finales de tipo meramente «cuantitativo», o basados en escenarios hipotéticos distintos a los deseables en un programa de PAAS centrado en la vivencia de enfermedad del paciente y su representante, y en consecuencia con *indicadores inadecuados.*[39,40] Lamentablemente, a veces es la propia rigidez de la administración, erróneamente fascinada por el registro de documentos concebidos desde la lógica burocrática, la que condiciona un «diseño a la baja» de algunos estudios, con indicadores que a la postre no resultan relevantes para una mejor atención al final de la vida.

En España, por tanto, es más que hora de apostar por diseños de investigación en la línea de estos estudios de intervención en servicios de salud de referencia, atendiendo a las mejores experiencias que están dando pruebas de contribuir a la *mejora de la atención al final de la vida*[41,42,43,44] que se centran en la PAAS, y con intervenciones más adecuadas y evaluadas con indicadores coherentes.[45,46,47] Diseños que ya aplican lo que se defendía hace más de una década,[48] y luego se

---

[38] Singer et al., 1998. *Op. cit.* nota 29; Briggs, 2003. *Op. cit.* nota 30.

[39] Schwartz, C. E.; Merriman, M. P.; Reed, G. W. et al. (2004): «Measuring patient treatment preferences in end-of-life care research: applications for ACP interventions and response shift research», *J Palliat Med, 7(2):* 233-45.

[40] Hammes, B. J. (2001): «What does it take to help adults succesfully plan for future medical decisions?», *J Palliat Med, 4(4):* 453-6.

[41] Jennings et al. (2005). *Op. cit.* nota 7.

[42] Briggs, 2003. *Op. cit.* nota 30.

[43] Engelhardt et al., 2006. *Op. cit.* nota 31.

[44] Peters, R. M. (1994): «Matching physician practice style to patient informational issues and decision-making preferences. An approach to patient autonomy and medical paternalism issues in clinical practice», *Arch Fam Med, 3(9):*760-3

[45] Schwartz et al, 2004. *Op. cit.* nota 39.

[46] Briggs, L. A.; Kirchhoff, K. T.; Hammes, B. J. et al. (2004): «Patient-Centered Advance Care Planning in special patient populations: a pilot study», *J Prof Nursing, 20(1):* 47-58.

[47] Song, M.-K.; Kirchoff, K.T.; Douglas, J. et al. (2005): «A randomized, controlled trial to improve Advance Care Planning among patients undergoind surgery», *Medical Care, 43(10):* 1049-53.

[48] Teno et al., 1994. *Op. cit.* nota 25; Singer, 1998. *Op. cit.* nota 26.

ha reflejado en programas de formación en la mejora de la atención al final de la vida,[49] a saber, que los *objetivos de la PAAS* deben ser del tipo:

a) Asegurar una *atención sanitaria consistente* con las *preferencias* de los pacientes cuando pierden la capacidad.

b) Mejorar *el proceso de toma de decisiones,* esto es: 1) facilitar un proceso compartido de toma de decisiones (profesionales, paciente, cuidadores); 2) dar herramientas y oportunidades a los cuidadores-representantes para hablar con sus representados previamente a que estos pierdan su capacidad de tomar decisiones y permitirles hablar en nombre de ellos cuando han perdido su capacidad; 3) responder con flexibilidad a las necesidades de atención sanitaria de cada paciente, y 4) ofrecer educación sanitaria.

c) Mejorar *el bienestar de los pacientes* reduciendo la frecuencia tanto de sobretratamiento como de infratratamiento.

d) Reducir *las preocupaciones de los pacientes* (previas a la pérdida de capacidad) respecto a la posible carga que teman ser para sus cuidadores.

Además, los *objetivos básicos* de los programas de PAAS concebidos así están *centrados en el paciente y los familiares:*

a) Aspectos no tanto (o solo) relacionados con el control y ejercicio de la autonomía como *centrados en la preparación psico-social* de cara al proceso de afrontar los últimos tiempos de una vida y el propio *proceso de morir.*

b) Contexto en el que importa *mantener un cierto control,* reducir incertidumbres, aliviar cargas (reales o percibidas) y *fortalecer relaciones humanas.*

c) Todo ello en el *entorno cultural* que corresponda entre el eje de la «facilidad» de manejo de los problemas médicos y el eje del nivel de control que se quiere ejercer sobre los mismos.

d) Con una apuesta por la *explicitación y clarificación* de valores y preferencias sobre el vivir bien[50] cuando se está gravemente enfermo y el morir bien.[51]

---

[49] Jennings et al., 2005. *Op. cit.* nota 7; Singer, 1998. *Op. cit.* nota 26.

[50] Schwartz, C.; Lennes, I.; Hammes, B. et al. (2003): «Honing an Advance Care Planning intervention using qualitative analysis: the Living Well interview», *J Palliat Med, 6(4):* 593-603.

[51] Karel, M. J.; Powell, J. y Cantor, M. D. (2004): «Using a Values Discussion Guide to facilitate communication in advance care planning», *Patient Educ Couns, 55(1):* 22-31.

Figura 13.1. Final de la vida y trayectorias de enfermedad

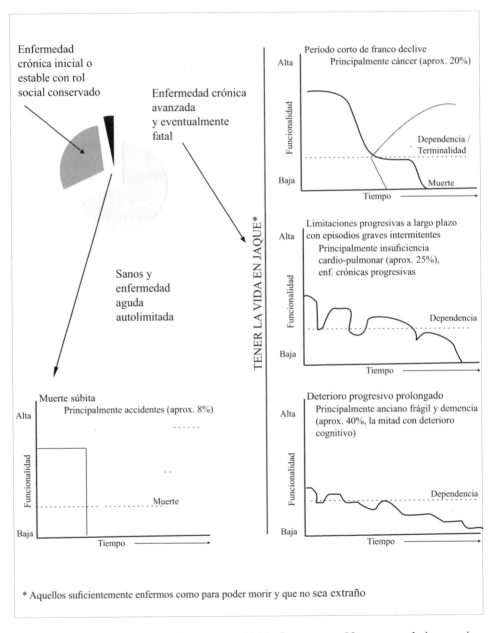

Basado en Lynn, 2007. *Op. cit.* nota 82 y otros trabajos previos.
Adaptado por Júdez, 2007.

Por tanto, los objetivos de la PAAS, así concebida, son multifacéticos atendiendo: al *proceso* de reflexionar sobre la toma de decisiones en situaciones de futura incapacidad y la *persona* que lo debe hacer en representación de uno; la determinación de la *autoridad* que quiere delegar en dicha persona; la clarificación de *valores y preferencias* para ilustrar esa *toma de decisiones en el futuro*.[52]

Se trata de acompañar un tiempo crítico, de esos que desde hace siglos señala la máxima hipocrática de «vita brevis, ars longa, occasio praeceps, experimentum periculosum, iudicium difficile...». *Occasio praeceps,* versión latina del griego (transliterado) «ho de kairos oxys». De ahí el nombre genérico que he dado a los proyectos de PAAS: programa KAYRÓS. Frente a la (previsible o eventual) pérdida de *chrónos* (tiempo físico), la búsqueda de *kairós* (tiempo de oportunidad).[53] En este tiempo crítico el énfasis quizá no está en el documento, ni siquiera en la decisión (como señalan los programas Al final, tú decides, Respecting Choices® o Respecting Patient Choices®). Quizá la piedra angular, el pilar maestro, por lo que todo empieza, es la comunicación, por sintonizar con el paciente, su realidad, sus preocupaciones y la enfermedad que vive y que evoluciona en el tiempo. Es decir por una conversación que conecta a personas. De ahí, programa KAYRÓS - Conversaciones que ayudan. Conversaciones que ayudan al paciente, al cuidador y familiares así como a los profesionales sanitarios, y que intentan ayudar a vivir la enfermedad como tiempo de maduración.

En este enfoque es fundamental seguir la vivencia de enfermedad y evolución de la misma, con las necesidades y expectativas personalizadas que se generen y haya que atender. El principal nicho de oportunidad para la aplicación de la PAAS, como pieza que contribuye a la mejora de la atención al final de la vida,[54] está asociado, pues, a las intervenciones diseñadas en torno a las principales *trayectorias de enfermedad* (ver figura 13.1). Esta noción bastante intuitiva y de sentido común de las trayectorias de enfermedad como grandes ejes que manejan los procesos asistenciales en función del tiempo, la funcionalidad e impacto de la vida en los pacientes (y su entorno) y los riesgos vitales, permite *guiar la mejora de la calidad de la organización sanitaria al final de la vida*[55] que debe «abrir puertas» a pacientes y familiares para afrontar su enfermedad y el efecto de la misma en su vida y su futuro.

---

[52] Hammes, 2001. *Op. cit.* nota 40.

[53] El cambio de grafía de *Kairós* (griego) a KAYRÓS es para darle una impronta personalizada.

[54] Field, M. J. y Cassel, C. K. (eds.) (1997): *Approaching Death: Improving Care at the End of Life,* Washington, National Academy Press.

[55] Jennings et al., 2005. *Op. cit.* nota 7; SUPPORT 1995. *Op. cit.* nota 23; Lynn et al., 2001. *Op. cit.* nota 35; Lynn et al., 2003. *Op. cit.* nota 36; Lynn , 2004. *Op. cit.* nota 37.

En definitiva, para alinear el papel de la bioética desplegada en estos años en España en torno al tema de la PAAS con el «tener que ser» que debe, en mi opinión representar, no podemos esperar más tiempo para empezar a realizar *intervenciones sistemáticas* en nuestro entorno *adaptando, validando y pilotando* el despliegue de las *mejores iniciativas disponibles* en el contexto internacional, entre las cuales destaca[56] el mencionado programa Respecting Choices® del condado de LaCrosse, Wisconsin, EEUU, iniciado por Bud Hammes, junto con Linda Briggs y que está produciendo una literatura con este enfoque sistemático multicomponente e integral.[57,58,59,60] Con ello se debe rescatar el propósito original o la intuición más radical y profunda de la PAAS.[61] Así, se ha ido extendiendo a otros programas locales o estatales[62] y a otros países anglosajones (Canadá[63], Australia[64]), e incluso no anglosajones (Alemania[65] o España), convirtiéndose en el programa internacional de referencia.[66]

---

[56] Jennings et al., 2005. *Op. cit.* nota 7.

[57] Briggs, 2003. *Op. cit.* nota 30; Hammes y Rooney, 1998. *Op. cit.* nota 32; Hammes, 2003. *Op. cit.* nota 33; Schwartz et al., 2004. *Op. cit.* nota 39; Hammes, 2001. *Op. cit.* nota 40; Briggs et al., 2004. *Op. cit.* nota 46; Song et al., 2005, *Op. cit.* nota 47; Schwartz et al., 2003. *Op. cit.* nota 50.

[58] Schwartz, C. E.; Wheeler, H. B.; Hammes, B. et al. (UMass End-of-Life Working Group) (2002): «Early intervention in planning end-of-life care with ambulatory geriatric patients: results of a pilot trial», *Arch Intern Med, 162(14):* 1611-8.

[59] Hammes, B. J.; Rooney, B. L. y Gundrum, J. D. (2010): «A comparative, retrospective, observational study of the prevalence, availability, and specificity of advance care plans in a county that implemented an advance care planning microsystem», *J Am Geriatr Soc, 58(7):* 1249-55.

[60] Kirchhoff, K. T.; Hammes, B. J.; Kehl, K. A. et al. (2010): «Effect of a disease-specific planning intervention on surrogate understanding of patient goals for future medical treatment», *J Am Geriatr Soc, 58(7):* 1233-40. [PMID: 20649686].

[61] Hickman, S. E.; Hammes, B. J.; Moss, A. et al. (2005): «Hope for the future: achieving the original intent of advance directives», *Hastings Cent Rep, n.ᵃ esp.:* S26-30. [PMID: 16468252].

[62] Schwartz, 2004. *Op. cit.* nota 39; Schwartz et al., 2002. *Op. cit.* nota 58.

[63] Programas de Fraser Health (www.fraserhealth.ca) o de Calgary.

[64] Detering, K. M.; Hancock, A. D.; Reade, M. C. et al. (2010): «The impact of advance care planning on end of life care in elderly patients: randomised controlled trial», *BMJ, 340:* c1345. [DOI: 10.1136/bmj.c1345. PMID: 20332506].

[65] Schmitten, J.; Rothärmel, S.; Mellert, C. et al. (2011): «A complex regional intervention to implement advance care planning in one town's nursing homes: Protocol of a controlled inter-regional study», *BMC Health Serv Res, 11:* 14. [PMID: 21261952].

[66] http://respectingchoices.org/news_upcoming_events/in_the_news/respecting_choices_global_reach

En este contexto, en cuanto a España, en 2004 —consciente del inmovilismo de las iniciativas que se habían producido siete años después de haber hablado de la necesidad de tomar ejemplo de la experiencia estadounidense y de haber seguido el fenómeno post-SUPPORT—[67] estuve en LaCrosse y me capacité como *Facilitator* e *Instructor* con los estándares de Respecting Choices®, y con los trabajos de la Red RIMARED y mi traslado de Madrid a Murcia puse en marcha el citado *programa estratégico KAYRÓS*. Así, en Murcia ya hemos abordado la *adaptación del proceso de facilitación y entrenamiento de facilitadore*s utilizado en Respecting Choices® aplicado a enfermedades crónicas respiratorias y cardiacas (proyecto Pre-KAYRÓS). Tras una nueva estancia en el Gundersen Lutheran en LaCrosse en 2007 realizamos un despliegue ligado a las principales trayectorias de enfermedad (siguiendo las mismas, por ejemplo, Onco-KAYRÓS; Cronic-KAYRÓS; Neuro-KAYRÓS), y empezamos a generar un enfoque de sistemas piloto en el municipio de Alguazas (KAYRÓS-Comunitario). En dichas trayectorias, empezando con el proyecto Neuro-KAYRÓS, el despliegue del programa se centra en *dos piezas críticas* en el proceso de *adaptación y validación* con vistas a preparar una intervención experimental en el futuro, aplicadas a un entorno de *pacientes que específicamente van a afrontar una situación de pérdida previsible de capacidad cognitiva:*

1) la *adaptación cultural;*

2) la *validación de los instrumentos de evaluación* de indicadores adecuados para el efecto a corto plazo de la intervención de facilitación utilizados en el medio anglosajón (cuestionarios y escalas);

3) el *pilotaje de la intervención de facilitación,* midiendo su *efecto a corto plazo* con los instrumentos adaptados en la segunda fase de este proyecto, triangulada con otra exploración cualitativa con los sujetos sometidos a la intervención.

El horizonte debemos tenerlo claro: hay que *promover los mejores enfoques de procesos de PAAS,*[68] *con enfoques multicomponentes,* como Respecting Choices®,[69] a la vez que se resituar la importancia de los (meros) documentos o los (meros) registros o, en todo caso, buscar mejorarlos desde los mencionados

---

[67] Júdez, 1997. *Op. cit.* nota 5.

[68] Perkins, 2007. *Op. cit.* nota 13.

[69] Briggs, 2003. *Op. cit.* nota 30; Hammes, 2003. *Op. cit.* nota 33.

procesos de manera integral[70] y como recurso rutinario[71] al servicio de la mejora de la calidad asistencial y de vida.[72,73]

Con todo, con las reglas de la «evidencia» cuantitativa, las pruebas acumuladas (masa crítica) en torno a la PAAS no son muy «duras».[74] Y aquí llegamos a la etapa más reciente y a la necesidad de dar un giro adicional en un enfoque adecuado de la PAAS para el reto de enfermar y afrontar el proceso de morir en nuestras sociedades occidentales envejecidas del siglo XXI. Porque los estudios que seguimos publicando[75,76] no pueden pertenecer exclusivamente, a la altura de 2011, todavía a las fases 1 y 2 estadounidenses de hace 20 años y quedarse solo en trabajos descriptivos para ver cómo va el «derecho» a rellenar un documento que refleje nuestras voluntades.[77]

---

[70] Perkins, 2007. *Op. cit.* nota 13; Schwartz, 2004. *Op. cit.* nota 39; Hammes, 2001. *Op. cit.* nota 40.

[71] Morrison, R. S. y Meier, D. E. (2004): «High rates of advance care planning in New York City's elderly population», *Arch Intern Med, 164(22):* 2421-6.

[72] Lynn et al., 2001. *Op. cit.* nota 35.

[73] Lorenz, K. A.; Lynn, J.; Dy, S. et al. (2006): «Quality measures for symptoms and advance care planning in cancer: a systematic review», *J Clin Oncol, 24(30):* 4933-8.

[74] Qaseem, A.; Snow, V.; Shekelle, P. et al. (2008): «Evidence-based interventions to improve the palliative care of pain, dyspnea, and depression at the end of life», *Ann Intern, 148:* 141-6.

[75] Barrio-Cantalejo et al., 2009. *Op. cit.* nota 18; Simón-Lorda et al., 2008. *Op. cit.* nota 19; Champer Blasco et al., 2010. *Op. cit.* nota 20; Navarro Bravo et al., 2011. *Op. cit.* nota 21.

[76] Nebot, C.; Ortega, B.; Mira, J. J. et al. (2010): «Morir con dignidad: estudio sobre voluntades anticipadas». *Gac Sanit, 24(6):* 437-45. [PMID: 21051116].

[77] Con contadas excepciones (como el trabajo desde la bioética de Simón, o desde la filosofía moral de Siurana, por ejemplo) los libros publicados en español estos últimos años se enmarcan en el campo del bioderecho, kilométricamente alejados de la realidad de enfermar y centrados en el testamento vital o las instrucciones previas como documento y como ejercicio de un derecho. La realidad que está más cercana a aplicar con rutina asistencial planteamientos semejantes a los aquí defendidos es la de los equipos de paliativos y, sobre todo, la escuela de psicólogos clínicos discípulos de Ramón Bayés, sobre todo con Javier Barbero, Pilar Arranz, Pilar Barreto, etc. El colectivo de primaria, especialmente con semFYC, tantas veces pionero en proyectos, en este tema sigue un poco despistado, en mi opinión, desaprovechando el soporte que le pueden dar grupos como el de Comunicación y Salud o el de Bioética, que han seguido enfoques más bien de fase 1 y 2. En el siguiente apartado se verán ejemplos internacionales donde sí se están *poniendo las pilas* (por ejemplo, programas EPEC, Onco-Talk o Gold Standard Framework). Los intensivistas y el grupo de Bioética de la SEMICYUC han sido muy activos en áreas totalmente relacionadas con la PAAS, como el manejo de tratamientos de soporte vital (con trabajos diversos), pero no han podido promover programas integrales, como sí lo hiciera

4. El enfoque del siglo XXI de la PAAS como «tiene que ser»

4.1. Objetivos como «tienen que ser»

Un enfoque como «tiene que ser» de la PAAS debe revisar muy claramente sus objetivos. Estos «tienen que» ser *multidimensionales,* cubriendo *a paciente,* a *cuidador/familia* y a *profesionales.*[78] Porque así es como vivimos nuestras enfermedades los seres humanos, y el sistema sanitario no debería estar alejado de esa realidad psicológica, antropológica, sociológica y personal, especialmente cuando la vida está en jaque. Tenemos que profundizar en objetivos centrados en el paciente,[79] orientados socialmente, priorizando lo que funciona,[80] y aplicados en un sistema sanitario reformado hacia la atención sanitaria basada en las necesidades de distintos segmentos de población o trayectorias de enfermedad.[81,82]

La identificación y negociación de dichos objetivos como parte del proceso asistencial, ya sea como elemento de calidad de la atención sanitaria o como elemento de empoderamiento y «auto-manejo» de las enfermedades crónicas (por ejemplo, pacientes expertos), son prerrequisitos de una comunicación efectiva en esta etapa. El ejemplo del proyecto Onco-Talk[83] liderado por Anthony Back,[84] junto con conocidos clínicos expertos en comunicación asistencial y bioética como Robert Arnold, James Tulsky, Walter Baile o Kelly Fryer-Ed-

William Silvester en Australia (programa Respecting Patient Choices®). En el momento de salir a la luz este trabajo veremos cómo de orientado está el trabajo, ahora en curso al redactar estas líneas, de la Fundación de Ciencias de la Salud y la Organización Médica Colegial sobre este tema y con qué mimbres se ha hecho (colección de Guías de Ética en la Práctica Médica).

[78] Kolarik, R. C.; Arnold, R. M.; Fischer, G. S. et al. (2002): « Objectives for advance care planning», *J Palliat Med, 5(5):* 697-704. [PMID: 12572968].

[79] Singer et al., 1998. *Op. cit.* nota 29.

[80] Jennings et al., 2005. *Op. cit.* nota 7.

[81] Lynn et al., 2001. *Op. cit.* nota 35; Lynn, 2004. *Op. cit.* nota 37.

[82] Lynn, J.; Straube, B. M.; Bell, K. M. et al. (2007): «Using population segmentation to provide better health care for all: the "Bridges to Health" model», *Milbank Q, 85(2):*185-208. [PMID: 17517112].

[83] http://www.oncotalk.info/

[84] Back, A. L.; Arnold, R. M.; Baile, W. F. et al. (2007): «Efficacy of communication skills training for giving bad news and discussing transitions to palliative care», *Arch Intern Med, 167(5):* 453-60. [PMID: 17353492]; Back, A.; Arnold, R. y Tulsky. J. (2009): *Mastering communication with seriously ill patients. Balancing honesty with empathy and hope,* Cambridge University Press.

wards, es de ejemplo obligado. Estos son los principios básicos que proponen para el dominio de una comunicación con pacientes gravemente enfermos que equilibre honestidad con empatía y esperanza:

1. Comenzar con la agenda del paciente (dónde está como punto de partida).
2. Monitorizar tanto las emociones como los elementos cognitivos que aporte el paciente.
3. Permanecer con el paciente y avanzar en la conversación paso a paso.
4. Articular explícitamente la empatía (creando un ambiente seguro en el que hablar).
5. Hablar de lo que sí podemos hacer antes de hablar de lo que no podemos hacer (mostrar que trabajamos para el paciente).
6. Empezar con objetivos globales antes de hablar de intervenciones médicas específicas (alinear objetivos antes de entrar en los detalles).
7. Dedique al menos unos momentos a ofrecer al paciente su atención completa y no dividida (escuchar sin escribir o mirar el ordenador cuando se está hablando de temas importantes).

Desde estos principios básicos puede recorrerse una hoja de ruta que incluirá:

- Optimizar las habilidades de comunicación propias siguiendo los principios básicos presentados.
- Empezar bien las conversaciones.
- Hablar sobre noticias importantes respondiendo a las emociones que generan.
- Deliberar sobre la evidencia disponible para tomar decisiones de tratamiento.
- Discutir las perspectivas pronósticas desde el deseo de información elegido por cada paciente (explícito, no explícito o ambivalente).
- Cuidar los tiempos entre hitos asistenciales.
- Desarrollar conferencias familiares.
- Afrontar conflictos cuando haya desacuerdos.
- Cuidar las transiciones hacia el final de la vida.
- Hablar del proceso de morir, tanto de preferencias de tratamiento como, eventualmente, de despedirse.

4.2. Modelos como «tienen que ser»

Tras desplegar el papel facilitador (prerrequisito) que tiene una adecuada comunicación, es preciso incidir en un modelo adecuado y coherente que enfatice una *perspectiva integral* que incluya elementos para considerar la *matriz cultural* en la que se realiza la asistencia sanitaria con los valores, los objetivos, la importancia de las relaciones y la consideración que tienen la salud, la enfermedad y el proceso de morir. Además, un modelo que pretenda tener relevancia y éxito sostenido en el tiempo «tiene que» incluir:

- La implicación de la comunidad (sociedad).
- La formación de los profesionales sanitarios.
- Un sistema que facilite el proceso de planificación y honre los valores y planes en él recogidos.
- Mecanismos de mejora continua de la calidad.

Además del sistema de Respecting Choices® y sus derivados, estándar de referencia reiteradamente invocado, es importante atender a lo que pueden ofrecer *modelos de explicación de los comportamientos de salud* como el modelo transteorético de Prochascka y DiClemente,[85] explorado y desarrollado para la PAAS (además de por Hammes y Briggs en LaCrosse) tanto por el grupo de Finnell,[86] como por los trabajos de Fried[87,88] y Sudore.[89] Destaca de esta aproximación la identificación de la planificación como un comportamiento «saludable» sometido al proceso psicológico de otros comportamientos de largo plazo (preventivos, como hacer ejercicio, adelgazar; o de evitación de algo negativo, como fumar, beber en exceso, consumir drogas, etc.). ¿Por qué los estudios descriptivos muestran que, más allá del posible desconocimiento de una ley o unos documentos, la gente en general ve positivamente la idea de los «testamentos vitales» y mejor la de la «planificación anticipada» y, sin embargo, no traduce esa aceptación en una materialización elaborando dicho

---

[85] http://www.uri.edu/research/cprc/transtheoretical.htm

[86] Finnell, D. S.; Wu, Y. W.; Jezewski, M. A. et al. (2011): «Applying the transtheoretical model to health care proxy completion», *Med Decis Making, 31(2):* 254-9. [PMID: 21266710].

[87] Fried, T. R.; Bullock, K.; Iannone, L. et al. (2009): «Understanding advance care planning as a process of health behavior change»; *J Am Geriatr Soc, 57(9):* 1547-55. [PMID: 19682120].

[88] Fried, T. R.; Redding, C. A.; Robbins, M. L. et al. (2010): «Stages of change for the component behaviors of advance care planning», *J Am Geriatr Soc, 58(12):* 2329-36. [DOI: 10.1111/j.1532-5415.2010.03184.x. PMID: 21143441].

[89] Schickedanz, A. D.; Schillinger, D; Landefeld, C. S. et al. (2009): «A clinical framework for improving the advance care planning process: start with patients' self-identified barriers», *J Am Geriatr, 57(1):* 31-9. [PMID: 19170789. PubMed Central PMCID: PMC2788611].

documento? Porque, en primer lugar, la herramienta documento, como venimos diciendo hasta la saciedad, no es relevante para lo que experimentan la mayoría de los enfermos y les resulta significativo. Pero también, porque *no basta «contemplar» una acción beneficiosa (o la evitación de una acción perjudicial) para actuar de acuerdo a ese previsible beneficio.* La acción es una etapa posterior, un estadio del cambio que exige elementos adicionales para desencadenarse y para mantenerse.

En este sentido, es importante no olvidar que, más allá de los objetivos de prepararse para un futuro de incompetencia en el que se respete la autonomía del paciente, tiene «sentido» y produce beneficios un proceso que a*compañe la vivencia de enfermedad como elemento de ruptura biográfica que demanda adaptación, y que se produce en un contexto social y personal de cuidados y relaciones.* Es en este contexto en el que hay que modular también el significado de la «conciencia de la posibilidad de morirse».[90] Y este sentido, implica incluso incluir entre los objetivos de la PAAS un cambio en lo que representa *lo que hay que «planificar»: ya no solo el futuro de posible incapacidad, sino el presente en el que tengo que tomar decisiones sobre mi enfermedad.*[91] Es decir, *aún no necesitando recurrir a dicho plan en un futuro de incapacidad,* el hecho de prepararlo en este marco comunicativo y sistemático ofrece *oportunidad* de *fortalecer las relaciones,* asimilar la experiencia de enfermedad y de cuidados, así como eventualmente *afrontar el final de la vida de una manera más humanizada y personalizada.*

En las «conversaciones que ayudan» a planificar para el futuro y a afrontar el presente, no hay que olvidar la *incertidumbre*[92] *sobre las preferencias de tratamiento desde situaciones hipotéticas,* con problemas para predecir, adaptar y extrapolar decisiones anticipadas para uno mismo, y en representación de otro. De ahí, que existan múltiples *barreras* que se pueden abordar desde la perspectiva de cada uno de los estadio de cambio[93] y del proceso en su conjunto, y que

---

[90] Sanders, C.; Rogers, A.; Gately, C. et al. (2008): «Planning for end of life care within lay-led chronic illness self-management training: the significance of "death awareness" and biographical context in participant accounts», *Soc Sci Med, 66(4):* 982-93. [PMID: 18158212].

[91] Sudore, R. L. y Fried, T. R. (2010): «Redefining the "planning" in advance care planning: preparing for end-of-life decision making», *Ann Intern Med, 153(4):* 256-61. [PMID: 20713793].

[92] Sudore, R. L.; Schillinger, D.; Knight, S. J. et al. (2010): « Uncertainty about advance care planning treatment preferences among diverse older adults», *J Health Commun, 15(S2):* 159-71. [PMID: 20845201].

[93] Schickedanz et al., 2009. *Op. cit.* nota 92.

existan cambios[94,95,96,97] e inconsistencias a lo largo del tiempo[64] en las propias preferencias de tratamiento que están asociados a las procesos o trayectorias de enfermedad. Esto exige actuaciones de planificación que no son puntuales, como eventos, sino que son procesuales.

4.3. Procesos como «tienen que ser»

Si la enfermedad, especialmente aquella grave o que, siendo crónica, avanza comprometiendo la funcionalidad, el rol social y la auto-imagen, provoca una «disrupción biográfica» a la que hay que adaptarse.[98] Si esta experiencia o adaptación a la enfermedad va evolucionando en el tiempo (balance de pros y contras, confianza o auto-eficacia).[99] Si hay incertidumbre y puede haber cambios e inconsistencias en la identificación de las propias preferencias.[100] Si todo esto genera necesidades y expectativas de asistencia que tienen diferencias en patrones de trayectorias de enfermedad.[101,102] Si el ser humano construye experiencias de sentido basado en narrativas experimentadas o atestiguadas,[103,104]

[94] Fried, T. R.; Van Ness, P. H.; Byers, A. L. et al. (2007): «Changes in preferences for life-sustaining treatment among older persons with advanced illness», *J Gen Intern Med, 22(4):* 495-501. [PMID: 17372799].

[95] Fried, T. R.; Byers, A. L.; Gallo, W. T. et al. (2006): «Prospective study of health status preferences and changes in preferences over time in older adults», *Arch Intern Med, 166(8):* 890-5. [PMID: 16636215].

[96] Fried, T. R.; O'Leary, J.; Van Ness, P. et al. (2007): «Inconsistency over time in the preferences of older persons with advanced illness for life-sustaining treatment», *J Am Geriatr Soc, 55(7):* 1007-14. [PMID: 17608872].

[97] Cosgriff, J. A.; Pisani, M.; Bradley, E. H. et al. (2007): «The association between treatment preferences and trajectories of care at the end-of-life», *J Gen Intern Med, 22(11):* 1566-71. [PMID: 17874168].

[98] Sanders et al., 2008. *Op. cit.* nota 90.

[99] Finnell et al., 2011. *Op. cit.* nota 86.

[100] Fried et al., 2007. *Op. cit.* nota 94; Fried et al., 2006. *Op. cit.* nota 95.

[101] Lynn et al., 2007. *Op. cit.* nota 82.

[102] Solomon, R.; Kirwin, P.; Van Ness, P. H. et al. (2010): «Trajectories of quality of life in older persons with advanced illness», *J Am Geriatr Soc, 58(5):* 837-43. [PMID: 20406309].

[103] Sanders et al., 2008. *Op. cit.* nota 90.

[104] Fried, T. R. y O'Leary, J. R. et al. (2008): «Using the experiences of bereaved caregivers to inform patient- and caregiver-centered advance care planning», *J Gen Intern Med, 23(10):* 1602-7. [PMID: 18665427].

¿cómo esperar que una intervención puntual informativa tenga ningún efecto relevante, más allá de estímulo y efecto (amortiguado por la etapa de cambio en la que acoja uno la información)? No tiene sentido. Por el contrario, es de sentido común y «evidente»[105,106,107] que funcionan mejor estrategias de proceso, multidimensionales, prolongadas en el tiempo con diferentes instrumentos, y mejor si están articulados en un sistema integral.[108]

«Tenemos que» desplegar pues procesos que faciliten la planificación anticipada, que en la experiencia de referencia de Respecting Choices® se construyen sobre cinco pilares básicos o promesas:[109]

1. Tener conversaciones.
2. Que estas lleven a deliberar y planificar.
3. Que los planes puedan recogerse y documentarse adecuadamente.
4. Que los planes puedan monitorizarse y adaptarse a lo largo del tiempo, estando disponibles en las distintas circunstancias, hitos o transiciones asistenciales.
5. Que los planes se ejecuten de acuerdo a los valores de sus protagonistas.

Si no se despliegan procesos integrales y coherentes se producirán hiatos, «errores» y limitaciones como los que trufan la literatura de los últimos años. Aviso para navegantes, una vez más: hay un hiato entre la invocación de un derecho a ejercer por el paciente (en medio de la zozobra que experimenta), y el *acompañamiento en la atención a personas y cuidadores (seleccionando un representante para la atención sanitaria)* cuando experimentan una *enfermedad avanzada abriendo espacios de comunicación* en los que *deliberar* sobre el impacto de la *enfermedad* y los *valores, necesidades* y *expectativas* que esta genera, así como sobre la asistencia sanitaria que se estima frente a la previsible trayectoria de enfermedad. Una vez hecho esto, el sistema sanitario debe ser capaz de estructurar una *planificación* (por supuesto, *documentada*) que se

---

[105] Tamayo-Velázquez et al., 2010. *Op. cit.* nota 16.

[106] Ramsaroop, S. D.; Reid, M. C. y Adelman, R. D. (2007): «Completing an advance directive in the primary care setting: what do we need for success?», *J Am Geriatr Soc, 55(2):* 277-83. [PMID: 17302667].

[107] Bravo, G.; Dubois, M. F. y Wagneur, B. (2008): «Assessing the effectiveness of interventions to promote advance directives among older adults: a systematic review and multilevel analysis», *Soc Sci Med, 67(7):* 1122-32. [PMID: 18644667].

[108] Hammes et al., 2010. *Op. cit.* nota 59.

[109] Hammes, 2003. *Op. cit.* nota 33.

evalúe, esté *disponible* y resulte *útil,* caso de ser necesaria, hacia el final de la vida.

4.4. Indicadores, instrumentos y resultados como «tienen que ser»

Si los objetivos «tienen que» estar bien orientados. Si los modelos «tienen que» reflejar la realidad de enfermar, la vivencia, la adaptación, las relaciones, el entorno de toma de decisiones (ser integrales) para ser eficaces y significativos. Si «tienen que» desplegarse en procesos que acompañen las trayectorias de enfermedad de manera personalizada. Igualmente, tenemos que *fijar indicadores, utilizar herramientas y evaluar resultados* que se compadezcan con dichos *procesos, modelos y objetivos.* Y aquí hay un enorme reto no del todo bien resuelto. Necesitamos combinar buenas metodologías de investigación que complementen el «paradigma» cuantitativo y el cualitativo. Cuando uno conoce la realidad de los programas implementados en instituciones sanitarias como el sistema de salud de LaCrosse en Wisconsin, o los del estado de Victoria en Australia y ve la literatura académica que los refleja, esta resulta pobre, un pálido reflejo de lo que está sucediendo en la realidad. Curiosamente, con la popularidad de la experiencia de Wisconsin y su aparición creciente en los medios de comunicación, especialmente a partir del debate del verano de 2010 sobre la reforma sanitaria en EEUU, se pueden ver «narrativa» y periodísticamente otros resultados.

Precisamos identificar coherentemente (y monitorizar) indicadores de proceso y de calidad (o mejora continua) y no solo de resultado. Significados (cualitativa, narrativa), y no solo porcentajes. Aprovechar lo que funciona, pero también detectar y corregir lo que no. Para ello es necesario combinar investigación con implementación en un sistema de salud.

4.5. Sistemas como «tienen que ser»

Un programa de PAAS como «tiene que ser» debe ser parte de un sistema sanitario orientado al paciente y a su entorno de relaciones y cuidados. Es necesario *promover la implantación* y extensión de este tipo de programas en los servicios de salud. Y viceversa, cualquier estándar de referencia en la atención a crónicos y al final de la vida que se precie de excelente incorporará un buen enfoque y unas buenas herramientas de PAAS. Y no hace falta que sean de EEUU, ya se sabe con tantas diferencias culturales y de sistema sanitario. Nos vale la experiencia de Gran Bretaña con iniciativas como la de Gold Standard Framework, liderada por la profesora Keri Thomas, que a la sazón auspicia el 2.º Congreso de la International Society of Advance Care Planning and End of Life care (Londres, junio de 2011),[110] tras el primero celebrado en Melbourne en abril de 2010 por el profesor William Silvester. Tener un marco para compartir experiencias que funcionan y asociarse es un paso de madurez definitivo. Y aquí, desde España, no nos basta participar como expertos académicos. ¡Necesitamos un sistema sanitario que implemente lo que ayuda y funciona! He aquí un reto crítico para la bioética del siglo XXI. Ser motor de transformación, como se apuntaba en el IX Congreso de la Asociación de Bioética Fundamental y Clínica y en el llamado «desafío de Murcia».[111] No basta con acciones individuales, ni con la formación de profesionales individualmente. Es necesario, pero no suficiente. No basta con que cada uno de los interesados en la bioética estemos en nuestras atalayas aisladas. Necesitamos cooperación. Necesitamos incidir en el sistema sanitario. En los niveles «meso». Necesitamos generar experiencias (o contribuir a generarlas con otros desde otros campos y otras motivaciones) de innovación. Necesitamos un sistema que se preocupe, que se haga cargo de la realidad, cargue con ella y se encargue de ella. Tiene que ser así para que respondamos al sentido de la asistencia sanitaria y de la bioética que persigue mejorarla, humanizarla, mantenerla a la altura y exigencia que la realidad y necesidad humana precisa.

¿Tenemos un buen sistema? Una autoevaluación somera como la que ofrece la herramienta de mejora de la calidad de Respecting Choices® no deja lugar a dudas. No. Veinte años después adolecemos de no haber desplegado una auténtica estrategia de servicios de salud de calidad en el que la PAAS sea un elemento que sume decisivamente para una mejor atención al final de la vida. Tenemos acciones fragmentarias, teóricas y, a menudo desencaminadas. Seguimos entretenidos en las descripciones, en la «fantasía» de que invocar un derecho materializará una realidad experiencial, y con la energía dedicada a debates sobre leyes que, de por sí, no cambian la realidad. La realidad, que por otro lado todos «padecemos» y experimentamos cuando enfermamos, se construye con acciones rutinarias extendidas y realizadas por los múltiples componentes de un sistema que presta servicios identificados o demostrados como valiosos, que tiene profesionales capacitados para ello y que evalúa sus resultados. ¿Hemos renunciado al sentido de la asistencia clínica o de la medicina? ¿Hemos olvidado lo que «tiene que ser»?

4.6. El final, como «tiene que ser»

Al final, los procesos que son respetuosos con las experiencias, con los valores, con la comunicación, con la mejora, con el no-abandono, con los compromisos

[110] http://www.acpelsociety.com

[111] http://abfyc.ffis.es

institucionales de participación, ofrecen resultados complementarios de sentido común, pero que no se conseguirían si se persiguiesen como resultados primarios. Como en ajedrez, el orden de las jugadas sí que importa. Si se persigue ahorro o «respeto a la autonomía» primariamente, sin cercanía, sin respeto a la personalización de la vivencia y el proceso de cada uno, se quiebra la confianza con riesgo de visiones «economicistas» o «juridicistas» alejadas de la realidad vivida y de la necesidad (lo que tiene que ser). Si se persigue y entrega humanización, escucha, participación, seguimiento a lo largo de un proceso, no abandono, coherencia institucional (continuidad asistencial), trabajo en equipo, a la postre, se consigue «adecuación», adherencia y mayor eficiencia en el uso de los recursos. Así «tiene que ser» si queremos estar a la altura de lo que es la humanidad y el proceso de morir en el siglo XXI. Así debe ser. Así es ya en algunos sitios en el mundo que comparten su experiencia desde hace décadas. ¿A qué esperamos?

Esta búsqueda de ideas regulativas y de horizontes es lo más valioso que he aprendido de Diego Gracia en estos 20 años. Incluso más allá de los proyectos impulsados por él. El impulso que él y otros pioneros y maestros como él generan es responsabilidad de cada uno de nosotros que nos lleve más lejos. Utilizar los talentos que tenemos en las empresas a las que ellos nos concitan y no enterrarlos, generando nuevas, afrontando nuevos retos, arriesgando desde la convicción y la responsabilidad. Cada uno tenemos que revisar nuestra hoja de ruta, nuestros proyectos para los próximos años. ¿Qué espacio hay para la innovación, cuál para la transformación?

Concluyo como empecé, con las señas de identidad que comenté que creo que me caracterizan: visión crítica y perspectiva. Después de este duro recorrido, para algunos quizá derrotista o pesimista (nada más lejos de mi auténtica intención), miremos al horizonte. Horizonte y *benchmarking* decía al principio. Si miro alrededor querría para la bioética que desarrollamos en nuestro país en general y aplicada al final de la vida y a la PAAS en particular, lo que está experimentando el movimiento de mejora de la calidad. «¿Y qué? ¿Ahora qué?», se preguntan los anfitriones de una reunión multidisciplinar celebrada en Cliveden, Inglaterra y que ha dado lugar a un monográfico impresionante.[70] Esta es la síntesis que realizan, en la literalidad de sus palabras (cursivas mías):

The human reality of healthcare is easy to lose in the proliferating jungle of inanimate technical wonders that are looked to increasingly as the way we will «really» get better healthcare. But the wisdom captured in the discussions at Cliveden suggests that we will continue to be deeply disappointed if we expect biological wizardry and technical fixes, for all their power and value, to do the job by themselves

More importantly, this wisdom asserts that *because healthcare is, at its core, a giving and receiving by sentient human beings, as individuals and in social groups, the real power for improvement will therefore lie in mastering the complex realities that drive, and that inhibit, human performance, professional behavior and social change.* For example: the expression of individual and group self-interest; the ways that people assert power and control; the strength of group identity and communities of practice; the mysteries of context and its influence; the moral assumptions that underlie methods of evaluation; the importance of belief, as well as understanding, in knowledge; the strengths and limitations of «group-think», also known as, democracy, the enormous and mostly untapped power of cooperative, crossdisciplinary learning and action are all illustrative. In short, we need to modulate our magical thinking about the value of tools and techniques by seriously entering into the «alternate universe» of Aristotelian phronesis becoming capable of action with regard to the things that are good for humankind.[112]

Dicho en una frase sintética que ahora sí traduzco: «incluso en su momento más técnico y científico, la provisión de asistencia sanitaria es siempre, siempre, un acto social». Y si esto es así, que lo es, cuánto no tenemos todavía por hacer e integrar para seguir contribuyendo a la mejora de la asistencia sanitaria. Yo creo que la bioética, como actividad ejercida por personas concretas, como conocimiento colectivo generado por las mismas, y como iniciativa institucional estructurada, no debe lastrar esta dinámica, sino encabezar prudente y diligentemente esta empresa humana. Por eso, quizá necesitamos reinventarnos, reformular nuestras actividades y recrear nuestras instituciones desde este «tener que ser». Sino, quizá lo que sobre, por estéril, sea la bioética al uso, como está pasando con la PAAS por estos pagos. De un discurso o una idea se puede prescindir. De buscar proyectarnos desde nuestro contexto, nuestras necesidades y nuestras amenazas, a un futuro mejor y más humano, no. Como tampoco de proyectarnos también socialmente y no solo individualmente, estructuralmente y no solo mediante acciones individuales. *Qui potest capere, capiat.* Y añado: y el que tenga voluntad de verdad y voluntad de comprensión que las aplique a la mejora de lo que le rodea porque así es como tiene que ser.

---

[112] Batalden, P.; Davidoff, F.; Marshall, M. et al. (2011): «So what? Now what? Exploring, understanding and using the epistemologies that inform the improvement of healthcare», *BMJ Qual Saf, 20(S1):* i99-105. [PMID: 21450784; PMCID: PMC3066791]

14

La bioética en el contexto
de las humanidades médicas

José LÁZARO

1. INTRODUCCIÓN[1]

Podría dar la impresión, a primera vista, de que en la relación entre bioética y humanidades médicas la parte es mayor que el todo. Es evidente que la bioética cuenta en la actualidad con un desarrollo, nacional e internacional, muy superior al de las humanidades médicas. Y, sin embargo, desde una perspectiva conceptual suele verse a la bioética como uno de los componentes de las humanidades médicas, sin duda el mayor de todos, con enorme diferencia, pero encuadrado en el marco general de aquellas.

La tesis que se pretende plantear aquí es que las humanidades médicas deben ser entendidas como un análisis de diversos valores que aparecen articulados con los hechos en la práctica clínica, mientras que la bioética, en sentido estricto, se centra en el análisis específico de un tipo de valores de gran importancia: los morales. El planteamiento teórico global que parece más sólido

[1] Este trabajo forma parte del proyecto de investigación FFI-2008-03599: «Filosofía de las tecnociencias sociales y humanas».

y mejor orientado para explorar esta hipótesis es el que ha elaborado Diego Gracia[2,3,4] al distinguir el estudio de los hechos en cuanto hechos (biomedicina), de los valores en cuanto hechos (ciencias sociosanitarias) y de los valores en cuanto valores (humanidades).

2. ESTADO DE LA CUESTIÓN

Cuando se fundó la American Society for Bioethics and Humanities, su primera presidenta, Loretta M. Kopelman, publicó un artículo titulado «Bioethics and humanities: what makes us one field?».[5] Aquella nueva asociación quería integrar tres preexistentes, cuyos nombres son bien significativos: American Association of Bioethics, Society for Bioethics Consultation y Society for Health and Human Values. Kopelman afirmó entonces que tres sociedades distintas desorganizaban el campo común en lugar de fomentarlo. Pero inmediatamente se preguntó si tenía sentido la afirmación de que la bioética y las humanidades médicas eran un mismo campo, teniendo en cuenta que en él se movían médicos, abogados, enfermeras, literatos, historiadores, filósofos, religiosos...[6] Pensaba que la mayoría de ellos querían conservar su identidad profesional de origen, pero a la vez participar en el nuevo ámbito que se estaba institucionalizando y que ni siquiera tenía aún un nombre bien definido, sino cinco: *bioethics, medical humanities, medical ethics, health care ethics* y *health care humanities*. Ella propuso unificarlo como *bioethics and humanities*, para recoger tanto el marco general de las humanidades como el papel especialmente destacado de la bioética.

El artículo de Kopelman analizaba las seis características comunes que darían unidad y especificidad a este campo: 1) el trabajo sistemático sobre aspectos médicos de la condición humana (muerte, discapacidad, confidencialidad,

---

[2] Gracia, D. (2006): «Contribución de las Humanidades Médicas a la formación del médico», HUMANITAS Humanidades Médicas, Tema de mes *on-line*, marzo. [Accesible en http://www.fundacionmhm.org].

[3] Gracia, D. (2011a): *La cuestión del valor,* Madrid, Real Academia de Ciencias Morales y Políticas.

[4] Gracia, D. (2011b): «Viejas y nuevas humanidades médicas», en: Gracia, D. (ed.): *Medicina y Humanidades,* Madrid, Monografías de la Real Academia Nacional del Medicina. [En prensa].

[5] Kopelman, L. M. (1998): «Bioethics and humanities: what makes us one field?», *J Med Philos, 23:* 356-68.

[6] Ibídem, pp. 356-7

aborto, personalidad…); 2) los planteamientos teóricos interdisciplinares; 3) el recurso a la razón práctica para analizar y resolver casos concretos; 4) la enseñanza de métodos orientados a la solución de problemas; 5) el énfasis en la dimensión moral de las cuestiones que se plantean, y 6) el trabajo en colaboración entre miembros de diferentes profesiones y especialidades.

Un par de años más tarde, Greaves y Evans[7] distinguieron dos generaciones de respuestas (en Inglaterra) frente a las deficiencias de la medicina científico-técnica; la primera habría dado lugar (en los años 60 y 70 del siglo XX) al auge de la sociología médica, la historia social de la medicina y la bioética; la segunda, que se manifestó claramente en torno al año 2000, explicaría el fuerte impulso que las humanidades británicas están teniendo en el siglo XXI.

Henrik R. Wulff, y Peter Gøtzsche[8] sostuvieron la tesis de que el componente científico de la medicina (en parte teórico y en parte empírico, pero siempre controlado por el método experimental objetivo) requiere la obtención sistemática e interpretación rigurosa de datos bien definidos; su necesario complemento lo aportan las ciencias humanas. Esta aportación, a su vez, la dividen en dos tipos: lo que llaman el *componente empático-hermenéutico* (que es al que nos referiremos nosotros con el término «humanidades médicas») y el *componente moral* (que corresponde a la bioética). Sobre el primero afirmaron que «la enfermedad, según la aproximación humanística, es el modo en que el paciente individual experimenta e interpreta los diferentes síntomas en el contexto de su propia vida».[9] Una adecuada comprensión de esa experiencia por parte del médico requiere, por tanto, cierto conocimiento del contexto propio del paciente para poder entender su perspectiva y adoptar una actitud empática hacia él. Sobre el componente ético del razonamiento clínico dijeron que su función es dar el paso desde lo que se puede hacer hasta lo que se debe hacer: «Todas las decisiones clínicas requieren de los juicios de valor y el componente ético nunca debe ser pasado por alto».[10]

Fue en el año 2000 cuando en Gran Bretaña empezaron a institucionalizarse las humanidades médicas, con la creación de una revista, una asociación, congresos periódicos… Tres años más tarde, S. Pattison, profesor del Departamento de Estudios Religiosos y Teológicos de la Universidad de Cardiff, con amplia experiencia como capellán y gestor en el National Health Service, publicó un

---

[7] Greaves, D. y Evans, M. (2000): «Medical Humanities» [Editorial], *J Med Ethics, 26:* 1-2.

[8] Wulff, H. R. y Gøtzsche, P. (2002): «La medicina y las humanidades», en: *Diagnóstico y tratamiento racional,* Madrid, Jarpyo, pp. 151-180. [Ed. original: *Rational Diagnosis and Treatment. Evidence-Based Clinical Decision-Making,* Oxford, Blackwell Science, 2000].

[9] Ibídem, p. 153.

[10] Ibídem, p. 156.

apasionado alegato contra la posibilidad de que las humanidades médicas se profesionalizasen. Su tesis era que no se debería repetir el proceso que había seguido la ética médica en los 30 años anteriores, para evitar que los horizontes se estrechasen, las actividades se esclerosasen y los cultivadores del campo se profesionalizasen condicionados por intereses gremiales, como les había ocurrido a los bioeticistas. Pattison proponía un movimiento flexible y poroso de personas y grupos diversos, con diferente formación, perspectivas, intereses y actividades profesionales, dialogando entre sí sobre todos los aspectos personales y culturales de la medicina y de la práctica clínica, comprometidos con los valores intrínsecos propios del arte y de las humanidades, no con valores instrumentales. Las humanidades médicas no deberían asumir como propias y exclusivas determinadas labores sanitarias, sino enriquecer la dimensión personal y cultural de prácticas clínicas ya existentes. Para ello tendrían que construir puentes entre historiadores, eticistas, filósofos, artistas y médicos, contrastar perspectivas distintas, articular mecanismos de colaboración interdisciplinar, pero en ningún caso deberían constituirse como una nueva especialidad profesional, con su lenguaje y sus saberes propios, sus mecanismos de formación de nuevos miembros, sus expertos homologados, sus límites bien definidos y sus instituciones específicas. Esa profesionalidad podría ser muy útil para obtener financiación y crear puestos de trabajo, como se había visto en el caso de la bioética, pero a costa de perder su sentido más profundo y más noble, la apertura desinteresada a los aspectos más complejos de la existencia humana, que no pueden ser cuantificados, objetivados ni profesionalizados sin que se pierda su esencia.[11]

Es muy curioso el hecho de que en el año 2003 un teólogo británico advirtiese contra el riesgo de corromperse que corrían las humanidades médicas (si se profesionalizaban como la bioética) y el que cuatro años después un jesuita norteamericano lamentase el hecho de que las humanidades médicas estaban ya corrompiéndose por el efecto de absorción que estaba realizando sobre ellas la bioética. Efectivamente, William E. Stempsey[12] sostiene que las humanidades médicas están en plena expansión, pero sometidas a tensiones de resultado incierto. Defiende el término «metamedicina» para referirse a este conjunto de disciplinas que, más que un universo, sería un multiverso cuya riqueza y diversidad se encuentra amenazada por la tendencia absorbente de una de ellas: la bioética. Escribe Stempsey: «Si consideramos las humanidades médicas como un multiverso metamédico compuesto por los universos de la filosofía, la histo-

[11] Pattison, S. (2003): «Medical Humanities: a vision and some cautionary notes», *J Med Ethics, 29:* 33-8.

[12] Stempsey, W. E. (2007): «Medical humanities and philosophy: Is the universe expanding or contracting?», *Med Health Care Philos, 10(4):* 373-83.

ria, la literatura, etc. —en la medida en que se relacionan con la medicina—, se plantea la cuestión de cómo se influyen entre sí estos distintos universos». Tras analizar varias respuestas a esta cuestión, Stempsey sostiene que la filosofía de la medicina tiene un papel central y es la mejor candidata para servir como fuerza integradora de toda la metamedicina. El peligro que él ve es la actuación de la bioética como «una gran fuerza gravitatoria (algunos dirían que un agujero negro)» que amenaza con absorber al resto de las humanidades.[13] La razón es muy similar a la que había planteado Pattison (al que Stempsey no cita): la gran aportación de las humanidades médicas estaría en su carácter multidisciplinar, que les evita formar un campo de estudio específico y les permite mantenerse como «un multiverso formado por muchos universos académicos que reflexionan sobre los aspectos teóricos y prácticos de la medicina; las humanidades médicas orientan a disciplinas ya bien establecidas (como la filosofía, la literatura y la historia) hacia una reflexión crítica sobre la medicina».[14] Pero la riqueza de esa deliberación multidisciplinar se pierde en cuanto los diversos saberes que intervienen en ella pasan del diálogo multidisciplinar a la articulación interdisciplinar de un determinado cuerpo de conocimientos, métodos, actividades e instituciones que pronto dará un paso más para constituirse en una nueva disciplina autónoma y profesionalizada, en competencia con las anteriores. El desafío multidisciplinar supone que varias especialidades dialogan sobre temas de interés común a todas sin perder su identidad propia. El paso al planteamiento interdisciplinar implica la formación de un nuevo conjunto de saberes, procedentes de las disciplinas anteriores, pero que evoluciona hacia la constitución de una especialidad nueva, que acabará coexistiendo con las que le dieron origen… o bien (y esto es lo que da a la bioética su carácter amenazante, en opinión de Stempsey) predominando sobre todas ellas, actuando como una *lingua franca,* fagocitándolas y haciéndoles perder su diversidad, complejidad y riqueza originarias. La propuesta de Stempsey recurre a un concepto amplio de filosofía, especialmente a la filosofía europea, cosa notable en un norteamericano.[15] Su tesis es que, a diferencia de la bioética, la filosofía sí puede aportar una lengua común que preserve la genuina interdisciplinariedad que es básica para la metamedicina. La filosofía de la medicina proporciona una fundamentación amplia para el análisis de todas las complejas dimensiones humanas que se plantean en la práctica clínica. El propio discurso bioético se enriquecería al dar mayor relevancia a los aspectos metafísicos, epistémicos, lógicos, antropológicos o estéticos de los conflictos sanitarios. Esta concepción

[13] Ibídem, p. 374.
[14] Ibídem, p. 374.
[15] Ibídem, p. 381.

abierta (capaz de extenderse a todos los ámbitos científicos, sociales y humanísticos de la medicina) debería evitar el imperialismo filosófico y el excesivo predominio de los filósofos profesionales (que son imprescindibles, pero nunca en exclusiva). Stempsey concibe así la mejor opción para articular de forma enriquecedora las diversas disciplinas que aún están demasiado dispersas como burbujas científicas, sociales y humanísticas, pero que podrían comunicarse muy fructíferamente entre sí siempre que sean capaces de hacerlo sin dejarse devorar todas por la mayor de ellas («one big bioethical bubble»).

Más contemporizadora es la actitud de R. S. Downie y Jane Macnaughton, que en 2007 dedicaron un libro monográfico[16] a la relación entre bioética y humanidades médicas. Ambos son personalidades destacadas en el movimiento actual de humanidades médicas británicas y habían publicado anteriormente otra monografía a la que esta remite.[17] Downie es profesor emérito de Filosofía Moral en Glasgow y Macnaughton es directora del Centre for Arts and Humanities in Health and Medicine de Durham. Su libro se basa en la distinción entre dos funciones principales de las humanidades médicas:

1. La *función crítica,* en la que las diversas ramas de la filosofía amplían y radicalizan la aportación regulatoria de la ética a la medicina, interrogándose sobre aspectos epistemológicos, sobre los fundamentos filosóficos de la ética médica, sobre el sentido profundo de las decisiones clínicas… Si la bioética es una actividad práctica de primer orden, la filosofía moral es una reflexión teórica de segundo orden que analiza de forma crítica la anterior: tamiza los hechos, aporta perspectivas diferentes y las contrasta deliberativamente con las habituales. De forma análoga, la lógica detecta inconsistencias, elimina falsedades y precisa conceptos que pueden tener importantes consecuencias éticas. La epistemología aporta métodos cualitativos (como los introspectivos) que pueden aclarar los elementos universales de las vivencias personales, complementando así a los métodos cuantitativos. La filosofía política ayuda a analizar conflictos entre valores individuales y sociales como la justicia, la utilidad, los derechos personales y comunitarios…

2. La *función suplementaria* de las humanidades médicas respecto a la bioética trataría de mejorar las percepciones y las actitudes personales con que los médicos trabajan, facilitándoles perspectivas externas sobre su propia actividad, ayudándoles a comprender las vivencias íntimas de los enfermos, apor-

---

[16] Downie, R. S. y Macnaughton, J. (2007): *Bioethics and the humanities: attitudes and perceptions,* Oxford, Routledge-Cavendish.

[17] Downie, R. S. y Macnaughton, J. (2000): *Clinical Judgement. Evidence in practice,* Oxford, Oxford University Press.

tándoles matices que enriquecen el adecuado cumplimiento de sus deberes técnicos y éticos, etc. El arte y la literatura encontrarían en este aspecto su aplicación a la medicina. La narrativa puede, en algunas ocasiones, descubrir a los médicos valores personales de sus enfermos que ningún instrumento tecnológico detecta. La dimensión simbólica de las experiencias personales (que tiene a veces importantes consecuencias sanitarias) puede ser transmisible a través del arte y de la literatura, pero no a través del método científico. La capacidad objetivadora de la expresión estética permite pasar de las emociones personales al conocimiento general de los factores emocionales.

Downie y Macnaughton dejan claro que, a diferencia de la bioética (cuyo papel necesario en la medicina no cuestionan), la función crítica y complementaria de las humanidades en ningún caso debería imponerse de forma obligatoria en la educación y la práctica médica, pues no todos los especialistas las precisan ni todos los clínicos se beneficiarían de ellas. Si la bioética es parte sustancial en la formación profesional de todo médico, las humanidades son un elemento añadido a su educación personal, que puede aportarle una visión más amplia y rica de su práctica y sus enfermos, descubrirle valores ocultos, cuestionarle prejuicios y reforzarle la capacidad empática de comprensión del otro.

3. EL PLANTEAMIENTO DE DIEGO GRACIA

La revisión que acabamos de realizar sobre las relaciones entre bioética y humanidades médicas no puede aspirar a ser exhaustiva, pero da al menos una muestra significativa de las posturas existentes en la actualidad. Sirve adecuadamente como fondo para plantear una tesis: el desarrollo académico riguroso de las humanidades médicas (incluida la bioética) requiere en estos momentos un marco teórico global que lo fundamente y lo posibilite. Ese planteamiento básico se encuentra, desde mi punto de vista, en los trabajos más recientes de Diego Gracia sobre hechos y valores.[18] Su desarrollo sistemático no puede plantearse aquí, por razones de espacio, pero es importante al menos esbozarlo.

El papel esencial de las humanidades médicas hay que entenderlo —sostiene Gracia— a partir de la dicotomía entre hechos y valores. Todo enfermo que llega a una consulta ofrece, a través de la anamnesis, la exploración clínica y las pruebas complementarias, una serie de datos sobre sus disfunciones biológicas. Pero esos datos científicos vienen necesariamente amalgamados

---

[18] Gracia, 2006. *Op. cit.* nota 2; Gracia, 2011a. *Op. cit.* nota 3; Gracia, 2011b. *Op. cit.* nota 4.

en una compleja estructura que incluye también muchos tipos de valores personales que determinan profundamente, en cada caso particular, la forma de enfermar, la forma de relacionarse con el médico y la forma de responder al tratamiento.

Los valores no son hechos, pero tampoco cuelgan en el vacío: son siempre hechos lo que se valora. La naturaleza se compone de hechos, la cultura se ocupa de valores. La separación conceptual entre hechos y valores es un artificio cultural que nos permite analizar un determinado fenómeno tanto en lo que tiene de hecho como en lo que estimamos que vale. La medicina es un conjunto de saberes que ha de atender necesariamente a ambos planos, pues se encuentra siempre entre el mundo de la naturaleza y el de la cultura. La enfermedad es un hecho natural, pero es también un suceso cultural. Lo que las ciencias de la cultura han predicado insistentemente es que la salud y la enfermedad no son meros hechos biológicos, sino también y al mismo tiempo fenómenos históricos, sociales, culturales, etc.; por tanto, el médico no las entenderá correctamente si no es capaz de analizarlas también desde estas perspectivas.

Ahora bien, esas diversas perspectivas desde la que hay analizar los hechos y los valores (que necesariamente existen en la salud y en la enfermedad) pueden agruparse en tres grandes tipos, que corresponden a tres grupos diferentes de disciplinas y a tres metodologías:

1. Las *ciencias naturales* (entre ellas las *biomédicas,* como la anatomía, la fisiología, la microbiología…) estudian *los hechos en tanto que hechos.* El contenido de los tratados de medicina interna es una descripción de hechos patológicos (lesiones, disfunciones, datos analíticos…). El objeto propio de la patología médica es el estudio de esos hechos considerados como tales hechos. El método propio de las ciencias biomédicas es el científico-experimental: el que se ocupa del estudio de los hechos en tanto que hechos. Hechos, en la mayor medida posible, cuantificables, experimentalmente objetivables, contrastables, confirmables, refutables y predecibles.

2. Las *ciencias sociales* (entre ellas las *sociosanitarias)* estudian *los valores en tanto que hechos.* Las opiniones o creencias que cada uno tenga son sus valoraciones subjetivas de la realidad. Pero el hecho de que la gente tiene opiniones y creencias es un dato objetivo cuyo estudio es propio de las ciencias sociales: las opiniones, creencias o valoraciones de las personas pero en tanto que hechos, sin entrar a su estudio en tanto que valores. Una cosa es deliberar sobre las creencias cristianas (valores en tanto que valores) y otra muy distinta establecer el porcentaje de los españoles que se consideran cristianos (valores en tanto que hechos, y por tanto objeto de las ciencias sociales). Los métodos propios de las ciencias sociales son tanto cuantita-

tivos como cualitativos. Cuando es posible recurren a los cuantitativos, por ejemplo estadísticos, como hacen muchas de las ramas de la sociología o de la economía. En otras ocasiones han de recurrir a métodos cualitativos, como lo son los narrativos; es el caso de las llamadas «historias de vida», que tan buenos frutos están aportando, por ejemplo, a la antropología o a la psicoterapia.

3. Las *humanidades* (y entre ellas las *humanidades médicas)* son disciplinas que se ocupan del estudio de *los valores en tanto que valores.* Desde los diálogos de Sócrates con sus interlocutores, el objeto de la reflexión propiamente filosófica son valores en cuanto tales: la justicia, la belleza, la bondad, la piedad, la verdad... Los valores pueden y deben ser objeto de diálogo y discusión, ya que no son exclusivamente subjetivos, aunque tampoco son puramente objetivos. Sobre ellos se pueden dar razones y de ese modo se puede mejorar su conocimiento. El método propio de las humanidades (incluidas las médicas) es *la deliberación:* el diálogo sobre los valores propios y ajenos con un intercambio de argumentos que permite refutar las incoherencias y aproximarse a la verdad.

En su espléndida monografía *La cuestión del valor*[19] Gracia revisa las teorías de una serie de autores fundamentales en el tema: Aristóteles, Kant, Scheler, Hartmann, Weber, Ortega, Dewey, Zubiri, Putnam... apoyándose en ellos, recuerda la distinción entre *valores intrínsecos* (que en sí mismos son valiosos, como la dignidad o la belleza) y *valores instrumentales* (que remiten a otros valores, como el precio o la utilidad);[20] también recoge la jerarquía (estudiada por Max Scheler) entre los *valores materiales* (que tienen las cosas y los sucesos), los *vitales* (propios de los seres vivos) y los *espirituales o personales* (específicos del ser humano).[21]

4. EL PRÓXIMO PASO

Este planteamiento de Gracia sugiere inmediatamente una pregunta (que no forma parte ya de sus escritos, sino de la interpretación de los mismos realizada por el firmante del presente texto): si las humanidades consideran los valores en tanto que valores, ¿qué relación podemos establecer entre el conjunto de

---

[19] Gracia, 2011a. *Op. cit.* nota 3.

[20] Ibídem, pp. 89-133.

[21] Ibídem, pp. 134-139.

disciplinas que incluimos en ellas y el conjunto de valores que estudian en tanto que valores?

Partiendo de la distinción esencial entre valores intrínsecos e instrumentales y de la mencionada jerarquía en tres niveles, puede establecerse la diferencia entre diversos tipos de valores: vitales (sano-enfermo, vivo-muerto), estéticos (bello-feo), lógicos (verdadero-falso, evidente-probable), jurídicos (legítimo-ilegítimo), sociales (solidario-insolidario), ontológicos (digno-indigno), morales (bueno-malo, leal-desleal), religiosos (sagrado-profano)…[22]

Lo que ahora tendríamos que plantearnos es la forma en que las humanidades médicas (bioética incluida) pueden ayudarnos a entender y manejar el oscuro conglomerado de valores de todos estos tipos que interactúan en los conflictos sanitarios. Un único ejemplo puede ser suficiente para ilustrarlo.

En el año 2004 el Ministerio de Sanidad español planteó la necesidad de establecer un visado sanitario para restringir (en la sanidad pública) el uso de los fármacos antipsicóticos atípicos de última generación, que tienen un precio elevado. La ficha técnica oficial de estos fármacos les atribuía determinadas indicaciones (como la esquizofrenia), pero los médicos y sus pacientes consideraban que en algunos cuadros no incluidos en dicha ficha (como otras psicosis, trastornos de personalidad o determinados cuadros demenciales) resultaban muy superiores a fármacos más antiguos y más baratos. La Administración planteó la posibilidad de restringir su uso en psicosis no esquizofrénicas y en mayores de 75 años. Pero las autoridades sanitarias no emplearon públicamente argumentos económicos, sino puramente científicos: razones de idoneidad en la elección del fármaco y de posibles riesgos y efectos secundarios. Las asociaciones de psiquiatras, manteniéndose también en el plano de los valores científicos, se opusieron a que fuese el visado administrativo, y no el criterio del especialista, el que determinase la indicación terapéutica; frente a los riesgos de los nuevos antipsicóticos esgrimieron los mayores efectos secundarios de los clásicos.

Dando un paso más, la Sociedad Española de Psicogeriatría puso encima de la mesa otro tipo de valores, al manifestar que «solo cabe entender esta actitud por motivos económicos. Da la impresión de que a la Administración le interesa más ahorrar dinero que la seguridad de la población afectada, toda vez que la ley excluye de estos requisitos a las prescripciones financiadas de forma privada». Los familiares de los enfermos apoyaron (invocando valores éticos y sociales contra la discriminación) la postura científica de los profesionales. Hubo voces que aludieron al apoyo activo de la industria farmacéutica a las posturas de los médicos, de los enfermos y de sus familiares.

---

[22] Ibídem, p. 137.

Todo el debate ofrece una excelente ocasión de observar el papel de *valores económicos, políticos y empresariales* que se mantienen ocultos bajo un discurso que los disfraza de *valores científicos, terapéuticos, profesionales o éticos.* Además de las distinciones básicas entre valores intrínsecos/instrumentales y valores materiales/vitales/personales, convendría estudiar también la relación entre los *valores manifiestos* que se esgrimen en los debates públicos y los *valores ocultos* pudorosamente tras las argumentaciones.

La Administración podría esgrimir argumentos sanitarios, pero sin silenciar sus necesidades de ahorro económico, que son reales y tienen que someterse a un debate público (es decir, político) para garantizar la permanencia de la seguridad social. La industria farmacéutica puede legítimamente argumentar que necesita unos determinados ingresos para mantener el funcionamiento empresarial que produce, entre otras cosas, la investigación de la que han salido los recursos diagnósticos y terapéuticos de los que disfrutamos actualmente. Los médicos y sus pacientes pueden buscar el mejor tratamiento posible en cada caso sin ignorar que, mientras los presupuestos sanitarios sean finitos, todo recurso que se destine a un enfermo deja de poder ser destinado a otro. Cada una de estas posturas tiene sólidos argumentos a su favor y no debería intentar colar gato científico por liebre interesada.

La relación de la bioética con el resto de las humanidades médicas y ciencias sociosanitarias ha de pasar, en el mejor de los casos, por la deliberación y la concordia. Los conflictos sanitarios se entienden y resuelven mejor si se cuenta con aportaciones rigurosas de la economía y el derecho sanitario, de la epistemología y lógica clínica, de la bioética, de la política, de la historia y de la sociología médica. Incluso de la literatura y la estética. Cuanto mayor sea el esfuerzo por comprender la compleja variedad de hechos y valores que influyen en las decisiones clínicas más se evitará el peligro de ver solo una de las caras del poliedro. Recurriendo, una vez más, a una obra que suele citar Diego Gracia, hemos de recordar las palabras que le dijo a Sancho Panza su señora la duquesa: «por un ladito no se ve el todo de lo que se mira».[23]

---

[23] *Quijote*, II, 41.

15

La ética de nuestro tiempo: la bioética

CARLOS POSE

La bioética surge como término nuevo en el siglo XX. Se trata de un fenómeno histórico, específico de la cultura occidental, lo cual equivale a decir que su nacimiento tiene raíces filosóficas y científico-técnicas. Tanto la evolución de la filosofía desde su origen en la Grecia clásica, como la revolución científico-técnica a partir de Galileo y Newton, han venido a parar a una progresiva sensibilización humana hacia todos los seres vivos y el medioambiente en general. En todo este tiempo, lo que ha estado en el centro de discusión ha sido la idea tradicional de ser humano, que los diversos saberes han ido volviendo cada vez más problemática. Los avances más importantes han venido de la aplicación del método científico a todas las áreas de la realidad humana, a la física o corporal, a la psíquica o mental y, finalmente, a la ética o moral.

Es conocida la interpretación de las tres revoluciones científicas como ofensas al hombre que hizo Sigmund Freud. Por la revolución copernicana, se perdió el geocentrismo, con lo cual también el hombre dejaba de ser el centro del universo. Después de esta «ofensa cosmológica» vino la segunda, la «ofensa biológica», por la que el hombre pasó de considerarse «como soberano de todos los seres que poblaban la tierra» a verse como «el resultado de una evolución». La tercera ofensa, la psicológica, es la que Freud mismo le infligió, por la que el hombre dejó de ser incluso «soberano en su propia alma», puesto que los nuevos descubrimientos psicológicos venían a mostrar que «esta alma no es algo simple, sino más bien una jerarquía de instancias, una confusión de impulsos».[1] En los últimos años se ha producido una cuarta ofensa que Freud no pudo desvelar, pero que está en el origen de la bioética. Nos referimos a la «ofensa ética», por la que el ser humano se ve desplazado del centro de la reflexión moral, al sustituirse el deber de universalización por el deber de globalización, sobre todo debido a que los nuevos conocimientos que nos proporcionan la ecología y la etología exigen tener en cuenta un factor que antes no había tenido gran relevancia moral: la relación del ser humano con los seres vivos no humanos y la naturaleza en general.

1. El antepasado: el estado embrionario de la bioética

Desde el origen de la filosofía ha habido dos enfoques en la interpretación del ser humano, uno clásico, puramente filosófico, y otro contemporáneo, en el que ha tenido un papel decisivo la ciencia moderna. En Grecia no se concibió lo que hoy llamamos una antropología filosófica, pero se estudió muy directamente el psiquismo humano. La psicología, la investigación de la psique o la aplicación del *logos* al conocimiento de la psique, es en Grecia una parte muy importante de la filosofía. Empieza con Sócrates, Platón y Aristóteles, y recibe un nuevo impulso en la Edad Media. De hecho, en la Edad Media la psicología racional es una de las llamadas metafísicas especiales. Lo que en todos estos años se afirma insistentemente es que existe un corte radical, una distancia insalvable entre el ser humano y todos los demás seres vivos. El ser humano posee una sustancia especial, que suele identificarse con la psique o alma racional, que hace de él un ser distinto a todos los demás. El ser humano, en el fondo, es su psique, su alma, su *logos,* su razón.

Este enfoque se consolida con Descartes, y llega hasta Kant, con un pequeño matiz. Desde Descartes se venía sosteniendo un dualismo exacerbado en la consideración del ser humano, lo cual equivalía a definirlo según dos sustancias, alma y cuerpo, *res cogitans* y *res extensa.* Esto había permitido ciertos progresos científicos en el análisis del cuerpo humano, dado que se consideraba completamente independiente del alma. De hecho la anatomía y la fisiología mejoraron mucho a partir de esa época. Pero la contrapartida era que dejaba

---

[1] Cf. Freud, S. (2009): «Una dificultad del psicoanálisis», en; *OC,* VII. [Citado por Amengual, G. (2009): *Antropología filosófica,* Madrid, BAC].

intocable el problema del alma, más allá del análisis de los procesos cognitivos y de las ideas innatas. Esto llevaba a seguir considerando al ser humano como sustancia anímica y, por tanto, a concebirlo a gran distancia del resto de los seres vivos. Caso paradigmático, en este sentido, fue la filosofía moral de Inmanuel Kant en el siglo XVIII. Kant dividió el universo en dos clases, la de las «personas» y la de las «cosas» (incluidos los animales), atribuyendo a la primera «dignidad» y a la segunda solo «precio». A las personas las define Kant como «fines en sí mismos», mientras que las cosas son tan solo «medios». Las implicaciones morales de esta afirmación son obvias.

Con la crisis del idealismo va a surgir un nuevo enfoque. Desde el punto de vista moral las críticas a Kant no se hicieron esperar. En 1841 Schopenhauer, uno de los anti-idealistas, influido por el pensamiento oriental, publicó un escrito, *Sobre el fundamento de la moral,* en el que critica directamente la moral kantiana, sobre todo su aspecto formal y categórico. Para Schopenhauer el fundamento de la moral hay que buscarlo, no por vía racional, sino emocional, en concreto, en la idea de compasión. La compasión, cree Schopenhauer, es lo único que nos determina moralmente. Lo llamativo es que la compasión no se refiere únicamente a la relación entre personas, sino que se extiende a todas las formas de vida: «... la compasión ilimitada con todos los seres vivos es el más firme y seguro aval de la buena conducta moral, y no precisa de ninguna casuística. Quien está lleno de ella es seguro que no ofenderá a nadie, a nadie perjudicará, a nadie hará daño, sino que más bien tendrá indulgencia con todos, perdonará a todos, a todos ayudará tanto como pueda, y todas su acciones llevarán el cuño de la justicia y la caridad».[2] Esta tesis va mucho más allá del imperativo categórico de Kant, puesto que funda de modo inmediato deberes humanos hacia todos los seres que tienen vida.

El respaldo científico a esta tesis llegará en la segunda mitad del siglo XIX de la mano de Charles Darwin. Darwin publica en 1959 *Sobre el origen de las especies por medio de la selección natural* y en 1871 *El origen del hombre.* Con ello establece por vez primera sobre bases científicas la íntima relación existente entre la especie humana y las demás especies animales. La idea es que todas las especies son la consecuencia de un mismo proceso evolutivo, gobernado por los principios de la selección natural, la lucha por la vida y la supervivencia del más apto. Por tanto, no hay motivo para sostener un dualismo metafísico ni moral entre el ser humano y los demás seres vivos, puesto que el ser humano no es más que un eslabón en la cadena evolutiva de las especies.

---

[2] Schopenhauer, A. (2002): *Los dos problemas fundamentales de la moral,* Madrid, Ed. Siglo XXI, p. 260.

Tabla 15.1. «Ofensas» al hombre

Teorías clásicas	«Ofensas» al hombre	Teorías revolucionarias
Geocentrismo	Revolución copernicana (Ofensa cosmológica).	Heliocentrismo
Fijismo	Revolución darviniana (Ofensa biológica).	Evolucionismo
Alma	Revolución freudiana (Ofensa psicológica).	Inconsciente
Universalización	Revolución jahriana (Ofensa ética).	Globalización

Esta idea se consolida en las últimas décadas del siglo XIX, con el científico y filósofo alemán, Ernst Haeckel. Haeckel fue el máximo divulgador de las ideas evolucionistas en Centroeuropa. Con la publicación de *Morfología general del organismo* (1866) introdujo un término que iba a hacer fortuna: «ecología». Desde entonces la ecología pasa a ser una nueva área de conocimiento que no ha hecho más que ampliarse. La idea fundamental es que todos los organismos vivos (incluidos los humanos) están interrelacionados entre sí, siendo imposible respetar una clase de ellos sin tomar en cuenta la otra.

Todo esto replantea el problema de cuál es el puesto del hombre en el cosmos. Durante todo el siglo XIX se discutió mucho este tema. Si la tendencia general de la filosofía hasta entonces había sido el magnificar las diferencias entre el ser humano y los demás seres vivos, ahora, por el camino de la ciencia, parecía necesario sostener una tesis contraria. Mas que de salto brusco parece que debía hablarse de cambio progresivo, o de una gran similitud en relación con los seres vivos más próximos. Esto equivalía a afirmar que el ser humano también es naturaleza, e incluso que, en tanto que naturaleza, es un ser deficitario. Nace inmaduro, necesita cuidados desde muy temprano, no posee grandes cualidades físicas, etc. Lo único que le salva de la indigencia es su inteligencia. Pero la inteligencia aquí no se define como sustancia anímica o espiritual, sino como una característica adaptativa. La inteligencia es una cierta capacidad de previsión o anticipación que poseen los seres vivos con un sistema nervioso centralizado. Ya decía Comte, el padre del positivismo, saber (intelección) para prever (anticipación), prever para actuar (adaptación).[3]

---

[3] Cf. Gracia, D. (2009): «Zubiri ante los retos actuales de la Antropología filosófica», en Pintor-Ramos, A. (coord.): *Zubiri desde el siglo XXI*, Salamanca, Publicaciones Universidad Pontificia de Salamanca, pp. 111-3.

2. El pasado: el nacimiento de la bioética

Llegados a este punto, hay dos ideas fundamentales. que tienen que ver con la nueva idea de ser humano, que han dado lugar al nacimiento de la *bioética*. La primera es que no hay una diferencia radical entre la vida humana y la vida de los demás seres vivos, dado que todo es fruto de un mismo proceso evolutivo. La segunda idea es que existe una estrecha relación vital entre el ser humano y los demás seres vivos. Ambas tesis echan por tierra, definitivamente, la consideración de la vida humana como algo anímico o espiritual, aislado de todo lo demás. De ahí que comience a estudiarse en términos científicos, con idénticos métodos a los empleados en física y en química. De la aplicación de esas ciencias al análisis de los seres vivos surgieron las disciplinas llamadas biofísica y bioquímica. La búsqueda de un enfoque similar en el estudio del psiquismo humano dio lugar a la aparición de la llamada psicofísica, que Rudolf Eisler rebautizó a comienzo del siglo XX con el nombre de biopsíquica. Pues bien, es en ese contexto donde apareció por vez primera el término «bioética», acuñado por Fritz Jahr el año 1927. Lo definió como la ética de las relaciones de los seres humanos con los animales y las plantas.

Para Fritz Jahr, la ética no podía permanecer ajena a todos esos datos suministrados por la ciencia. El principio de lucha por la existencia es tan básico en la conducta humana que no puede no ser tenido en cuenta. Lejos de ignorarlo, la función de la ética ha de ser el asumirlo desde la categoría central de la moralidad humana, que para Jahr es la idea de «responsabilidad». Somos responsables no solo de nosotros mismos y de los demás seres humanos, sino también de la vida en general y del conjunto de la naturaleza. Para dotar de contenido formal a su teoría ética, Jahr acude a Kant. Este hizo del respeto a todos los seres humanos el principio canónico de la acción moral. De ahí que su imperativo categórico diga: «obra de tal modo que uses la humanidad, tanto en tu persona como en la persona de cualquier otro, siempre como un fin al mismo tiempo y nunca solamente como un medio». Jahr cree que ese imperativo necesita ser repensado, incluyendo en él no solo a todos los seres humanos sino también al conjunto de los seres vivos. De ahí la nueva formulación que propone: «Respeta cada ser vivo en principio como un fin en sí mismo y trátalo, en lo posible, como tal». Jahr lo llama «imperativo bioético». Sus diferencias con el de Kant son dos. La primera, que incluye a todos los seres vivos en la categoría de fines en sí mismos, en vez de relegar a todos los no humanos a la de simples medios (influencia de Rousseau, Schopenhauer). Y segundo, que no formula el imperativo en términos categóricos sino hipotéticos (influencia de Weber). Dice que debe tratárseles como fines en sí mismos «en lo posible». De ahí que la bioética de Jahr no pertenezca a las que Max Weber denominó algunos años antes «éticas de la convicción», sino que forme parte de las llamadas «éticas de la responsabilidad». No es un azar que el término responsabilidad lo utilice Jahr repetidamente para caracterizar su enfoque de la bioética.[4]

A comienzos del siglo XX, cuando Jahr escribía todo esto, se estaban poniendo a punto los conceptos fundamentales de la física atómica, lo que poco después llevaría a la construcción de las primeras armas nucleares. Cuando el año 1945 se arrojaron sobre Hiroshima y Nagasaki, y cuando a comienzos de la siguiente década aparecieron otras mucho más potentes, las denominadas bombas de hidrógeno, la humanidad empezó a reconsiderar sus relaciones con la vida y el medio ambiente. Por vez primera en la historia, el ser humano se veía con la capacidad técnica necesaria para exterminar la vida de la faz de la tierra. La vida en general, y no solo la vida humana, comenzaba a convertirse en problema. Eso disparó las alarmas e hizo surgir diversos movimientos dedicados a promover la «responsabilidad de la ciencia». Los nuevos avances científico-técnicos habían planteado nuevos problemas, y estos exigían perentoriamente una nueva ética.[5]

La preocupación por estas cuestiones no haría más que incrementarse durante la segunda mitad del siglo XX. Si la primera fue la edad de oro de la física, la segunda habría de serlo de la biología, por obra, sobre todo, de la biología molecular. Sus hallazgos permitieron poner a punto, al comienzo de los años setenta, la tecnología necesaria para manipular la información genética de los seres vivos y de ese modo cambiar la información de la vida. Eran nuevos problemas que exigían nuevas soluciones. No es un azar que fuera precisamente el año 1970 cuando Van Rensselaer Potter publicó su artículo: «Bioética, la ciencia de la supervivencia». En él apareció por vez primera el término «bioética», reacuñado por Potter, en el idioma inglés. En Potter el término tenía un sentido muy amplio y muy relacionado con la ecología: «Tenemos mucha necesidad de una ética de la tierra, una ética de la vida salvaje, una ética de la población, una ética del consumo, una ética urbana, una ética internacional, una ética geriátrica, y así sucesivamente. Todos estos problemas reclaman acciones basadas sobre valores y sobre hechos biológicos. Todos ellos constituyen la bioética, y la supervivencia del ecosistema total es la prueba del sistema de valores» (Potter, *Bioethics: Bridge to de Future*).[6] La mentalidad de Potter tenía muchos puntos de contacto con la de Jahr. Como él, pensaba que los nuevos avances científicos y técnicos exigían nuevas respuestas por parte de la ética, como úni-

---

[4] Cf. Gracia, D. (2011): «Bioética», en: Romeo Casabona, C.: *Diccionario de Bioética y Derecho,* Comares, Granada.

[5] Ibídem.

[6] Potter, V. R. (1971): *Bioethics: Bridge to the future,* N. J. Prentice-Hall, Englewood Cliffs.

Tabla 15.2. Ciencias de la vida

Ciencias de la vida	Contenido
Biofísica	Estudio de los fenómenos vitales mediante los principios y métodos de la física.
Bioquímica	Estudio de la composición y las transformaciones químicas de los seres vivos.
Psicofísica, biopsíquica	Estudio de las manifestaciones físicas o fisiológicas que acompañan a los fenómenos psicológicos.
Bioética	Estudio de los aspectos éticos de las relaciones de los seres humanos con los animales y las plantas

co modo de que la humanidad fuera capaz de manejarlos responsablemente. De ahí la idea del *puente* que se halla en el título de su libro de 1971, *Bioethics: Bridge to de Future:* era preciso establecer un puente duradero entre los nuevos hechos que iba descubriendo la ciencia y los valores que esos hechos ponían en juego. Para Potter se estaba agrediendo el medio ambiente de modo muy grave, y solo la reflexión moral podía evitar el camino hacia el desastre. De esta forma, la bioética se alineaba con los nuevos planteamientos ecológicos y ambientalistas. Es una dirección que no haría más que ganar en importancia con el paso del tiempo. De hecho, el término «bioética» conoció a partir de 1970 una rapidísima expansión por todo el mundo, hasta el punto de que al acabar el siglo había pasado a la práctica totalidad de las lenguas del planeta. Con razón se ha dicho que es uno de los fenómenos más característicos de las décadas finales del siglo XX.[7]

Todos esos descubrimientos biológicos tuvieron una fuerte repercusión en el mundo de la medicina. De ahí que en los años setenta el término bioética entrara también con fuerza en este segundo escenario. El punto de germinación fue la Universidad de Georgetown, en Washington, concretamente la persona de André Hellegers. Hellegers era un obstetra católico, muy preocupado por los problemas éticos relacionados con el origen de la vida. Formó parte de la Comisión que nombró Pablo VI en 1964 para el estudio de los métodos anticonceptivos. La publicación de la encíclica *Humanae Vitae* el año 1968 está muy relacionada con este descubrimiento de la bioética. Esa

---

[7] Cf. Gracia, D. (2004): *Como arqueros al blanco,* Madrid, Triacastela, p. 107.

encíclica posicionó a muchos teólogos y provocó un nuevo modo de enfocar el análisis teológico-moral de estos problemas. Aquí las preocupaciones eran más prácticas, relacionadas siempre con la resolución de los conflictos que planteaban las nuevas técnicas en su aplicación a los seres humanos sanos o enfermos. Esto tuvo que ver en un principio con la aparición en los años sesenta de los anovulatorios de origen químico y la moralidad del control de la natalidad, y poco después con el debate sobre el aborto. Surgió así un segundo modo de entender la bioética, más apegado a los problemas prácticos y cotidianos de las personas. Es el propio de la llamada bioética clínica unas veces, otras bioética médica o, en fin, bioética sanitaria. No es infrecuente que entre los médicos se considere la bioética como un nuevo estilo en el interior de la ética médica clásica. Se trataría, pues, de una ética profesional, la propia de los profesionales sanitarios, en parangón con otras, como la ética económica y empresarial.[8]

3. El presente: la maduración de la bioética médica en España

En los últimos 30 años la bioética como disciplina ha alcanzado una cierta significación académica, sobre todo la bioética médica, que va de la intradisciplinariedad a la interdisciplinariedad, y de esta a la constitución de una disciplina nueva, de un área nueva de conocimiento biomédico. Este recorrido no es casual. Diego Gracia ha historiado cómo la bioética médica se originó en los Estados Unidos hacia el último tercio del siglo XX en el ámbito de la biomedicina por la confluencia de tres tradiciones: la tradición médica, la tradición jurídica y la tradición política. Cada una de estas tradiciones giraba en torno a un principio de acción distinto, el de beneficencia, el de autonomía y el de justicia; curiosamente, los tres principios de la bioética identificados por el Informe Belmont, y que para él son la causa de la multitud de conflictos que hoy se viven en el mundo de la biomedicina. Para resolverlos, Van Rensselaer Potter propuso, como hemos visto, fusionar dos campos de conocimiento, el de las ciencias naturales *(biós,* los hechos de la vida) y el de las ciencias humanas *(éthos,* los valores de la vida), en orden a orientar la actividad práctica de los profesionales, tanto de la biología como de la biomedicina. Esto hizo que al principio la bioética careciera de un área de investigación propia, o lo que es lo mismo, que fuera *intradisciplinar,* iniciada dentro de una determinada ciencia, por lo general, de la medicina, la biología o la ecología. Como estas ciencias,

---

[8] Ibídem, 108.

que se ocupan preferentemente de hechos, no podían cubrir todos los objetivos que la bioética exigía, inmediatamente se echó mano de la filosofía, de la ética, del derecho, de la teología, que tienen mucho más que ver con los valores. De este modo la bioética se hizo *interdisciplinar.* Así es como ha venido elaborándose hasta la actualidad.

Ahora bien, Diego Gracia ha visto sobre la marcha cómo esto no era suficiente para resolver los conflictos generados en el ámbito clínico, puesto que había que ordenar de alguna manera el papel de cada disciplina, es decir, asignarle un puesto concreto en el proceso de toma de decisiones. Esto lo consiguió mediante la articulación jerarquizada de *hechos, valores y deberes.* La bioética no es entonces una ciencia de *hechos,* a la que se sumaba una ciencia de *valores,* como pensó Potter, sino una nueva disciplina práctica, una nueva área de conocimiento con capacidad de informar nuestros *deberes* concretos ante un conflicto moral. Hechos y valores no serían sino dos pasos, bien que fundamentales, para la toma de decisiones. De la investigación y descubrimiento de los mismos se encargan otras disciplinas. A la bioética le queda la misión de decidir qué valores, fundados en qué hechos, deben prevalecer en nuestras decisiones, y por tanto cuáles y cómo deben ser realizados. Para ello, la bioética necesitaba dos cosas. Ante todo, una fundamentación, un *criterio* que oriente lo que debe o no debe hacerse. La fundamentación que Diego Gracia propuso es la más característica de las éticas del siglo XX, la *ética de la responsabilidad,* en un intento de ir más allá de la clásica dicotomía entre deontología y teleología. Se necesitaba, en segundo lugar, un método. Una ética de la responsabilidad había de tener un método de toma de decisiones. En estos últimos años Diego Gracia ha llegado al convencimiento de que ese método es la *deliberación.* La deliberación lo que da, como ya dijera Aristóteles, es prudencia: la posibilidad de que unos nos beneficiemos de otros al escuchar distintas opiniones, creencias, valores. Deliberar es así un modo abierto de razonar sobre aquellas cosas que se nos presentan como inciertas.[9]

4. EL FUTURO: BIOÉTICA Y MEDICINA BASADA EN VALORES

La bioética se está empezando a consolidar como disciplina académica, pero su misión va mucho más allá. Igual que la ética, tiene un objetivo eminentemente

[9] Cf. Pose, C. (2009): «Diego Gracia: pensar la bioética en España», en: Garrido, M.; Orringer, R.; Valdés, L. M. et al. (coords.): *El legado filosófico español e hispanoamericano del siglo XX,* Madrid, Cátedra, pp. 831-3. Cf. también Pose, C. (2001): «Diego Gracia», en: Honderich, T. D. (ed.): *Diccionario Oxford de Filosofía,* Barcelona, Alianza, pp. 497-8.

Tabla 15.3. Fundadores de la bioética

Fundadores de la bioética	Dimensiones
Fritz Jahr	Bioética ecológica
Van Rensselaer Potter	Bioética global
André Hellegers	Bioética médica

práctico que se tiene que ir consolidando en el futuro, sobre todo en el futuro de la medicina y de la práctica clínica. De hecho, la pregunta que todo alumno o residente de medicina ha de hacerse en cuanto inicie su actividad profesional es una muy parecida a esta: ¿Cómo decidiré el tratamiento de mis pacientes?

Durante mucho tiempo, por lo menos desde el siglo IV a. C. cuando se origina la medicina hipocrática hasta casi nuestros días, el médico fundó sus juicios clínicos en ciertas ideas y creencias de origen filosófico y cosmológico y, a partir de ahí, en la experiencia personal generada en el contexto de esas ideas y creencias aplicadas al ser humano. «El tratado pseudohipocrático *Acerca del número siete* es precisamente el exponente de esta interpretación cósmica de la naturaleza humana. Se establece un riguroso paralelismo entre la estructura del cosmos y la del cuerpo humano. Por vez primera aparece la idea y el vocablo *microcosmos* aplicado al hombre, por lo menos en forma precisa y no puramente metafórica. Macrocosmos y microcosmos poseen *isonomía,* y de aquí la idea de *simpatía* que constituirá una base inconmovible de la medicina».[10] Solo el conocimiento de la Naturaleza capacita al hombre para la práctica de su *tékhne iatrike,* de su técnica médica. Este es el primer modelo de medicina, una «medicina basada en la experiencia» más que en la ciencia.[11] Constituye el punto de arranque de nuestra medicina y el que más se ha practicado durante siglos.

Para encontrar otro modo de fundar las decisiones tenemos que desplazarnos hasta el siglo XIX. La medicina tradicional fue meramente empírica, hasta que Claude Bernard introduce el método experimental. Sin embargo, el verdadero cambio de paradigma clínico lo constituye el ensayo clínico puesto a punto en el siglo XX. En las últimas décadas, especialmente desde el siglo XX, las decisiones clínicas intentan apoyarse en pruebas que van más allá tanto de la experiencia personal como del método experimental. Es lo que se conoce como experiencia científica. En general, esta experiencia permite la instauración de

[10] Zubiri, X. (1994): *Naturaleza, Historia, Dios,* Madrid, Alianza Ed., p. 221.

[11] Es decir, una «medicina basada en la interpretación de la experiencia filosófica» más que en la ciencia.

un tratamiento indicado como efectivo mediante un ensayo clínico. De ahí que hoy todo clínico deba consultar las bases de datos de los tratamientos más efectivos antes de tomar una decisión. Este nuevo modelo de práctica clínica, el fundado en los datos objetivos de una exploración y, sobre todo, en la indicación de los tratamientos más efectivos, es el imperante en la medicina actual. Constituye una medicina más compleja que la anterior, pero también mucho más fiable, o como prefiere decirse, más *científica*. De ahí la denominación de «medicina basada en pruebas».

La cuestión es si esto es todo lo que se le puede pedir a un clínico hoy, o dicho de otro modo, si no hay que tener en cuenta ningún otro factor a la hora decidir un tratamiento. La respuesta carece de toda duda, tal como viene sosteniendo Diego Gracia. El clínico actual no puede conformarse con haber dedicado muchos años de su vida a estudiar los datos clínicos que envuelven el conjunto de las enfermedades y los tratamientos más efectivos para curarlas. Esto es claramente insuficiente. Ha de familiarizarse, complementariamente, con otro factor de la máxima importancia en la toma de decisiones clínica: los valores. Por más que el médico sepa interpretar correctamente los síntomas clínicos de una enfermedad, o tenga mucho saber y experiencia en ciertos tratamientos, a ello ha de añadir el hábito de identificar conscientemente los valores implicados en el acto clínico, si quiere optar por una decisión de superior calidad. El mejor tratamiento no depende únicamente de la efectividad de un fármaco, sino de otras circunstancias, como, por ejemplo, del simple hecho de que el paciente esté dispuesto a tomárselo debidamente, o de que su coste sea asequible para un sistema público de asistencia sanitaria, etc. De ahí que, yendo más allá de la medicina basada en pruebas, sea necesario abrir paso a una «medicina basada en valores».

De esto es de lo que se debe ocupar en el futuro la bioética. No del modo de leer e interpretar los datos clínicos que envuelven una enfermedad, ni de cómo calcular los tratamientos más efectivos disponibles para ella, sino de la manera de gestionar la pluralidad de valores que van envueltos en todo acto clínico. Hablamos de valores comunes y frecuentes. Tales son el respeto de la voluntad del paciente, la atención a su calidad de vida, la consideración de la futilidad de un tratamiento, etc. Ningún escenario de la atención sanitaria, llámese atención primaria, medicina interna, medicina intensiva, pediatría, etc., es ajena a estos valores. La calidad de las decisiones clínicas depende de la identificación de la pluralidad de valores existentes en cada situación concreta y de la habilidad para realizarlos, o lesionarlos lo menos posible.

Según este nuevo modo de entender la medicina, los resultados de las pruebas clínicas pasan a constituir un valor más dentro del conjunto de valores que el clínico ha de tener en cuenta antes de decidir el tratamiento de un paciente. En este sentido, podemos hablar de cuatro grupos de valores:

Tabla 15.4. El futuro de la bioética médica

Medicina basada en pruebas	Diagnóstico Pronóstico Tratamiento
Medicina basada en valores	Valores científicos Valores institucionales Valores profesionales Valores personales
Medicina basada en la experiencia	Deberes ideales Deberes legales Deberes reales

- Valores científicos (los datos sobre pruebas clínicas y tratamientos, etc.).

- Valores institucionales (los recursos de los que dispone el centro de salud en cada caso, etc.).

- Valores profesionales (los que posee el médico o profesional de la salud, o brotan de la relación interprofesional, etc.).

- Valores personales (los que posee el paciente según sus preferencias, y como consecuencia de su enfermedad, de su contexto hospitalario, de la interacción con los profesionales de la salud, etc.).

Todo clínico ha de considerar estos cuatro grupos de valores antes de tomar una decisión. Para ello ha de poner en práctica algunos conocimientos relacionados con la ética de los valores y la axiología. Ha de aprender también a utilizar un método de gestión de valores. Este método le permitirá adquirir la habilidad de identificar, nombrar y elegir los valores que más contribuyen a la calidad de una decisión clínica.

Como todo aprendizaje, la «medicina basada en valores» exige un esfuerzo, una dedicación y una práctica en la misma intensidad que una cirugía o una entrevista clínica. No otro es el objetivo de la bioética en su dimensión clínica: enseñar a aplicar unos ciertos conocimientos a la práctica clínica, de modo que condicionen positivamente la actividad diaria de todos los profesionales de la salud y de sus pacientes o usuarios del sistema sanitario.

16

El problema demográfico:
teorías explicativas y propuestas éticas

MIGUEL ÁNGEL SÁNCHEZ GONZÁLEZ

En épocas anteriores a la revolución industrial la inquietud demográfica predominante fue la escasez de personas y la dificultad para aumentar su número. Pero en la edad contemporánea la ansiedad más generalizada está suscitada por el gran tamaño de las poblaciones y su constante tendencia al aumento.

¿Padecemos actualmente problemas importantes atribuibles a las cifras demográficas? ¿Hay que tomar alguna medida para controlar el crecimiento demográfico? Y en tal caso, ¿cuáles son los medios de control demográfico éticamente aceptables?

Para responder adecuadamente a estos interrogantes es necesario contestar previamente a las siguientes preguntas: ¿Cuál es la tendencia demográfica espontánea? ¿Cuáles son los determinantes de la fertilidad y el crecimiento demográfico? ¿Qué teorías demográficas han sustentado los debates y las iniciativas políticas? ¿Cuáles son las razones que aconsejan limitar el crecimiento demográfico? ¿Cuál es el óptimo poblacional? ¿Existen, o pueden llegar a existir, demasiados seres humanos?

1. La tendencia demográfica espontánea

Es necesario analizar las tendencias demográficas de la especie humana en el marco de las tres grandes etapas culturales que ha atravesado la humanidad: caza y recolección, agricultura e industria.

Durante el período de caza y recolección el crecimiento demográfico fue muy lento. Al final de esta etapa pudieron llegar a existir hasta unos cinco millones de seres humanos repartidos por casi todo el planeta.

Hasta hace pocos años se había creído que durante esta etapa el crecimiento fue lento porque existía una *mortalidad* altísima impuesta constantemente por la naturaleza; y una alta *natalidad,* que era propia de la especie humana, pero que apenas bastaba para compensar la mortalidad. Se presuponía que la mortalidad y la natalidad eran constantes biológicas propias de cada especie animal y necesarias para su supervivencia en un medio ambiente dado. Y se pensaba que el medio ambiente primitivo de la especie humana había sido extremadamente hostil, de modo que la existencia humana tuvo que haber sido brutal, miserable y corta. Sin embargo hoy se piensa que las condiciones materiales de la caza y la recolección no debieron ser tan adversas. Y que en el caso de la especie humana, natalidad y mortalidad no son constantes estrictamente biológicas, sino variables muy influidas por la cultura.

De modo que, durante la primera etapa de la humanidad, *natalidad* y *mortalidad* debieron presentar bastantes oscilaciones y los seres humanos tuvieron que tener una cierta capacidad de ajustar la una a la otra.

Durante el periodo agrícola se produjo el primer gran crecimiento demográfico. Desde los cinco millones de habitantes iniciales en el año 10.000 a.C, se llegó a 50 millones en el año 1000 a.C. Y se alcanzaron 250 millones en el año 1 d.C. Sin embargo, a comienzos de la era cristiana la población mundial se estancó durante algo más de mil años. El crecimiento solo se reinició en el siglo XI, pudiendo alcanzar 400 millones en el siglo XIII. Y en el siglo XVII se llegó a 600 millones.

La natalidad de las sociedades agrícolas fue notablemente superior a la de las paleolíticas. A pesar de ello, el crecimiento demográfico no fue tan rápido como hubiera podido ser porque aumentó simultáneamente la mortalidad debida principalmente a las enfermedades infecciosas. Este incremento de la mortalidad infecciosa fue consecuencia de las nuevas condiciones higiénicas y nutricionales.

Fue durante el período industrial cuando se produjo el rapidísimo crecimiento exponencial en el que todavía estamos. He aquí las cifras:

• 1750: 750 millones.

- 1804: 1.000 millones.
- 1927: 2.000 millones.
- 1959: 3.000 millones.
- 1974: 4.000 millones.
- 1987: 5.000 millones.
- 1999: 6.000 millones.
- 2006: 6.500 millones.
- En diciembre del 2010 eran: 6.890 millones.
- Y se espera llegar a 7000 millones a comienzos del 2012.[1]

A mediados del siglo XXI la población estará entre los 7,4 y los 10,6 millones, dependiendo de cómo evolucione la natalidad. Así, en el supuesto de que la natalidad continúe descendiendo al ritmo de las tres últimas décadas, siempre que la mortalidad no aumente, se alcanzarán los 9.000 millones hacia el año 2050.

El crecimiento industrial fue resultado de un descenso inicial de la mortalidad. Aunque la natalidad, paradójicamente, también descendió durante esta etapa. Pero el descenso de la natalidad apareció algún tiempo después de la disminución de la mortalidad, y además, la natalidad se mantiene por encima de la mortalidad durante toda una fase llamada de transición demográfica.

En los países desarrollados se ha completado ya la transición demográfica, de modo que mortalidad y natalidad han vuelto a equilibrarse a un nivel más bajo. No obstante, en el planeta considerado en su conjunto, la transición demográfica está lejos de haberse completado. La mortalidad ha estado descendiendo más rápidamente que la natalidad hasta los años sesenta del siglo XX, en los que se produjeron tasas récord de crecimiento demográfico mundial, de hasta un 2,2% anual. Es cierto que en los últimos 40 años el ritmo de descenso de la natalidad ha sido algo mayor que el de la mortalidad; debido a ello, la tasa de crecimiento demográfico en 2009 ha bajado hasta el 1,13%. Sin embargo, como estas tasas lentamente decrecientes se aplican a una población cada vez mayor, durante los últimos 50 años el resultado ha sido un aumento neto de la población bastante constante, por encima de los setenta y cinco millones anuales.

---

[1] Cf.: United Nations. Population Division of the Department of Economic and Social Affairs. *Revision of the official United Nations world population estimates and projections.* 1998. Y también: U. S. Census Bureau, *World Population Clock,* accesible en http://www. census.gov/ipc/www/popclockworld.html

2. Determinantes de la fertilidad y el crecimiento demográfico

Ya hemos visto que las primitivas sociedades de cazadores y recolectores crecían muy lentamente y se mantenían dentro de límites demográficos bastante modestos. Sus tasas de natalidad y mortalidad no eran necesariamente altas, y podían oscilar ampliamente, compensando siempre la una a la otra.

Las oscilaciones de las tasas estaban bastante influidas por la actuación humana, y así las cifras demográficas se mantenían bajo un cierto control artificial. Las poblaciones paleolíticas podían *controlar la fertilidad* por diversos medios conscientes o inconscientes, entre ellos: la variación de la frecuencia y las formas de relación sexual; la regulación la intensidad y duración de la lactancia; así como la alteración del trato a las mujeres y a las embarazadas. Y la *mortalidad* también podía resultar muy afectada por prácticas culturales como las siguientes: crianza selectiva que disminuye el cuidado dispensado a algunos niños, abandono de recién nacidos e infanticidio; descuido de ancianos y de enfermos, violencia, guerra...

De este modo, podemos pensar que los determinantes principales del bajo crecimiento demográfico paleolítico debieron ser los controles artificiales de la natalidad y la mortalidad. Ahora bien, ¿por qué controlaban su demografía por medios a veces tan drásticos como el infanticidio y el abandono de niños? ¿Detectaban alguna señal que les indicase la necesidad de hacerlo? La respuesta es que un número excesivo de hijos resultaba incompatible con su estilo de vida, que era nómada y muy dependiente del esfuerzo colectivo de los adultos. Los niños tardaban mucho tiempo en alcanzar la edad productiva, y los ancianos dejaban de contribuir pronto. El aumento de población improductiva y dependiente obligaba a aumentar el esfuerzo productivo de los adultos. Pero este esfuerzo, a partir de un cierto nivel, producía rendimientos progresivamente decrecientes. Para comprender este último fenómeno recordemos que los recursos que se pueden extraer de un medio ambiente, con una tecnología dada, solo aumentan linealmente hasta que llegan a un punto de inflexión. Traspasado ese punto, los rendimientos que se obtienen por unidad de esfuerzo añadida son cada vez menores, debido al agotamiento del medio. Así es como la caza y la recolección pueden resultar cada vez menos productivas. Y esta era la señal que podía desencadenar la puesta en práctica de medidas de control demográfico. De este modo, las sociedades de cazadores y recolectores mantenían su población alrededor del punto de inflexión de los rendimientos, manteniéndose así bastante por debajo de la capacidad de carga de su medio ambiente.

Las sociedades agrícolas, en cambio, no intentan frenar su demografía. En ellas la fecundidad de la mujer suele aumentar al máximo. Y pierden toda importancia los controles artificiales. De modo que el control del crecimiento demográfico pasa a depender sobre todo de la desnutrición y el aumento de las enfermedades infecciosas. La explicación de la desaparición agrícola de los controles demográficos artificiales podemos encontrarla en las nuevas ventajas que ofrecía el tener muchos hijos, y a la disminución de los inconvenientes que estos representaban para los cazadores-recolectores nómadas. Los niños se incorporan pronto a las faenas agrícolas, y a los pocos años ya han producido para la familia más de lo que han recibido; además, constituyen un seguro para la vejez o la enfermedad de los padres.

Una población agrícola numerosa aporta beneficios evidentes tanto para las familias como para el conjunto de la sociedad. Es la forma de aumentar el poder económico, político y militar de los grupos humanos organizados en sociedades complejas. Naturalmente, la tecnología agrícola también puede traspasar su límite de rendimientos decrecientes. Pero las señales indicativas de esta trasgresión se manifiestan a largo plazo y no son evidentes para los individuos. Los beneficios de las familias numerosas siempre parecen sobrepasar a los perjuicios. No puede extrañar, por tanto, que durante toda la etapa agrícola se haya pretendido aumentar el número de los hijos. Y que el crecimiento demográfico haya sido estimado como un bien deseable siempre.

En las sociedades industrializadas, por el contrario, aparecieron unas condiciones que hacían menos deseable tener un gran número de hijos. En ellas se hace necesario dedicar mucho dinero y esfuerzo a la educación de los hijos. Desaparece la familia como unidad productiva, y los hijos se independizan precisamente cuando comienzan a producir. Además, en estas sociedades el llamado «estado del bienestar», que asegura contra los riesgos de la vejez y la enfermedad, hace innecesario que los hijos sean el sostén de los padres. No es extraño, por tanto, que en estas sociedades disminuya drásticamente el crecimiento de la población.

Donde en la actualidad existe todavía un crecimiento demográfico exponencial es en los países en vías de desarrollo. En estos países ha disminuido rápidamente la mortalidad. Pero todavía persisten las condiciones materiales, la organización social y la mentalidad que promueve un gran número de hijos por familia.

Así pues, la industrialización y la mejora del nivel material de vida es el principal factor correlacionado con la fertilidad y el tamaño de las familias. Y el mecanismo de esta correlación es *el balance de costes* y *beneficios, fundamentalmente económicos, que la crianza de los hijos reporta a los padres* (en cuanto a gastos, ingresos, seguridad económica, etc.). En otras palabras, podría decirse que el mecanismo que explica la disminución del tamaño de las familias en las sociedades industrializadas es doble. Por un lado, disminuyen los beneficios que los hijos aportan a los padres. Y por otro lado, aumenta el coste de oportunidad de la crianza, esto es: aumenta el valor de las opciones económicas que se pierden con la crianza de los hijos (en trabajos remunerados para la madre, inversiones productivas, adquisición de otros bienes económicos...). Teniendo en cuenta además que el coste de oportunidad de tener hijos aumenta con la mejoría económica y el nivel de vida.[2]

Por otra parte, los demógrafos también saben que existen ciertos factores causalmente relacionados con la disminución de la natalidad, entre ellos:

1. La condición de la mujer: A medida que mejora el nivel cultural y social, y la independencia económica de la mujer, esta desempeña un mayor papel en las decisiones reproductivas. Y, como consecuencia, la natalidad disminuye.

2. Acceso a los medios de planificación familiar: Son muchas las parejas que recurrirían a estos medios, si los tuvieran disponibles.

3. Mortalidad infantil: Cuando esta disminuye, las parejas dejan de sentir el estímulo natalista de tener que compensar una gran mortalidad esperable.

4. Mejoras en la seguridad y el bienestar social: Si las personas cuentan con seguros públicos de enfermedad y desempleo, junto con adecuadas pensiones de jubilación, dejan de necesitar un cierto número de hijos para que les presten estos servicios.

5. Valores culturales y religiosos: Aunque lo cierto es que estos valores solo parecen desempeñar un papel significativo durante los períodos de transición. Y más que los valores directamente pronatalistas, influye la condición subordinada en la que algunas culturas mantienen a la mujer.

3. TEORÍAS Y DEBATES SOBRE EL CRECIMIENTO DEMOGRÁFICO

Los análisis históricos anteriores a la revolución industrial tendían a ser decididamente pronatalistas. Y este hecho pone de manifiesto que la aspiración al crecimiento demográfico es una característica de las culturas de base agrícola.

Recordemos, por ejemplo, las políticas del emperador romano Augusto que castigaban la soltería y recompensaban a las familias prolíficas. Y aún en la Edad Moderna, cuya base económica era todavía agrícola, dominaba la idea de que el crecimiento demográfico es precario y necesita ser fomentado. Las

[2] Becker, G. S. y Lewis, H. G. (1973): «On the Interaction between the Quantity and Quality of Children», *Journal of Political Economy, 81:* 279-88.

naciones europeas pretendían acumular población por los mismos motivos por los que pretendían acumular metales preciosos; esto es, para aumentar su poder mercantil, militar y colonizador. De hecho la ciencia de la demografía moderna surgió en el siglo XVII, como resultado de los esfuerzos mercantilistas de mantener un registro de la población.

Hasta finales del siglo XVIII prevaleció indiscutida la idea de que el crecimiento indefinido de la población es deseable. Y que debían existir ayudas públicas para fomentar las familias numerosas.

Todavía hoy sigue estando muy extendida en nuestra sociedad la creencia de que «todo crecimiento demográfico es bueno y tranquilizador; así como la disminución es mala y amenazante». Si bien, en esta estimación puede haber un residuo de la mentalidad pronatalista que acompañó a la fase agrícola de la humanidad.

En cualquier caso, fue en los comienzos del periodo industrial cuando surgieron los primeros pensadores que consideraron el crecimiento demográfico como un peligro.

El origen de los debates sobre un posible exceso demográfico estuvo en las especulaciones de algunos pensadores ilustrados sobre el progreso y la perfectibilidad humana. Entre ellos estuvo Condorcet[3] quien pensó que la mejora ilimitada de la industria y del bienestar iba a acarrear un crecimiento demográfico tal que podría llegar a ser incompatible con ese mismo bienestar:

> ¿No habrá de llegar un momento en el que el aumento del número de hombres exceda del aumento de sus medios, dando origen, necesariamente, si no a una disminución continua del bienestar y de la población, a una marcha verdaderamente regresiva, o, por lo menos, a una especie de oscilación entre el bien y el mal? Esta oscilación, ¿no sería una causa permanente de miserias en cierto modo periódicas?[4]

Pero el optimismo de Condorcet le llevó a afirmar que el problema demográfico mencionado podría ser resuelto gracias a la propia elevación moral del ser humano que el propio progreso traería:

> Los ridículos prejuicios de la superstición habrán dejado de extender sobre la moral una austeridad que la corrompe y la degrada, en lugar de depurarla y de elevar-

---

[3] Condorcet, J. A. (1795): *Esquisse d'un tableau historique des progres de l'esprit humain*, 1795. [Traducción española (1980): *Bosquejo de un cuadro histórico de los progresos del espíritu humano*, Madrid, Editorial Nacional].

[4] Ibídem, p. 237.

la, los hombres sabrán entonces que, si tienen obligaciones respecto a unos seres que no existen todavía, esas obligaciones no consisten en darles la existencia, sino la felicidad; tienen por objeto del bienestar general de la especie humana, [...] y no la pueril idea de cargar la Tierra de seres inútiles y desgraciados.[5]

Thomas Malthus, en su famoso *Ensayo sobre el principio de la población* polemiza precisamente contra «todos los escritores sobre la perfectibilidad del hombre y de la sociedad», a los que reprocha que: «habiéndose dado cuenta del argumento de una población sobrecargada, lo tratan muy ligeramente, representando las dificultades que surgen de ello como si estuvieran a una grandísima y casi inconmensurable distancia».[6] Malthus se muestra de acuerdo con Condorcet en su descripción de la miseria periódica que sobreviene cuando el número de personas sobrepasa los medios de subsistencia. Pero difiere de él acerca de los periodos en los que eso sucede. Y este sentido añade:

Mr. Condorcet cree que eso no podrá suceder más que en una era extremadamente distante. [Ahora bien...] el periodo en el que número de personas sobrepasa sus medios de subsistencia ha llegado hace tiempo, esa oscilación necesaria, esa constante causa de miseria periódica ha existido desde que tenemos historias de la humanidad, existe en el momento presente, y continuará existiendo por siempre.[7]

Vemos pues que la preocupación de Malthus por la presión demográfica deja de referirse a un futuro lejano para llegar a ser una explicación de la miseria y el vicio que afectan al género humano de manera recurrente y desde siempre. En efecto, Malthus pensó que toda población humana tiene siempre una tendencia a crecer geométricamente, mientras que la producción de alimentos solo puede aumentar aritméticamente. Necesariamente entonces, en todas las épocas han tenido que existir barreras que han impedido a las poblaciones rebasar el límite establecido por los alimentos disponibles.

Malthus señala dos tipos de barreras al incremento demográfico de las poblaciones. En primer lugar están las barreras que él mismo llamó *positivas,* porque entran en acción cuando el exceso demográfico se ha producido ya. En el caso de las sociedades humanas esas barreras positivas son la miseria y el vicio de una parte de la sociedad, las cuales aumentan las tasas de enfermedad y de muerte. Por otra parte Malthus solo reconoce otro tipo de barrera demográfica que él lla-

---

[5] Ibídem, p. 238.

[6] Malthus, T. (1798): *An Essay on the Principle of Population,* Londres, J. Johnson, cap. 8, p. 64.

[7] Ibídem, pp. 68-9.

mó *preventiva,* y que consiste en los matrimonios tardíos y la abstinencia prematrimonial. Y es característico del pensamiento maltusiano creer que esta barrera preventiva solo entra en acción cuando los individuos ven que no van a poder alimentar a sus hijos, y por temor a la miseria o la sobrecarga económica. Precisamente por eso Malthus se opuso a las «leyes de pobres» y a todo tipo de ayuda gratuita a los necesitados. Suponía que tales ayudas iban a producir un incremento demográfico que, a más largo plazo, solo agravaría los problemas.

Curiosamente, el puritano Malthus parece escandalizarse ante la propuesta de regulación voluntaria de la natalidad, que había sugerido Condorcet. Así, Malthus confiesa no entender el procedimiento de superación moral que había imaginado este último. Y añade que:

> Habiendo dicho (Condorcet) que los ridículos prejuicios de la superstición habrán dejado en ese tiempo de arrojar sobre la moral una austeridad corrupta y degradante, él alude, o bien a un concubinato promiscuo que impediría la crianza, o a alguna cosa igual de antinatural.[8]

Además, Malthus es un pensador antiutópico contrario a reformadores sociales como William Goldin, contra el que polemiza ampliamente en su ensayo. Y fueron precisamente sus ideas demográficas las que suministraron a Malthus su principal argumento contra las utopías sociales. Pues, como él mismo dijo, en esas sociedades ideales: «No se puede imaginar una situación más favorable al crecimiento poblacional», y ese crecimiento está destinado a acabar, inexorablemente, con las mismas utopías que lo habían generado. Malthus creía, además, que la miseria y el vicio no provienen de las instituciones humanas ni podrán eliminarse nunca por completo mejorando las mismas. Argumentó que la miseria es ocasionada necesariamente por la inevitable presión demográfica; y más aún: que este fenómeno no es algo que pueda eliminarse porque es una ley inexorable que contribuye a realizar los altos designios del Creador. Malthus opinaba que la necesidad y la desgracia son ingredientes inevitables de la vida humana y resultan indispensables para mejorar el carácter moral de los hombres, vencer su pereza y agudizar su ingenio.

Malthus rechazaba las medidas «antinaturales» de control de nacimientos. Él se limitó a señalar la existencia de barreras preventivas, como los matrimonios tardíos y la abstinencia prematrimonial que los hombres se imponen a sí mismos impulsados por la necesidad. Fue el malthusianismo posterior el que llegó a preconizar todo tipo de medidas de control de la natalidad. Recordemos las Ligas Malthusianas surgidas en el último cuarto del siglo XIX para propa-

---

[8] Ibídem, p. 69.

gar los métodos anticonceptivos. Unos métodos anticonceptivos que el propio Malthus hubiera considerado, sin duda, inaceptables desde el punto de vista de su moral sexual puritana.

Ha habido también un cierto neomaltusianismo que ha considerado imprescindible implantar coactivamente algunas medidas de control de la natalidad. Según este neomalthusianismo, la coacción política es necesaria porque los intereses libres de los individuos acaban generando tragedias y porque la moral individual nunca podrá solucionar el problema demográfico. Esto es lo que afirmó Garret Hardin en una publicación de 1968: «The tragedy of the Commons».[99] Hardin, en aquel famoso artículo, indicó que podemos llegar a situaciones en las cuales la «mano invisible» de la economía liberal invierte sus efectos; y en vez de operar en beneficio de todos produce resultados catastróficos. Recordemos que Adam Smith había dicho que los hombres que actúan egoístamente son conducidos como por una mano invisible a producir efectos beneficiosos para todos:

> Como cualquier individuo pone todo su empeño en emplear su capital [...] para conseguir el producto que rinde más valor, colabora de una manera necesaria en la obtención del ingreso anual máximo para la sociedad. [...] solo piensa en la ganancia propia; pero es conducido por una mano invisible a promover un fin que no entraba en sus intenciones.[10]

Garret Hardin comenzó por señalar lo que ocurre en los campos de pasto que no son de nadie. En ellos los individuos ponen libremente a pastar a sus ganados, obteniendo más ganancias propias cuantos más animales añadan. Naturalmente, llega un momento en que la cantidad de pasto no es bastante. Añadir entonces más animales deteriora el campo, disminuye la producción de pasto y hace que todos los animales estén peor nutridos. No obstante, el individuo egoísta racional seguirá añadiendo ganado porque eso siempre aumenta sus ganancias particulares, aunque el rendimiento económico de cada animal malnutrido sea cada vez menor. Por su parte, los demás ganaderos también tenderán a añadir más ganado para mantener y aumentar sus ganancias. Pero el resultado a largo plazo es la ruina para todos y la pérdida de los terrenos de pasto. Así es como se produce la «tragedia de los espacios comunes». Hardin continúa diciendo que el problema que plantean los espacios que tienen un límite productivo solo puede solucionarse implantando medidas de gestión que tengan un carácter coactivo de la liber-

---

[9] Hardin, G. (1968): «The Tragedy of the Commons», *Science, 162:* 1245-8.
[10] Smith, A. (1981): *An Inquiry into the Nature and Causes of the Wealth of Nations,* Indianapolis: Liberty Fund, vol. 1, libro IV, capítulo 2, para. 9. [Editado por R. H. Campbell y A. S. Skinner].

tad individual. Así es como ya se intentan gestionar, por ejemplo, los recursos pesqueros, o la eliminación de basuras contaminantes. Pues bien, la población, según Hardin, también crece un espacio común. Y solo se puede evitar la tragedia característica de los espacios comunes implantando medidas de control de la natalidad que tengan fuerza coactiva, y que sean acordadas recíprocamente para bien de todos. La alternativa a la coacción sería confiar en llamamientos a la moral individual. Pero la conciencia, a corto plazo, solo sería capaz de crear ineficaces sentimientos de culpa y dobles mensajes en la competencia social. Además, a largo plazo, la recta conciencia se autoeliminaría porque prevalecerían evolutivamente los grupos humanos que carecieran de esa conciencia.

Otros autores han desarrollado la idea malthusiana de que el exceso demográfico es el principal responsable de las desdichas humanas. Si bien, los autores más recientes han añadido la preocupación ecológica y ambiental como motivo de alarma. Tal es el caso del matrimonio Ehrlich, que en su libro de 1968, *The Population Bomb,*[11] advertía de un inminente desastre si no se conseguía controlar la explosión demográfica. En 1990 en otro libro titulado *The Population Explosion*[12] intentaban demostrar que la bomba demográfica había explotado ya, y había causado millones de muertos por desnutrición y enfermedades relacionadas, así como un deterioro ambiental irreparable. Estos autores extraen como conclusión que: «La causa principal de los problemas que afligen a nuestro planeta no es otra que la superpoblación y sus impactos en los ecosistemas y en las comunidades humanas».[13] De modo que: «todo el que se oponga al control de la natalidad está abogando inconscientemente porque el volumen demográfico humano sea controlado por medio de un aumento masivo de muertes prematuras».[14]

Más recientemente Holmes Rolston III[15] ha argumentado la necesidad de proteger el ambiente, y dejar sin explotar ciertos hábitats, aunque eso signifique dejar sin alimentar a algunas personas. Según este autor hay tres problemas que se suman: la sobrepoblación, el consumo excesivo y la mala distribución. Pero sacrificar más recursos naturales no soluciona ninguno de esos problemas.

[11] Ehrlich, P. (1968): *The Population Bomb,* Nueva York, Ballantine, 1968.

[12] Ehrlich, P. y Ehrlich, A. (1990): *The Population Explosion,* Nueva York, Simon and Schuster. [Traducción castellana (1993): *La explosión demográfica,* Barcelona, Salvat].

[13] Ibídem (Traducucción castellana), p. XI.

[14] Ibídem p. 6.

[15] Rolston III, H. (1996): «Feeding People versus Saving Nature?», en: Aiken, W. y LaFollette, H. (eds.): *World Hunger and Morality,* 2.ª ed., Englewood Cliffs, Prentice-Hall, pp. 248-67. [Publicado posteriormente en: Light, A. y Rolston III, H. (eds.): *Environmental Ethics,* Malden, Blackwell Pu., pp. 451-62].

Más bien al contrario, porque en la siguiente generación los problemas persisti-
rán, agravados por la pérdida de riqueza natural. Holmes Rolston también cree
que el crecimiento demográfico ha llegado a ser canceroso. «Para una pareja
tener dos niños puede ser una bendición, pero el décimo hijo es una tragedia.
La calidad de vida se deteriora, los pobres se hacen más pobres. Y los recursos
naturales se exprimen aún más».[16]

En el lado opuesto del debate existen economistas como Julian Simon[17] que
consideran los argumentos maltusianos como mitos que la propia realidad ha
desmentido. Y que, por el contrario, consideran la población como «el último
recurso» estimulador de la economía.

Ahora bien, el problema de las diferentes teorías es que pueden exagerar,
malinterpretar u omitir ciertos datos; y no suelen hacer explícitos los valores
que defienden. Repasemos los motivos que pueden aconsejar una limitación
del crecimiento.

4. LAS RAZONES DE LA LIMITACIÓN DEL CRECIMIENTO DEMOGRÁFICO

4.1. Escasez de alimentos

Durante los dos siglos posteriores a Malthus, contrariamente a sus predicciones,
el aumento de producción alimentaria se mantuvo por encima del incremento
poblacional. Y desde los años sesenta, la llamada «revolución verde», aunque no
eliminó el problema del hambre, consiguió alimentar a más personas y disminuir
el porcentaje mundial de población malnutrida. De hecho, el precio de los alimentos estuvo disminuyendo hasta comienzos del siglo XXI. Sin embargo, a partir de 1990 comenzaron a verse otros resultados de la citada revolución: contami-
nación y deterioro de suelos, agotamiento de acuíferos, ocupación progresiva de
ecosistemas vírgenes, pérdida de biodiversidad, sobreexplotación de pesquerías,
campesinos arruinados… Y finalmente, en el año 2007 llegó a declararse una crisis alimentaria mundial, en la que el índice de precios de los alimentos alcanzó su
máximo en junio del 2008. Seguido en diciembre del 2010 de un nuevo máximo
histórico, que ha desencadenado protestas generalizadas en varios países. Los
motivos de esta reciente crisis alimentaria son las malas cosechas tal vez relacionadas con el cambio climático; la creciente demanda de países emergentes como

---

[16] Ibídem p. 457.

[17] Simon, J. (1990): *Population Matters: People, Resources, Environment, and Inmigra-
tion,* Brunswick, JJ. Transaction Pu.

China y la India; así como una especulación financiera que, para hacer frente a la crisis económica, se ha desviado hacia los productos alimenticios.

4.2. Inmigración y conflictos interculturales

Dado que más del 90% del incremento demográfico está teniendo lugar en los países pobres, los países ricos temen que este rápido crecimiento sea la causa de una fuerte presión migratoria. Si bien es cierto que el aumento de la emigración parece deberse mucho más al dinamismo del capitalismo globalizado y al incentivo que produce la desigualdad de ingresos económicos en los respectivos países.[18]

4.3. Consideraciones ambientales

a) Limitación de los recursos disponibles:
Muchos recursos no son renovables, o se renuevan a un ritmo menor que el de su utilización. Distintos organismos e instituciones internacionales han venido alertando del riesgo de agotamiento de ciertos recursos naturales en las próximas décadas.[19]

b) Capacidad de carga del medio:
Indica el número máximo de seres vivos que un hábitat puede soportar indefinidamente. Se obtiene dividiendo el total de recursos renovables por la cantidad necesaria para mantener a cada organismo. Cuando una población sobrepasa ese máximo, los recursos comienzan a agotarse hasta que la población disminuye.

La capacidad de carga es la meseta a la que llega la curva de los rendimientos que se obtienen a medida que aumenta el esfuerzo productivo. En efecto, en toda curva de rendimientos existe: 1.º Una fase de rendimientos que crecen linealmente; 2.º Una segunda fase de rendimientos decrecientes para cada nuevo incremento del esfuerzo; 3.º Una fase de meseta en la que los rendimientos ya no aumentan más, y 4.º Una fase final de colapso de los sistemas de soporte, que puede ser irreversible y disminuir definitivamente la capacidad de carga de ese habitat.

En el caso de la especie humana la capacidad de carga depende del tipo de tecnología aplicada y de la eficiencia productiva. Según las interpretaciones más optimistas la capacidad de carga puede ser aumentada indefini-

---

[18] Sen, A. (1994): «Population: Delusion and Reality», *New York Review of Books, 41(15)*.

[19] La primera gran voz de alarma fue dada por el Club de Roma, Meadows, D. et al. (1972): *Los límites del crecimiento*, México, Fondo de cultura económica.

damente por la creatividad humana. Pero según las interpretaciones menos optimistas, la creatividad y los recursos no pueden ser infinitos. Además algunos recursos pueden agotarse. Y otros merecer ser conservados independientemente de su contribución a las necesidades humanas.

Hay quienes piensan que nuestra civilización industrial podría hallarse en los alrededores de la fase de meseta de la curva de rendimientos. Y cuanto mayor es la población más rendimientos se necesitan extraer del medio, pudiendo llegar a traspasar límites peligrosos.

c) *Impacto y deterioro ambiental:*

Existe una fórmula que permite calcular la magnitud del impacto ambiental:

$$I = P \times C \times T$$

en la cual: I = Impacto ambiental; P = Población; C = Consumo; T = Daño ambiental por unidad de consumo.

Para disminuir el impacto medioambiental es preciso actuar sobre alguna de las variables de la fórmula. Reducir la «T» es difícil a veces, pero no es imposible, y su cuantía depende del tipo de tecnología que se aplique. Y conviene tener presente que habrá que reducir tanto más la «T» y la «C» cuanto menos lo haga la «P».

Si bien es cierto que, además de las variables de la fórmula, existen fuerzas potenciadoras de la degradación medioambiental tales como: el modelo de desarrollo económico; la pobreza extrema y las grandes desigualdades en la distribución de la riqueza.

d) *Desarrollo sostenible:*

Hasta fechas recientes, todo desarrollo económico había sido considerado bueno en sí mismo. Pero hoy se sabe que ciertas formas de desarrollo destruyen los recursos sobre los que este se basa. Como respuesta a esta nueva conciencia ha surgido el concepto de desarrollo sostenible.

La más famosa definición de desarrollo sostenible es la que apareció en el Informe Bruntland de 1987: «Desarrollo sostenible es el que satisface las necesidades del presente sin comprometer la capacidad de las generaciones futuras para satisfacer sus propias necesidades». El informe en cuestión titulado «Nuestro futuro común»,[20] afirma que pobreza y deterioro ambiental están relacionados, y propone revitalizar el crecimiento económico, pero en sentido sostenible.

---

[20] Comisión Mundial del Medio Ambiente y del Desarrollo (1992): *Nuestro futuro común,* Madrid, Alianza Editorial.

Para conseguir un desarrollo sostenible son necesarias actuaciones a todos los niveles: locales, nacionales e internacionales. Se precisan también cambios socioeconómicos y transformaciones tecnológicas. Sin olvidar el desarrollo de la conciencia y de las actitudes individuales. Pero además, no podemos olvidar que todos los teóricos del desarrollo sostenible aconsejan limitar la población cuanto antes.

4.4. El problema del óptimo demográfico

Existen discrepancias radicales sobre cuál es el tamaño óptimo de las poblaciones. Lo que sucede es que la valoración del crecimiento demográfico depende de los objetivos que se persigan y de la perspectiva que se adopte. Y así, las estimaciones del tamaño demográfico óptimo se suelen realizar desde tres perspectivas distintas:

1. *Las perspectivas ideológicas.*
Ya sean de orden cultural, nacionalista, religioso, político o militar, son tradicionalmente pronatalistas, por razones obvias. Puesto que cuanto más numeroso sea el propio grupo, también será más importante o más influyente.

2. *Las perspectivas económicas.*
Pretenden maximizar el producto nacional bruto, la *renta per capita* y/o el consumo de bienes y servicios. Los economistas realizan estudios a corto plazo, y analizan sobre todo las posibles repercusiones de la tasa de crecimiento. Pero se ocupan bastante menos de analizar las consecuencias a largo plazo del tamaño global de la población. Con estos presupuestos, y teniendo objetivos económicos, se han hecho recomendaciones demográficas muy variadas.

Durante gran parte del siglo XX los informes económicos habían alertado de los peligros del crecimiento demográfico. Pero en las últimas décadas algunos han vuelto a recomendar un crecimiento moderado de la población. Así, los informes del Banco Mundial solían advertir que las altas tasas de crecimiento frenan el desarrollo económico. Pero los últimos informes de la National Academy of Sciences aceptan que las tasas moderadas pueden acelerarlo.[21]

No obstante, los análisis macroeconómicos presentan insuficiencias, importantes, entre ellas: no incorporar ciertos costes medioambientales y no tener en cuenta la escala de la actividad económica en relación a las posi-

---

[21] National Academy of Sciences (1986): *Population Growth and Economic Development: Policy Questions,* Washington, D.C., National Academy Press.

bilidades del medio ambiente. Este es el tipo de insuficiencias que intenta remediar la perspectiva ecológica.

3. Las perspectivas ecológicas.

La perspectiva ecológica contempla plazos más largos, y se preocupa sobre todo por el tamaño final de la población en relación al medio ambiente. El óptimo poblacional desde un punto de vista ecológico está determinado por la «capacidad de carga de un territorio» en el que se usa una cierta tecnología. Y persigue un desarrollo sostenible a largo plazo. En las últimas décadas estos análisis han insistido en que es necesario limitar voluntariamente el crecimiento, tanto el demográfico como el económico cuantitativo.

5. EL PSEUDOPROBLEMA DEL ENVEJECIMIENTO DEMOGRÁFICO

Por otro lado, tenemos que preguntarnos si está justificada la preocupación por el llamado «problema del envejecimiento demográfico» que se está produciendo en los países desarrollados.

Se suele llamar *población envejecida* a toda sociedad desarrollada que reúne un gran porcentaje de ancianos, en comparación con las sociedades en vías de desarrollo que mantienen altas tasas de crecimiento. Habitualmente esta situación de *envejecimiento* suele ser vista como un problema a evitar. Y se imaginan peligros como el debilitamiento de la nación, la inmigración extranjera, o la imposibilidad de pagar las pensiones de jubilación.

Lo cierto es que el envejecimiento de la población solo es un problema desde puntos de vista ideológicos y económicos convencionales. Pero es la mejor de las situaciones posibles desde un punto de vista humano y ecológico. Debemos tener en cuenta que ese mal llamado *envejecimiento* es el resultado del éxito conseguido por la civilización contemporánea sobre los índices sanitarios. Históricamente había existido siempre un porcentaje mayor de jóvenes. Pero ello era el resultado de una mayor mortalidad, o de una tasa de crecimiento muy alta.

El objetivo a alcanzar hoy en día es una población cuantitativamente estable, que sea sostenible por un medio ambiente dado. Si en esa población la esperanza de vida es afortunadamente larga, el porcentaje de ancianos será necesariamente elevado. Y esto último no debe ser considerado como un mal en sí mismo. Por tanto el «envejecimiento poblacional» no debe ser visto como un problema, sino como el estado al que, felizmente, deberemos adaptarnos en los nuevos tiempos.

Y por supuesto, no es una situación que se deba corregir. Pensemos que una población solo puede aumentar su porcentaje de jóvenes de dos maneras: disminuyendo la esperanza de vida o aumentando la natalidad hasta producir tasas de crecimiento significativas. Lo primero es inaceptable. Lo segundo sin embargo, es lo que pretenden ciertas políticas pronatalistas. Ahora bien, se sabe que las políticas pronatalistas son caras e ineficientes. Pero lo más importante es que, aún cuando esas políticas tuvieran éxito, solo podrían resolver *el problema* durante el tiempo en que consiguieran mantener importantes tasas de crecimiento; pero estarían creando para el futuro el problema de una población aún más numerosa, que siempre tendría que seguir creciendo para que los jóvenes superasen en proporción a los ancianos. Y así, tendrían que enfrentarse alguna vez con el verdadero problema que es: «la necesidad de adaptar la sociedad al alto porcentaje de ancianos que existe en una población estable con una gran esperanza de vida».

6. ¿EXISTEN O PUEDEN LLEGAR A EXISTIR DEMASIADOS SERES HUMANOS?

Las respuestas a esta pregunta oscilan entre los extremos. Y hay pocos problemas que mantengan tan divididos a los analistas. Considerada la pregunta en abstracto, nunca podría decirse que existen demasiados seres humanos. La vida humana es un bien y un valor indiscutible. Y tenemos que pensar que ese valor aumenta proporcionalmente al número de seres humanos existentes.

La pregunta solo es aceptable desde un punto de vista ecológico global que contempla tanto el futuro como el presente. Y, solo desde ese punto de vista, yo propongo reconocer el siguiente *postulado de limitación demográfica:* «Se puede afirmar que existen, o llegarán a existir, demasiados seres humanos, si el tamaño poblacional multiplica los riesgos para la sostenibilidad y/o el funcionamiento del ecosistema a un mínimo nivel de complejidad; con la condición de que, al mismo tiempo, se intente por todos los medios corregir los demás factores perturbadores (consumo excesivo, tecnología inadecuada, etc.)».

A su vez, para aceptar el anterior postulado de limitación es necesario ampliar el centro de referencia moral para incluir en él a las generaciones futuras, e incluso a ciertos valores existentes en la naturaleza. Es decir, que el postulado solo adquiere fuerza cuando se reconocen los derechos de las generaciones futuras y se renuncia al antropocentrismo ético exclusivo.

Dicho en otras palabras: la moderación de las cifras demográficas parece deseable, cuando se piensa en el futuro de la especie humana, y cuando se aspira a proteger ciertas especies o sistemas naturales no humanos.

Naturalmente, el control demográfico no puede ser la única medida de desarrollo sostenible y lucha contra los problemas. Es preciso luchar al mismo tiempo contra otros factores: pobreza, desigualdad, consumismo, modelo económico, tecnología inadecuada...

Resumiendo: nunca deberá dejar de decirse que la existencia de seres humanos, sin limitación de número, es un bien intrínseco y un valor en sí. Pero tenemos que reconocer al mismo tiempo, que ciertas amenazas ecológicas fundamentales son mas difíciles de superar cuanto más numerosa sea la población. Y que puede existir un límite demográfico más allá del cual no existe ninguna solución factible para nuestros problemas.

7. ¿COACCIÓN O PLANIFICACIÓN VOLUNTARIA?

Hay dos supuestos muy diferentes sobre los efectos globales que tienen las decisiones reproductivas de los individuos. Por un lado, existe el supuesto de que los intereses y las tendencias espontáneas de los individuos pueden llegar a producir importantes males para la sociedad y para ellos mismos. Quienes parten de este supuesto suelen ser partidarios de implantar medidas políticas coactivas.[22] Por otro lado, hay autores que piensan que las decisiones de las familias se corresponden bastante bien con las necesidades sociales y las posibilidades de cada situación. Y aunque aceptan que puede llegar a haber una divergencia entre los beneficios privados que aportan los hijos y los costes públicos, creen también que esa divergencia puede reducirse adecuadamente por medio de la educación y las normas comunitarias no coactivas. Aún en el caso de que persistieran los desajustes, estos podrían corregirse con medidas de desarrollo económico y social. Lógicamente, quienes parten de este segundo supuesto demográfico proponen dejar en libertad a los individuos para que planifiquen sus familias, simplemente aportándoles más y mejor información.

Así pues, existe un abordaje demográfico coactivo, que implanta restricciones legales o económicas e impone medidas de control de la natalidad. Y existe un abordaje colaborativo que deja las decisiones reproductivas a los individuos y solo procura favorecer el desarrollo socioeconómico general, suministrando información y promoviendo el debate público.[23]

Después de todo lo dicho podemos ver que la elección de un abordaje u otro depende de la teoría demográfica que se sustente y de la perspectiva valorativa que se adopte. Pero también depende de lo desastroso que se considere el incremento demográfico y de lo inmediato que se considere el peligro. Parece que la comunidad internacional todavía no está convencida de la gravedad ni

---

[22] Garrett, H. J. (1993): *Living Within Limits: Ecology, Economics, and Population Taboos*, Nueva York, Oxford University Press.

[23] Sen, A. (1997): «Population policy: Authoritarianism versus cooperation», *J Popul Econ, 10:* 3-22.

de la inminencia del peligro. Y este puede ser el principal motivo por el que actualmente se desechan oficialmente las políticas coactivas.

En cualquier caso, los abordajes coactivos ¿son realmente efectivos? Lo que está comprobado es que la natalidad puede reducirse significativamente por medio de factores no coactivos tales como: la prosperidad y la seguridad económica, la disponibilidad de anticonceptivos, la educación de la mujer y la disminución de la mortalidad infantil.[24] Por el contrario, la efectividad de las intervenciones coactivas ha sido puesta en duda. Amartya Sen, por ejemplo, es de la opinión que los abordajes coactivos consiguen poco y destruyen mucho en el orden de los valores y de las libertades.[25] Además señala que no producen sus efectos con más rapidez que los procedimientos colaborativos. Cita, como muestra, que los logros demográficos de China pueden haberse debido mucho más al desarrollo económico que a los programas estatales impuestos por la fuerza.

8. ESTRATEGIAS EMPLEADAS PARA EL CONTROL POBLACIONAL

En la segunda mitad del siglo XX surgieron múltiples iniciativas para frenar el crecimiento demográfico. Las decisiones de control han sido tomadas por dos tipos distintos de instituciones: por un lado están las organizaciones promotoras internacionales *(donor agencies),* y por otro los gobiernos y las autoridades locales. Existen organizaciones internacionales públicas y privadas, entre ellas: la United States Agency for Intemational Development, la United Nations Population Fund y el Banco Mundial. Pero estas organizaciones internacionales deben trabajar en colaboración con las autoridades nacionales.

Los motivos explícitos de la ayuda internacional al control poblacional han ido variando con los años. Desde los años 40 las organizaciones promotoras han hablado en nombre del desarrollo económico. Desde los 60 aconsejaron el control para evitar el agotamiento de recursos no renovables. Desde los 80 se intenta preservar el ambiente y la biodiversidad. Mientras que otras organizaciones han promovido siempre la planificación familiar para dar mayor libertad y bienestar reproductivo a la mujer.

El procedimiento de las organizaciones internacionales suele seguir una serie de pasos: en primer lugar, las organizaciones promotoras trabajan para crear

---

[24] Para ilustrar estas correlaciones empíricas puede verse: Caldwell, J. C. (1982): *Theory of Fertility Decline,* Academic Press, 1982 y Cassen, R. et al. (1994): *Population and Development: Old Debates, New Conclusions*, New Brunswick, Overseas Development Council/ Transaction Publishers.

[25] Sen, 1994. *Op. cit.* nota 18.

en los gobiernos la convicción de que existe un problema demográfico en el país; a continuación recomiendan ciertas estrategias para reducir la fertilidad; Luego ayudan a seleccionar, financiar y distribuir los métodos de control de la fertilidad, así como los servicios educativos y sanitarios relacionados. Y también suelen supervisar la marcha de los programas.

Ante la posibilidad de que resulten lesionados importantes principios y valores éticos, las organizaciones internacionales promotoras del control de la natalidad tienen algunas responsabilidades y obligaciones. Tienen el derecho de suministrar fondos y asesoramiento a los gobiernos para desarrollar las iniciativas demográficas que en justicia, consideren convenientes. Pero no tienen derecho a imponer planes de control de la fertilidad como condición para suministrar ayuda en otras áreas. Y tienen la responsabilidad de mantener una vigilancia de los programas, con la obligación de retirar su ayuda si se comprueba que vulneran ciertos principios éticos.

En la Conferencia de El Cairo de 1994 se elaboró un «plan de acción sobre la población mundial». Este plan pretende estabilizar la población entre 7.900 y 9.800 millones para el año 2050, usando como medios: 1) acceso voluntario a medios de planificación familiar; y 2) educación e igualdad de oportunidades para la mujer. Como se puede apreciar el plan de acción sobre la población mundial está dirigido fundamentalmente a evitar los embarazos no deseados por las mujeres. No contempla ninguna medida coactiva, y está al servicio del bienestar y autodeterminación de los individuos, así como de su derecho a la reproducción.

De esta forma, el derecho humano a la libre reproducción sigue siendo respetado. No obstante, sería bueno recordar que ningún derecho humano individual es absoluto. Y que todos los derechos pueden y deben ser limitados según su repercusión en otras personas, y contrapesados con las exigencias del bien común. Lo que en el fondo sucede es que no hemos llegado a convencemos de que las cifras demográficas esperables suponen una grave amenaza para la humanidad. Esperemos que el futuro confirme nuestro optimismo.

9. Valoración de los programas de control poblacional

Los programas de control poblacional que se han llevado a la práctica en los distintos países suelen estar basados en: campañas de propaganda, manejo de incentivos o recurso a algún tipo de coacción.

1. *Campañas educativas y propagandísticas para cambiar las actitudes de los individuos:* Consisten en mensajes a través de los medios de comunicación (radio, televisión, prensa...), que aseguran la inocuidad de las técnicas y prometen un futuro mejor para las familias más pequeñas. Suelen implicar a los

líderes locales. Y se complementan por medio de trabajadores y visitadores que transmiten el mensaje. Su efectividad, sin embargo, es bastante pequeña. Los problemas éticos que plantean se refieren, sobre todo, a la veracidad y fiabilidad de la información y a la intrusión en los valores de otras culturas.

2. *Incentivos antinatalistas o pronatalistas:* Suelen consistir en ventajas económicas, o uso privilegiado de servicios sociales para aquellos individuos o comunidades que satisfagan ciertos objetivos demográficos.

Los problemas éticos que plantean los incentivos es que pueden afectar más a determinados grupos sociales, vulnerando así la necesaria equidad. También, en algunos casos de necesidad pueden equivaler a coacciones y amenazas a la libertad. Y además, los desincentivos dirigidos contra los padres acaban perjudicando sobre todo a los hijos que nacen a pesar de tales medidas.

3. *Coacción y uso de la fuerza:* En algunos casos se ha utilizado la fuerza para imponer medidas contrarias a la voluntad y los derechos de los individuos, (tales como esterilización forzosa, interrupción del embarazo, privación de beneficios sociales y penalizaciones importantes...). En este sentido han suscitado fuertes críticas las prácticas antinatalistas de India, y sobre todo de China.

El problema ético que esto plantea es el de justificar la violación de los derechos de los individuos y de su libertad reproductiva, con el fin de prevenir otros supuestos males para el conjunto de la sociedad.[26]

10. PRINCIPIOS ÉTICOS DEL CONTROL POBLACIONAL

Existen tres formas de enfocar la ética del control de población:

- Reconocer ciertos derechos humanos universales que deben ser reconocidos como principios éticos en todas las situaciones.

- Estimar que en estos temas no existen principios universalmente aplicables. De forma que la moralidad de las actuaciones concretas solo puede ser evaluada desde la propia cultura de cada país.

- Admitir ciertos principios como universales. Pero, en la medida en que el tamaño de la población origine consecuencias graves, los gobiernos pueden tomar medidas contrarias a esos principios para preservar el bien

---

[26] Aird, J.S. (1990): *Slaughter of the Innocents: Coercive Birth Control in China,* Washington, D.C., AEI Press.

común. Así, como alternativa al respeto incondicional a principios éticos, se ha propuesto la llamada ética del escalonamiento moral *(stepladder ethics),* que permite ir adoptando medidas más discutibles a medida que los problemas globales sean más graves.[27] ⁓

En cualquier caso, en materias de control poblacional, los principios éticos que han podido señalarse han sido los cinco siguientes:

- *Respeto a la vida:* Este principio prohíbe los métodos de control que pongan en peligro la vida o la salud de los interesados.

- *Libertad:* Impide la coacción y el uso de la fuerza.

- *Bienestar:* Los programas sobre población solo pueden ser instrumentos para promover el bienestar humano. Y no pueden estar al servicio de intereses partidistas o ideologías discutibles.

- *Equidad:* Las ventajas y desventajas deben repartirse equitativamente entre los distintos grupos humanos. No puede hacerse solo a costa de ciertos colectivos de personas.

- *Respeto a la verdad:* Es un prerrequisito para los otros cuatro principios. y es necesario como garantía del cumplimiento de todos ellos.

11. ESTRATEGIAS ACEPTABLES E INACEPTABLES

Como resultado de los análisis realizados podemos ofrecer una lista de las estrategias de control éticamente permisibles y otra lista de estrategias claramente inaceptables. Entre las estrategias permisibles estarían las siguientes:

- Mejorar la economía, y eliminar sobre todo la pobreza extrema.

- Fomentar la seguridad y el bienestar social.

- Promocionar a la mujer.

- Facilitar el acceso a una planificación familiar eficaz y sanitariamente segura.

- Disminuir la mortalidad infantil.

---

[27] Warwick, D. P. (1990): «The Ethics of Population Control», en: Roberts, G. (ed.): *Population Policy: Contemporary Issues,* Nueva York, Praeger, pp. 21-37.

- Modificar los valores culturales tradicionales mediante campañas educativas y propagandísticas.

- Ofrecer incentivos antinatalistas positivos, dirigidos a los individuos y/o a la comunidad; siempre que hayan sido suficientemente consensuados por los implicados y que no resulten discriminatorios para los más desfavorecidos.

Y en sentido contrario, serían estrategias éticamente inaceptables:

- Incentivos positivos que resultan irresistibles para ciertos sectores de población desfavorecida, pero no para otros. Entre ellos, por ejemplo, la distribución de pequeñas cantidades de dinero o alimentos a cambio de la esterilización.

- Incentivos directamente negativos, tales como multas, confiscaciones, denegaciones de asistencia social, etc.

- La coacción y el uso de la fuerza. Y, en general, cualquier medida que vulnere gravemente algún principio ético importante.

Como conclusión final podemos resaltar la diversidad de puntos de vista, valoraciones y criterios que actualmente existen acerca del llamado «problema demográfico». Esta diversidad hace imposible una actuación mundial concertada y armónica. No obstante, existen hechos y conceptos demográficos que son lo bastante convincentes como para fundamentar algunas estrategias de control permisibles y aconsejables. Solo nos queda esperar que esas estrategias de control que creemos necesarias sean también suficientes.